KB084186

육군부사관
실전 모의고사

| 1회 |

모바일
OMR 채점 서비스

정답만 입력하면
채점에서 성적분석까지 한번에 쫙!

필기평가

문항	답안입력
01	① ② ❸ ④ ⑤
02	① ② ③ ❹ ⑤
03	① ② ③ ④ ❺
04	① ❷ ③ ④ ⑤
05	❶ ② ③ ④ ⑤
06	① ② ③ ④ ⑤
07	① ② ③ ④ ⑤

필기평가 성적분석

☑ [QR 코드 인식 ▶ 모바일 OMR]에 정답 입력

☑ [eduwill.kr/CQYF ▶ 모바일 OMR]에 정답 입력

☑ 실시간 정답 및 영역별 백분율 점수 위치 확인

☑ 취약 영역 및 유형 심층 분석

※ 유효기간: 2023년 2월 28일

▶ 모바일 OMR 바로가기

[01~05] 다음 조건을 참고하여 제시된 입체 도형의 전개도에 해당하는 것을 고르시오.

┤ 조건 ├

※ 전개도를 접었을 때 전개도상의 그림, 기호, 문자가 입체 도형의 겉면에 표시되는 방향으로 접음.

※ 입체 도형을 전개하여 전개도를 만들 때, 전개도에 표시된 그림(예: ▌, ◹ 등)은 회전의 효과를 반영함. 즉, 본 문제의 풀이과정에서 보기의 전개도상에 표시된 '▌'와 '▬'은 서로 다른 것으로 취급함.

※ 단, 기호 및 문자(예: ☎, ♤, ♨, K, H)의 회전에 의한 효과는 본 문제의 풀이과정에 반영하지 않음. 즉, 입체 도형을 펼쳐 전개도를 만들었을 때에 '☏'의 방향으로 나타나는 기호 및 문자도 보기에서는 '☎' 방향으로 표시하며 동일한 것으로 취급함.

01

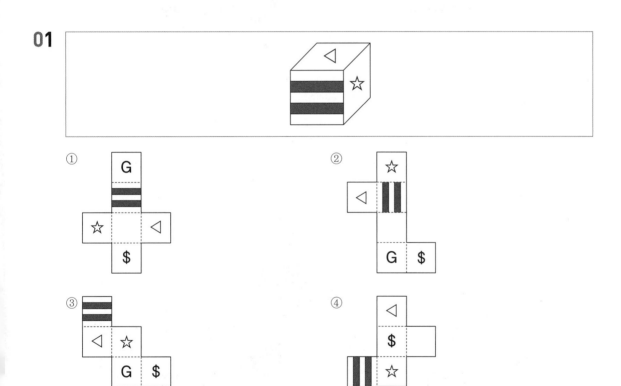

02

①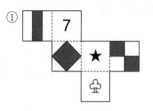

②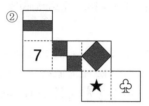

③

④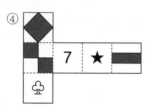

03

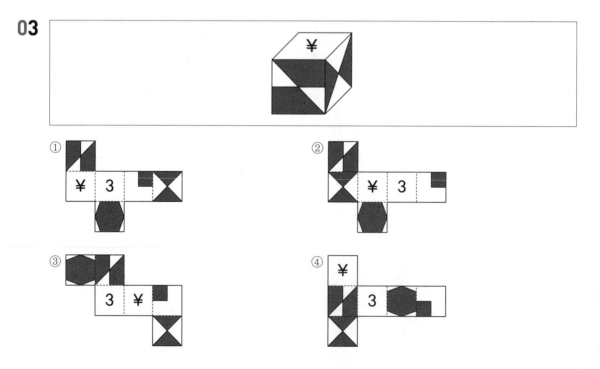

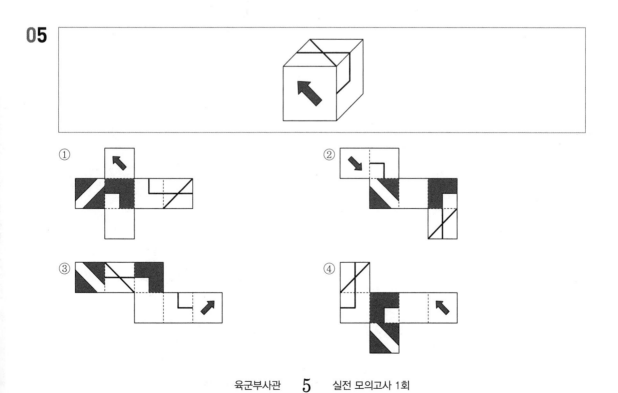

[06~10] 다음 조건을 참고하여 제시된 전개도로 만든 입체 도형에 해당하는 것을 고르시오.

※ 전개도를 접을 때 전개도상의 그림, 기호, 문자가 입체 도형의 겉면에 표시되는 방향으로 접음.

※ 전개도를 접어 입체 도형을 만들 때, 전개도에 표시된 그림(예: ▮, ◢ 등)은 회전의 효과를 반영함. 즉, 본 문제의 풀이과정에서 보기의 전개도상에 표시된 '▯'와 '▭'은 서로 다른 것으로 취급함.

※ 단, 기호 및 문자(예: ☎, ♤, ♨, K, H)의 회전에 의한 효과는 본 문제의 풀이과정에 반영하지 않음. 즉, 전개도를 접어 입체 도형을 만들었을 때에 '☏'의 방향으로 나타나는 기호 및 문자도 보기에서는 '☎' 방향으로 표시하며 동일한 것으로 취급함.

06

① ② ③ ④

07

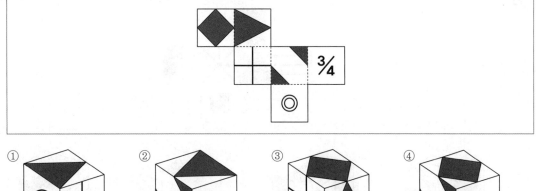

① 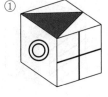 ②  ③  ④

08

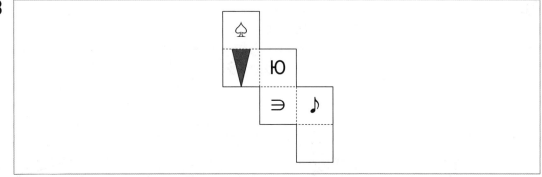

① 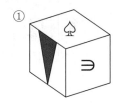 ② 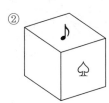 ③ 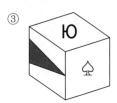 ④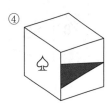

09

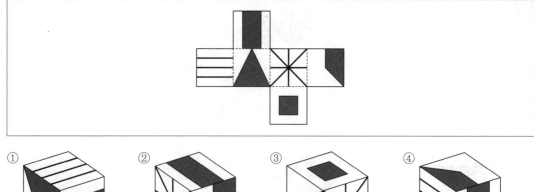

① 　② 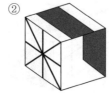　③ 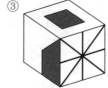　④

10

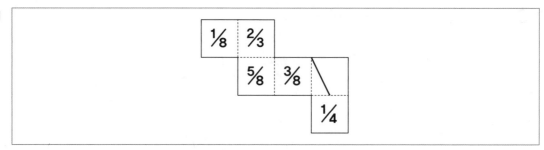

① 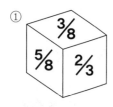　② 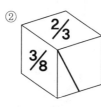　③ 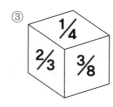　④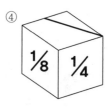

[11~14] 다음 그림과 같이 쌓기 위해 필요한 블록의 개수를 고르시오.(단, 보이지 않는 뒤의 블록은 없다고 생각한다.)

11

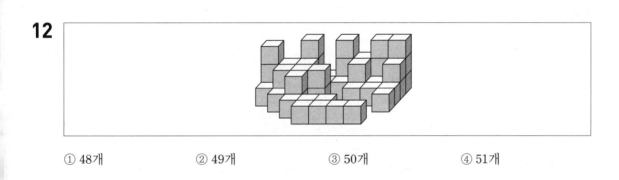

① 53개　　　　　② 54개　　　　　③ 55개　　　　　④ 56개

12

① 48개　　　　　② 49개　　　　　③ 50개　　　　　④ 51개

13

① 52개   ② 53개   ③ 54개   ④ 55개

14

① 45개   ② 46개   ③ 47개   ④ 48개

[15~18] 다음 블록을 화살표 방향에서 바라볼 때의 모양을 고르시오.(단, 보이지 않는 뒤의 블록은 없다고 생각한다.)

15

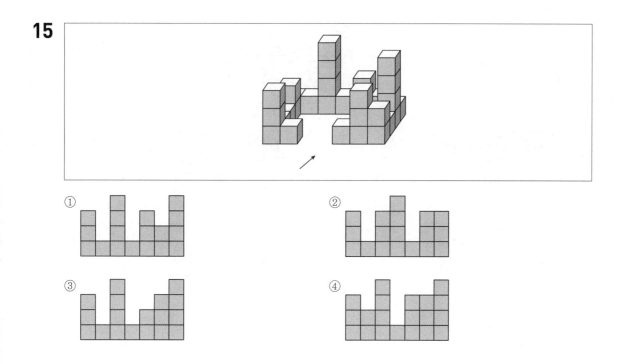

16

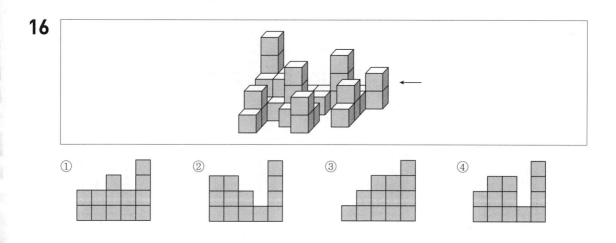

17

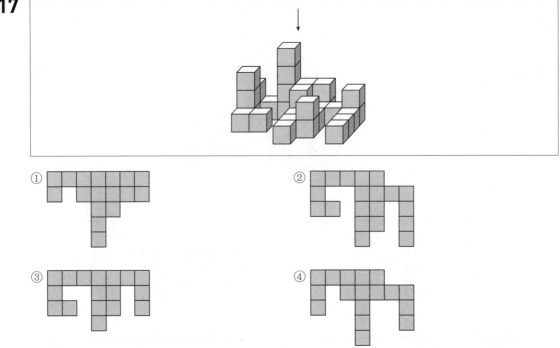

18

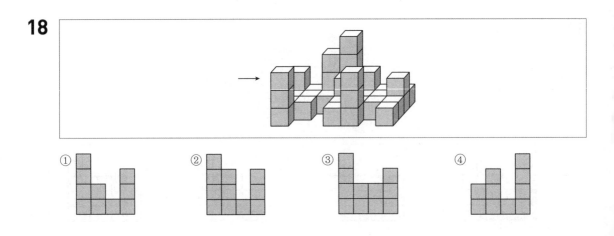

1교시 지적능력평가 [지각속도]

[01~05] 다음 [보기]를 바탕으로 제시된 문자가 바르게 치환되었는지 판단하시오.

┤ 보기 ├

R = ♠	H = ◀	U = ♥	L = ▣	K = ◖
S = ♣	O = ☎	P = ★	M = ◑	Z = ▽

01

UMORK − ♥ ◑ ☎ ♠ ◖

① 맞음　　　　　　　　② 틀림

02

LMSZU − ▣ ◑ ♣ ▽ ◀

① 맞음　　　　　　　　② 틀림

03

PLSZU − ★ ▣ ♣ ▽ ♥

① 맞음　　　　　　　　② 틀림

04

KHOSR − ◖ ◀ ☎ ♥ ♠

① 맞음　　　　　　　　② 틀림

05

MHOUP − ◑ ◀ ☎ ♥ ★

① 맞음　　　　　　　　② 틀림

[06~10] 다음 [보기]를 바탕으로 제시된 문자가 바르게 치환되었는지 판단하시오.

┤ 보기 ├

二 = 관제　　П = 시설　　儿 = 군악　　八 = 헌병

刀 = 운항　　入 = 통제　　イ = 회계　　人 = 의무

06

二 П 儿 入 − 관제 시설 군악 회계

① 맞음　　　　　　　　　　② 틀림

07

人 儿 刀 八 − 의무 군악 운항 헌병

① 맞음　　　　　　　　　　② 틀림

08

八 人 П 刀 − 헌병 의무 시설 운항

① 맞음　　　　　　　　　　② 틀림

09

入 八 人 儿 − 통제 헌병 의무 회계

① 맞음　　　　　　　　　　② 틀림

10

イ 二 儿 П − 회계 운항 군악 시설

① 맞음　　　　　　　　　　② 틀림

[11~15] 다음 [보기]를 바탕으로 제시된 문자가 바르게 치환되었는지 판단하시오.

┌─ 보기 ├───┐
│   │
│   Б = T9Z   Л = P5D   Г = B8J   Я = A3F   Ф = H6A   │
│   Є = A3C   Ж = B8S   Њ = H6K   Ю = T9Q   Ђ = P5L   │
│   │
└───┘

11

A3C B8J H6A T9Q P5L — Є Б Ф Ю Ђ

① 맞음   ② 틀림

12

H6K T9Q T9Z P5D A3F — Њ Ю Б Є Я

① 맞음   ② 틀림

13

B8S H6A T9Z A3C T9Q — Ђ Ф Б Є Ю

① 맞음   ② 틀림

14

Ж Я Б Ђ Њ — B8S A3F T9Z P5L H6K

① 맞음   ② 틀림

15

Л Њ Я Ђ Є — P5D H6K T9Q P5L A3C

① 맞음   ② 틀림

┤ 보기 ├

㉮ = 1A2B	㉯ = 3T2H	㉰ = 7C5W	㉱ = K2S4
㉲ = 4E3O	㉳ = R3V4	㉴ = X9N3	㉵ = A3M7

16

㉮ ㉳ ㉴ ㉵ − 1A2B R3V4 X9N3 A3M7

① 맞음   ② 틀림

17

㉳ ㉵ ㉯ ㉰ − R3V4 A3M7 3T2H 7C5W

① 맞음   ② 틀림

18

㉱ ㉵ ㉯ ㉳ − K2S4 X9N3 3T2H R3V4

① 맞음   ② 틀림

19

㉲ ㉯ ㉴ ㉱ − A3M7 3T2H X9N3 K2S4

① 맞음   ② 틀림

20

㉴ ㉯ ㉲ ㉰ − X9N3 3T2H 4E3O 7C5W

① 맞음   ② 틀림

[21~25] 다음 [보기]를 바탕으로 제시된 문자가 바르게 치환되었는지 판단하시오.

┤ 보기 ├

| ほ = 수호 | の = 조국 | ん = 영공 | す = 민족 |
| で = 충효 | う = 명예 | た = 신념 | ふ = 통일 |

21

ほ う た ふ － 수호 명예 신념 통일

① 맞음   ② 틀림

22

の で た ん － 조국 충효 통일 영공

① 맞음   ② 틀림

23

た の ふ ほ － 신념 조국 통일 영공

① 맞음   ② 틀림

24

た ほ う す － 신념 수호 충효 민족

① 맞음   ② 틀림

25

ん で す ふ － 영공 충효 민족 통일

① 맞음   ② 틀림

[26~30] 왼쪽의 문자가 몇 번 제시되는지 고르시오.

26

곪

곪곱곳곱곰곯곕곪곱곳곪곱곰곯곳곕곳곪곰곕곳곰곳곯곪곯곪곱곳곪곕곳곯곌곪곳곰곕곳곳
곯곰곳곱곪

① 9   ② 8   ③ 7   ④ 6

27

오

ᄂ나ᅥᅢᅡ이ᅳ:ᄃ아하ᅵ:ᄂᄖ오ᅳ믜ᄃ오ᄃ어ᄀ:ᄂ더ᅴ오ᄋ오이ᄒᄃᄃ오ᄃᄃᄋ므:ᄐ어오어:ᄃ오ᅩ:ᄉᄉᄒ너오하:오ᄃ오ᅢᄉ느
리오ᅩ하ᄆᄃᄃᄉ쇠:ᄉᄒ더ᄃ

① 6   ② 7   ③ 8   ④ 9

28

대

국가와 국민, 상관에 대하여 진정한 마음으로 정성을 다하며, 대상과 동기 및 방법에 있어 반드시 공과 의를 구현하는 참다운 가치를 전적으로 추구한다.

① 1   ② 2   ③ 3   ④ 4

29

【

【■◎≡★【】※↕※【★≡↕♀【■※■≡≡◆】♀◆【★≡↕※§≡↕【≒】】【★≡◆≡∠♀↕
※≡【★♀■※≡★≡★】◎

① 5   ② 6   ③ 7   ④ 8

30

e

Concentration comes out of a combination of confidence and hunger.

① 2   ② 3   ③ 4   ④ 5

1교시 지적능력평가 [언어논리]

01 다음은 '들다'의 사전적 뜻풀이다. ㉠~㉤의 예문으로 적절하지 <u>않은</u> 것을 고르면?

들다¹: **1** 【…에】 【 …으로】

1) 밖에서 속이나 안으로 향해 가거나 오거나 하다.

2) ㉠ 빛, 볕, 물 따위가 안으로 들어오다.

2 【…에】

3) ㉡ 어떤 일에 돈, 시간, 노력, 물자 따위가 쓰이다.

4) 물감, 색깔, 물기, 소금기가 스미거나 배다.

5) ㉢ 어떤 범위나 기준, 또는 일정한 기간 안에 속하거나 포함되다.

6) ㉣ 어떤 처지에 놓이다.

7) 어떠한 시기가 되다.

3 【…에】 【 …을】

8) 어떤 조직체에 가입하여 구성원이 되다.

9) 적금이나 보험 따위의 거래를 시작하다.

4

10) ㉤ 어떤 때, 철이 되거나 돌아오다.

---

① '꽃은 해가 잘 <u>드는</u> 데 심어야 한다.'의 '드는'은 ㉠의 의미로 사용된 것이다.

② '개인 사업에는 돈이 많이 <u>든다</u>.'의 '든다'는 ㉡의 의미로 사용된 것이다.

③ '형석은 반에서 상위권에 <u>들지</u> 못한다.'의 '들지'는 ㉢의 의미로 사용된 것이다.

④ '입학 후 합창 동아리에 <u>들었다</u>.'의 '들었다'는 ㉣의 의미로 사용된 것이다.

⑤ '가을이 <u>들면서</u> 각종 행사가 많이 열리고 있다.'의 '들면서'는 ㉤의 의미로 사용된 것이다.

02 다음 빈칸에 공통으로 들어갈 부사어를 고르면?

• 그는 (   ) 이번 시험에서 좋은 성적을 얻을 것이다.

• 동아리에 가입하기 위해서는 (   ) 직접 손으로 쓴 작품을 제출해야 합니다.

---

① 비단   ② 반드시   ③ 절대로

④ 그다지   ⑤ 모름지기

03 다음에 제시된 단어를 모두 포괄할 수 있는 상위 개념으로 가장 적절한 것을 고르면?

광복절	노동절	현충일	성탄절

① 국경일
② 공휴일
③ 기념일
④ 축제일
⑤ 추모일

04 다음 밑줄 친 ㉠~㉤의 뜻을 잘못 풀이한 것을 고르면?

조선 시대의 역관은 좀 ㉠ <u>특수</u>한 존재였다. 통역을 맡는 것이 ㉡ <u>공식</u>적인 업무이지만 조선 후기의 역관들은 상업활동도 함께 담당하였다. 왜란과 호란을 겪어 재정이 부족한 조선 정부는 ㉢ <u>사행(使行)</u>에 필요한 공공 경비를 충분히 지급할 수 없어 대신 역관들에게 자금을 주고 그 자금으로 청에서 무역을 해 이용하도록 하였기 때문이다. 역관들은 이 자금을 바탕으로 무역을 하여 많은 이익을 남길 수 있었다. 그 때문에 사행사의 일원으로 중국에 한번 들어가 보는 것이 모든 역관들의 꿈이었으며, 그 꿈이 현실이 되면 가능한 방법을 모두 ㉣ <u>동원</u>해 부를 ㉤ <u>축적</u>하였다.

① ㉠ 특수: 어떤 종류 전체에 걸치지 아니하고 부분에 한정됨. 또는 그런 것.
② ㉡ 공식: 국가적이나 사회적으로 인정된 공적인 방식.
③ ㉢ 사행: 요행을 바람.
④ ㉣ 동원: 어떤 목적을 달성하기 위하여 사람을 모으거나 물건, 수단, 방법 따위를 집중함.
⑤ ㉤ 축적: 지식, 경험, 자금 따위를 모아서 쌓음. 또는 모아서 쌓은 것.

05 다음 밑줄 친 '만들다'와 가장 유사한 의미로 쓰인 것을 고르면?

> 인체의 조직에서 떼어낸 세포를 많은 수의 세포로 키울 때 세포들은 영양분을 필요로 하게 되는데, 조직공학자들은 액체로 된 영양분인 배지를 공급한다. 배지에는 포도당, 아미노산, 비타민, 무기물 등이 포함되며, 일부 세포들에는 성장인자 등 항체의 성장을 유도하는 물질을 추가해 세포들이 세균이나 독소 등의 침입에 맞서 싸우도록 <u>만든다</u>.

① 소설도 너무 허무맹랑한 이야기로는 책을 <u>만들</u> 수 없다.
② 임진왜란 당시 이순신 장군은 거북선을 <u>만들었다</u>.
③ 넌, 왜 괜한 일을 <u>만들어서</u> 사람을 귀찮게 하니?
④ 내가 하는 일이라야 기껏 남들의 원고를 책으로 <u>만들기</u> 위해 틀린 글자를 잡아내는 것이니 무시당할 수밖에.
⑤ 고향이 나를 따뜻이 감싸 준다기보다 더 쓸쓸하고 처참한 심정만 들게 <u>만드니</u> 이게 무슨 남들이 말하는 정든 고향인가.

06 밑줄 친 단어의 쓰임이 옳은 것을 고르면?

① 저 두 사람은 부부가 <u>아니오</u>, 친구 사이이다.
② 대금은 월말에 <u>통괄적으로</u> 자동 결재됩니다.
③ 예산을 대충 <u>걷잡아서</u> 잡지 말고 정확히 계산하세요.
④ 합격을 기원하는 것으로 치사를 <u>갈음하겠습니다</u>.
⑤ 저희 업소는 음료 종류의 <u>일절</u>을 갖추고 있습니다.

07 다음 맞춤법 규정을 참고하여 표기가 옳지 <u>않은</u> 것을 고르면?

> 제10항 한자음 '녀, 뇨, 뉴, 니'가 단어 첫머리에 올 적에는 두음 법칙에 따라 '여, 요, 유, 이'로 적는다.
> [붙임 1] 단어의 첫머리 이외의 경우에는 본음대로 적는다.
> [붙임 2] 접두사처럼 쓰이는 한자가 붙어서 된 말이나 합성어에서, 뒷말의 첫소리가 'ㄴ' 소리로 나더라도 두음 법칙에 따라 적는다.
> [붙임 3] 둘 이상의 단어로 이루어진 고유 명사를 붙여 쓰는 경우에도 [붙임 2]에 준하여 적는다.

① 연세(年歲) ② 당뇨(糖尿) ③ 공염불(空念佛)
④ 신녀성(新女性) ⑤ 남존여비(男尊女卑)

08 다음 글을 읽고 빈칸 ㉠에 들어갈 내용으로 가장 적절한 것을 고르면?

> 사과의 펙틴은 풍부한 식물성 섬유로 훌륭한 장 청소기 역할을 한다. 그런데 펙틴은 하얀 속살보다 빨간 껍질에 더 많이 들어 있다. 사과를 껍질째 '아삭' 씹어 먹는 것은 치아에도 좋고 펙틴질을 더 많이 섭취하는 것도 된다. 그럼 사람들은 대번에 "껍질이 농약 투성이라는데 그냥 먹으란 말이냐?"라는 비난성 질문을 쏟아 낼 것이다. 결론부터 이야기하자면 (㉠   )고 말할 수 있다.
>
> 사람들이 농약에 대해 걱정하는 이유는 수확하기 며칠 또는 몇 십일 전부터는 약을 뿌리지 말라고 규정을 정해 놓았지만 그것이 잘 지켜지지 않기 때문이다. 그러나 '껍질의 영양학'을 옹호하는 사람들은 사과를 흐르는 물에 솔로 잘 씻어서 먹으면 농약쯤은 걱정 안 해도 된다고 말한다. 설령 농약 성분이 일부 잔류한다 해도 결국 펙틴이 다 끌고 나갈 테니 걱정말라는 것이다.

① 농약이 조금 있더라도 그냥 껍질째 드시라
② 농약은 인간에게 많이 해로운 것이 아니니 그냥 드시라
③ 농약을 반드시 흐르는 물에 전부 씻어서 드시라
④ 농약 성분이 사과의 펙틴보다 약하니 그냥 껍질째 드시라
⑤ 사과의 건강에 좋은 성분은 껍질에 있으니 껍질째 드시라

09 다음 밑줄 친 ㉠의 구체적인 이유로 적절한 것을 고르면?

> 계층이란 불평등은 정당한 것일까? 만일 많은 이들이 불평등은 옳지 못하다고 본다면, 기존의 사회 구조와 체제는 심각한 도전을 받게 될 것이다. 이는 사회 변동의 시발점이 된다. 즉 전쟁, 혁명, 혁신, 억압, 숙청 등의 비극이 초래될 수도 있다는 것이다. 그렇다면 유토피아란 무엇일까? 순한 양과 사나운 늑대가 사이좋게 살 수 있는 곳일까? 사슴과 사자가 어깨동무를 하고, 비둘기와 독수리가 손에 손잡는 세계를 유토피아라고 한다면, 유토피아에서는 불평등이 시기와 분쟁의 촉진제가 아니라 대화와 평화의 촉매제임을 뜻하게 된다. ㉠ 여기에서는 불평등이 부당한 것으로 인정되지 않는다. 또한 비둘기와 독수리라는 차이 때문에 그들 사이가 더 가까워질 수 있다. 여기에서 불평등은 오히려 온당하다.

① 구성원 간의 차이로 인해 차별이 정당한 것으로 여겨지기 때문에
② 구성원 간의 차이가 있지만, 이것이 차별의 원인이 되지 않기 때문에
③ 구성원 간의 차이는 없지만, 구성원 사이의 실제 격차는 존재하기 때문에
④ 구성원 간의 차이가 있더라도 그러한 차이에 대한 인식이 높지 않기 때문에
⑤ 구성원 간의 차이가 없으므로 구성원 사이의 갈등이 존재하지 않기 때문에

10 다음을 보고 연상되는 단어가 순서대로 바르게 나열된 것을 고르면?

> • 세상을 어둠으로 한 번에 덮는 것
> • 아무리 먹어도 살이 안 찌는 것
> • 낮에는 차 있는데 밤에는 비워지는 것
> • 전진하면 패배하고 후진하면 승리하는 것

① 이불 – 욕 – 골짜기 – 줄다리기
② 이불 – 골짜기 – 줄다리기 – 욕
③ 눈꺼풀 – 줄다리기 – 이불장 – 욕
④ 눈꺼풀 – 욕 – 이불장 – 줄다리기
⑤ 쌍꺼풀 – 욕 – 이불장 – 이어달리기

11 다음 글의 필자가 궁극적으로 말하고자 하는 바를 고르면?

> 서양 음악에 익숙한 이들이 우리 음악에는 화성이 없다고 평가 절하하는 경우가 있다. 즉 우리 음악은 화성이 없으니 화성이 있는 서양 음악보다 단순하고, 단순한 우리 음악은 보다 복잡한 서양 음악보다 진화가 덜 된 음악이며, 또 진화가 덜 되었기 때문에 예술성도 서양 음악보다 못할 수밖에 없다는 것이다. 이는 정말로 단순하고도 명쾌한 논리에 따른 비평이다. 그리고 불행하게도 적지 않은 이들은 이러한 논리에 압도되어 이를 받아들이고 있기도 하다. 화성이 있고 없음을 비교하는 평면적 사고에 의한다면 이는 전적으로 옳을 수 있다.
> 그러나 음악을 이러한 평면적 사고로 비교한다는 것 자체가 무리라는 것을 우리는 알아야 한다. 또한 문화의 일부인 음악을 진화론적 사고로 비교 평가한다는 사실 자체가 잘못이라는 것도 깨달아야 한다. 더군다나 생물학적으로도 진화론 자체가, 완전히 검증되지 않은 부분이 많은 가설이지 않은가? 그리고 다른 문화권에서 우리와는 다른 음악적 사고와 행위에 의해 창조된 음악을 서구적 잣대로 평가한다면 자칫 섣부른 결과를 가져올 수 있다.

① 서양 음악보다 우리 음악이 더 예술적이다.
② 화성이 없는 음악은 좋은 음악이 될 수 없다.
③ 음악을 진화론적 사고로 비교 평가해서는 안 된다.
④ 음악의 가치는 각자의 방법으로 평가하는 것이 타당하다.
⑤ 단순한 것보다 복잡한 것이 더 진화했다고 평가할 수 없다.

12 다음 글에 이어질 내용으로 적절하지 <u>않은</u> 것을 고르면?

> 우리나라 사람들의 미의식은 단순 소박하고 깨끗하며 미래지향적인 데서 정신적인 공감대를 이룩한다. 그리고 이 단순소박하고 깨끗함은 이성적 판단보다는 감성적으로 향수하는 것이며, 집단적인 것이라기보다는 개별적인 면이 강하다.
> 아름다움에 대한 인식이 개별적이며 감성적으로 인지된다는 점에서는 동서양이 다름없다고 할지라도, 그 미가 인지되는 부분에서 합리적이며 보편적인 미의 기준을 서구가 가지고자 했다면 우리나라에서는 깊이 느껴 얻는 방식으로 처리하고자 한 면이 있다.

① 서구의 미의식에 합리적 원리가 추구되었던 것은 미의 보편성을 취하기 위함이다.

② 꽃이나 푸른 하늘에 대한 아름다움을 논할 때 만인의 공통성을 원인으로 삼는다면, 이는 서구의 미의식에 가까운 판단이라고 할 수 있다.

③ 우리나라의 미의식은 '마음'을 중시했으며, 순결하고 순진무구하며, 청순함을 갖고 있었다.

④ 확실한 미는 자유분방한 가운데서 감정과 행동이 균형을 이룰 때 잘 드러난다. 자연과 인간의 조화를 추구하는 동양 사상은 이러한 미의식의 다른 형태라고 할 수 있다.

⑤ 마음에 의해서 감지되는 미는 여름의 발이나 모시에서 느끼는 시원함, 화문석의 마르고 깔깔함, 화채의 신선함, 석가탑을 비롯한 고대 석탑들에서 보는 단순하면서도 그윽함 등에 두루 나타나고 있다.

13 다음 [가]~[라]를 글의 흐름에 따라 순서대로 바르게 나열한 것을 고르면?

> [가] 능력주의 담론은 노력에 대한 담론과도 연결된다. 즉 능력주의를 내세우는 주장은 '나의 능력은 모두 내 노력에 의해 쌓인 결과물이므로 내 능력은 보상받고, 보호되어야 할 대상이다.'로 이어진다. 그리고 이것은 공정성에 대한 주장의 핵심요소로 기능하기도 한다.
> [나] 능력주의란 개인의 능력에 따라 사회적 지위와 보상을 받아야 한다는 사상으로, 능력에 따라 더 많은 기회를 받아야 하고 개인의 능력을 통해 얻어낸 결과물 역시 개인이 차지해야 한다는 것을 이른다.
> [다] 사실 논리적으로는 맞는 말이고 타당한 주장이지만, 현대에 들어 경쟁이 치열해지면서 오히려 경쟁 강도를 낮추기 위한 명분으로 활용된다는 점에서 비판적으로 접근할 수 있다.
> [라] 이 주장은 개인의 능력에 있어 노력 외의 다른 요소를 부정한다는 점에서 문제가 발생한다. 만약 다른 요소가 능력에 영향을 미친다면 보상에 대한 독점과 보호를 주장하는 것은 논리적으로 맞지 않기 때문이다. 따라서 이러한 주장은 다시 한번 검증하고, 나아가 공정성에 대한 논리도 재검토되어야 할 대상이 된다.

① [가] — [나] — [다] — [라]

② [가] — [라] — [나] — [다]

③ [나] — [가] — [다] — [라]

④ [나] — [다] — [가] — [라]

⑤ [나] — [다] — [라] — [가]

14 다음 글을 이해한 내용으로 적절하지 <u>않은</u> 것을 고르면?

> 임금은 덕을 쌓아서 백성들을 다스리고 도덕을 가르쳐야 할 책임이 있다. 만약 백성들에게 먹고 살 수 있는 생업도 마련해주지 않고 전쟁터로 몰거나, 가르치지 않고 내버려두는 것은 백성을 인간으로 대접하는 것이 아니라 금수와 같이 여기는 것에 불과하다. 백성들에게는 먹고사는 문제가 가장 중요하다. 일차적인 문제가 해결이 된 이후에 도덕을 가르쳐야 한다. 이것이 군주에게 주어진 의무이다. 신하와 백성은 임금에게 충성을 다해야 한다. 자신의 마음을 다 바쳐서 군주를 보필하고, 나라를 위해서 일하는 것이 신하된 도리요, 의무이다. 이러한 의무를 직분에 따른 의무라고 한다.
>
> 군주가 자신의 권력을 이용해 신하에게 일방적인 충성을 강요할 수 없다. 군주가 옳지 못하다면 신하는 간언을 서슴지 않아야 한다. 만약 간언을 듣지 않으면 임금을 버리고 떠나면 그만이다. 자신의 직분을 다하지 않고 의리를 저버린다면 임금과 신하 사이의 의는 깨어지고 말 것이다. 따라서 군신유의라 함은 힘에 의한 일방적인 복종이 아닌 덕에 의한 상호 의무를 전제로 한 관계이다.

① 갑: 신하와 백성은 군주에게 복종이 아닌 충성을 다해야 하는군.
② 을: 폭정을 일삼는 군주에 대한 탄핵 역시 신하의 의무이자 도리겠군.
③ 병: 군주와 신하는 나라와 백성을 위해 덕을 기반으로 한 정치를 표방했겠군.
④ 정: 군주는 덕을 쌓아 백성들도 모두 동참하도록 인도하는 목적을 지녀야겠군.
⑤ 무: 백성들을 교화하기에 앞서 그들의 의식주를 먼저 살피는 것이 군주의 도리겠군.

15 [가]와 [나]에서 공통적으로 전제하고 있는 것을 고르면?

[가] 일본인 학자들은 대부분 감상적인 측면과 식민주의적인 안목으로 우리 미술을 보았다. 그들은 조선 시대 백자의 아름다움은 자기네가 발견함으로써 알려졌다고 하고, 지극히 아름다우나 어딘지 모르 게 애조가 깃들어 있으며, 그 슬픔은 못 살고 가난해 평생을 흙과 물레와 씨름하면서 살아온 도공 들의 한이라 하고, 그렇게 애조를 띤 것이 조선 자기를 한층 아름답게 한다고 하였다. 보름달을 보 고 슬픈 사람도 있을 수 있다. 그것은 어디까지나 주관적인 감정이기 때문에 누구를 탓할 수도 없 고 반대할 수도 없다. 그러나 보편적이고 객관적인 눈으로 보았을 때 동산에 떠오른 둥근 달을 보 고 슬프다고 하는 사람은 매우 적을 것이다.

[나] 조선백자는 물론이고 고려청자를 보아도 공통되는 점은 양감이 있다는 것이다. 풍만하면서도 유연 하고 전체적으로 유려한 선의 흐름이 있으면서 몸체에 팽배하는 힘을 지니고 있다. 평생을 한탄 속 에서 살며 찌든 마음으로는 그렇게 화길한 형태가 나올 수 없다. 형태뿐 아니고 백자의 피부에서 느끼는 밝고 명랑하면서 시대에 따라 조금씩 변하는 백색의 아름다움은 한국 사람만이 나타낼 수 있고, 우리네가 더 민감하게 느끼는 즐거움이다.

— 정양모 「너그러움과 해학」

① 조선백자와 고려청자는 공통점을 지닌 예술품이다.
② 조선백자가 아름다운 이유는 도공들의 한 때문이다.
③ 예술품은 그것을 만드는 사람의 삶을 반영하고 있다.
④ 예술품을 감상할 때는 정서적 공감대를 형성해야 한다.
⑤ 보편적이고 객관적인 시각으로 예술품을 감상해야 한다.

16 다음 글에 대한 비판적 반박이 될 수 <u>없는</u> 것을 고르면?

> ‘친구’, ‘신라의 달밤’, ‘조폭 마누라’ 등이 모두 조직폭력배의 세계를 배경으로 한 영화라는 공통점 때문에 무명으로 ‘조폭영화’를 비판하는 논쟁이 벌어지고 있다. ‘친구’를 인터넷으로 40여 차례 본 청소년의 탈선행위가 영화 속에 등장하는 조폭의 칼 쓰기 교본을 따라한 것과 같다는 모방범죄 문제로 제기된 것이다.

① 영화산업의 발달로 인해 한국영화의 영향력에 대한 과대평가가 이루어지고 있다.
② 관객들은 영화를 보고 따라할 정도로 옳고 그름을 판단할 수 있는 능력이 없지 않다.
③ 올드미디어 시대의 고급예술론으로 대중문화상품의 질을 부정적으로 판단하고 비판하는 일은 영상과 통신이 결합하는 이미지 문화상품 시대를 제대로 관측하기에 역부족이다.
④ 흥행 영화 생산을 위한 과잉 마케팅은 영화의 내실을 저해하는 부작용을 노출한다. 마케팅 승리시대에 폭력 영화에 대한 단일 마케팅과 독점 배급 시스템은 풀어야 할 시급한 문제이다.
⑤ 폭력 영화 논쟁은 뉴미디어 시대와는 동떨어진 논쟁이다. 이 논쟁은 뉴미디어 시대의 영화라는 새로운 개념을 적극적으로 인정하고 대처하지 못하는 시대착오적 발상일 뿐이다.

17 다음 글의 ㉠~㉥의 논리적 관계에 대한 설명으로 옳지 <u>않은</u> 것을 고르면?

> ㉠ 역사의 연구는 개별성을 추구하는 것이라고 할 수가 있다. ㉡ 즉, 구체적인 과거의 사실 자체에 대한 구명을 꾀하는 것이 역사학인 것이다. ㉢ 가령, 고구려의 한족(漢族)과의 투쟁을 고구려라든가 한족이라든가 하는 구체적인 요소들을 빼 버리고, 단지 ‘자주적 대제국이 침략자와 투쟁하였다.’라고만 서술해 버린다면 그것은 역사일 수가 없다. ㉣ 요컨대, 일정한 시대에 활약하던 일정한 인간 집단의 구체적 활동에 대한 서술을 빼면 그것은 역사일 수가 없는 것이다. ㉤ 이것은 사회적인 현상에 있어서도 마찬가지이다. 가령, 화백회의를 설명하는 데 있어서, ‘귀족 회의가 있었다.’라고만 한다면 그것이 바람직한 설명일 수가 없는 것이다. 이것은 문화적인 현상에 있어서도 다를 바가 없다. ㉥ 석굴암의 미술을 설명하면서, 신라의 경덕왕이라든가 김대성이라든가 조각의 기법이라든가에 대한 설명은 빼 버리고, 그저 ‘우수한 미술품이 만들어졌다.’라고만 한다면, 이것은 무의미한 서술임이 분명하다.

① ㉡은 ㉠의 부연이다.
② ㉢은 ㉠의 예시이다.
③ ㉣은 전체 주제이다.
④ ㉤은 ㉣의 첨가이다.
⑤ ㉤과 ㉥은 대등 관계이다.

18 다음 글을 이해한 내용으로 옳지 <u>않은</u> 것을 고르면?

> 사막의 메뚜기는 혼자 다닐 때와 무리를 이룰 때의 행동 양상이 전혀 다르다. 혼자일 때는 천적의 눈에 잘 띄지 않기 위해 몸에 보호색을 입히고, 독이 든 음식도 피한다. 그런데 무리를 이루게 되면 독이 든 음식을 먹어 체내에 흡수시키며, 몸 색깔도 눈에 띄게 노랗게 한다. 왜 그런 것일까?
>
> 영국 레스터대 생물학자 스위드베르트 오트 교수팀은 메뚜기의 행동 양상이 바뀐 이유로 음식물에 대한 기억과 관련된 가설을 세우고 검증에 들어갔다. 연구팀은 메뚜기가 일반적으로 레몬 냄새보다는 바닐라 냄새를 선호한다는 점을 이용하여, 바닐라 냄새가 나는 곳에 독이 든 음식을 두고, 레몬 냄새가 나는 곳에는 안전한 음식을 두었다. 그 결과, 혼자 다니는 메뚜기는 바닐라 냄새가 나는 음식이 좋지 않다는 것을 학습하고, 레몬 냄새가 나는 음식을 선호하였다. 반면에 무리를 이룬 메뚜기는 바닐라 냄새가 나는 음식을 선호하였다. 이를 통해 오트 교수는 "흉포한 메뚜기 떼가 물불 가리지 않고 모든 걸 먹어치우는 까닭은 무리 상태가 되면 독성이 든 음식을 학습하지 못하기 때문"이라며 "각 상태에서의 기억 및 인식능력 차이가 결국 다른 행동 양상을 만들어내는 것"이라고 설명하였다.

① 사막의 메뚜기는 두 가지 생활방식을 가진 곤충이다.
② 사막의 메뚜기는 음식의 독을 구분해 낼 능력이 있다.
③ 사막의 메뚜기는 무리를 이룰 때 학습능력이 떨어진다.
④ 사막의 메뚜기는 무리를 이룰 때 독에 중독되지 않는다.
⑤ 사막의 메뚜기는 냄새보다는 먹이를 더 중요시 여긴다.

19 육군 하사 '갑, 을, 병, 정, 무'는 같은 관사에 배정받았다. 다음 [조건]을 바탕으로 할 때 항상 옳은 것을 고르면?

┤ 조건 ├

• 갑, 을, 병, 정, 무 하사가 배정된 관사는 5층 건물로, 한 층에 1명만 배치된다.
• 갑 하사와 병 하사의 층수 차이는 병 하사와 무 하사의 층수 차이와 같다.
• 을 하사는 정 하사보다 높은 층에 배치받았다.
• 갑 하사는 5층에 배치받았다.

① 병 하사는 정 하사보다 높은 층에 배치받는다.
② 정 하사는 4층에 배치받는다.
③ 가장 아래층은 무 하사가 배치받는다.
④ 병 하사는 을 하사보다 높은 층에 배치받는다.
⑤ 가능한 경우의 수는 3가지이다.

20 다음 자료를 활용하여 [조건]에 맞게 쓴 글로 가장 적절한 것을 고르면?

감정노동(Emotional Labor)이란 실제 자신이 느끼는 감정과는 무관하게 직무를 행해야 하는 것으로 이러한 직종 종사자를 감정노동자라 한다. 고용노동부는 감정을 관리해야 하는 활동이 50%를 넘으면 감정노동이라고 정의한다. 상담·판매, 관광, 은행원, 항공기 승무원 등 물건을 판매하거나 서비스를 제공하는 업무 등이 이에 해당된다. 현재 우리나라 감정노동자는 약 740만 명 정도로 추산된다.

감정노동자 5천여 명을 대상으로 한 조사에서 '감정을 숨기고 일함'이라는 항목에 '매우 그렇다'라고 답한 근로자들은 그렇지 않은 근로자에 비해 우울감을 느끼는 비율이 남성은 3.4배, 여성은 3.9배 높았다.

┤ 조건 ├
- 자료의 논의 범위를 명확히 하되, 지나치게 축소하거나 확대하지 않도록 한다.
- '문제의 원인 분석 → 해결책 제시'로 논지를 전개한다.

---

① 최근 감정노동 근로자의 자살과 관련하여, 그들의 우울증에 대한 사회적 관심이 요구되고 있다. 손님에 대한 친절이 과도하게 요구되는 환경에서 자신의 감정을 숨기고 일해야 하는 그들에게 우울증이 발생하는 건 당연한 일일 것이다. 앞으로 감정노동자들의 자살과 관련한 사회적 보호 장치 확립이 시급하다.

② 사회화의 동물인 인간에게 인간관계는 늘 어려운 숙제 중 하나이다. 원만한 관계를 유지하기 위해서는 자신의 감정을 감춰야 할 때도 있다. 하지만 자신을 억누르는 상태가 오래도록 지속될 때, 심각한 우울증에 이를 수도 있다. 특히 남성에 비해 여성이 우울증을 겪을 확률이 높다고 하므로, 우울증 증세가 의심될 경우 전문가와 상의하여 도움을 받는 것이 좋다.

③ 판매원, 승무원 등과 같은 서비스업에 종사하는 사람들은 높은 수위의 감정노동을 요구받는다. 이 과정에서 노동자들의 감정은 쉴 없이 상처를 받고, 끝내 우울증이라는 깊은 수렁에 빠지게 된다. 하지만 이들의 '감정'을 보호해 줄 실질적인 장치는 전무한 상황이다. 노동자의 육체뿐만 아니라 내면까지도 보호할 수 있는 법안이 마련되어야 한다.

④ 감정노동 종사자들은 늘 높은 수위의 감정노동을 요구받는다. 상식적이지 않은 상황에서조차 친절을 강요받고, 이를 묵인하는 분위기는 감정노동자의 인격권을 침해하고 있다. 문제는 이러한 인격 침해가 상시적으로 일어나고 있음에도 이를 공론화하고, 해결책을 찾기 위한 노력이 없다는 것이다.

⑤ '손님은 왕'이라는 구매자의 권리를 극대화한 선전 문구가 누군가에게는 족쇄로 다가올 수 있음을 사람들은 알까? 손님들에게 친절을 베푸는 것이 문제가 되는 것은 아니지만, 이것이 '강요된 친절'이라면 어떨까? 무엇이든지 강요받고, 억압되는 것은 절대로 좋은 상황이 아니다. 그 대상이 누구든지 말이다.

21 다음 글의 밑줄 친 ⑤과 관련된 사례 중 나머지와 <u>다른</u> 것을 고르면?

> 오늘날의 전쟁을 '전체전쟁(全體戰爭)', '총력전(總力戰)' 등으로 부르고 있는 것처럼 외교도 '전체외교', '총력외교'라고 부르게 되었다. 왜냐하면 현대는 외교에 관계되는 모든 것이 국민 전체에 그 영향을 미치며, 그 수단이 군사력에서부터 사상에 이르기까지 총망라되어 있기 때문이다. 또 ⑤ 외교 담당자도 외교관에만 국한되었던 과거와 달리 현재는 수상, 원수(元帥)에서부터 일반국민에 이르기까지 널리 그 저변이 확대되었다.

① 교통·통신수단의 발달에 힘입어 톱 리더(Top Leader) 간의 교섭이 용이하므로, 수상·외상·원수급에 의한 정상회담도 빈번히 열리고 있다.

② 국민의 사활이 걸린 외교정책의 경우 민간과 의회가 모르는 사이에 행해져 외교관 간의 비밀조약이 체결되는 경우도 적지 않았다.

③ 글로벌 차원에서 자국의 이익을 도모하기 위해서 국력의 모든 요소와 모든 기관들을 효과적으로 결합함은 물론 동맹국과 우방들의 역량까지 활용하고자 하는 전략이 나오고 있다.

④ 각국의 외교부는 다양한 세계적 변화에 대응하기 위해 타 부서는 물론 정부, 학계, 전문가그룹과의 유기적 협력 체계를 구축하고 있다.

⑤ 공식적 회담은 열리지 않았지만, 1962년 쿠바 위기 때는 최고정책결정권자 간의 상호대화 형식으로 주요 사안이 결정되기도 하였다.

22 다음 빈칸 ⑤~⑧에 들어갈 단어들이 순서대로 바르게 나열된 것을 고르면?

> 오늘날 사회는 (⑤)로 움직인다. 이른바 세계화라는 물결이 전 세계를 휩감으면서, 사람들은 이윤 창출을 위해 끊임없이 움직여야만 살아남을 수 있게 되었다. 이 움직임이 조금만 (⑥) 사회에서 도태되기에 십상이다. 그뿐만 아니라, 내가 살아남기 위해 남을 죽여야 하는 (⑦) 사회 풍토 또한 심화되고 있다. 이기는 자가 모든 몫을 가지는 소위 (⑧) 독식 체제가 견고해지고 있기 때문이다.

① 저속도 – 빨라져도 – 강박적 – 패자
② 급속도 – 늦어져도 – 경쟁적 – 승자
③ 급속도 – 늦어져도 – 낙천적 – 승자
④ 저속도 – 늦어져도 – 경쟁적 – 승자
⑤ 급속도 – 빨라져도 – 강박적 – 패자

23 다음 글을 이해한 내용으로 옳은 것을 고르면?

우리가 음식을 먹게 되면 소화기를 통해 음식물에 포함된 포도당이 흡수되면서 혈당이 올라간다. 식사 직후에 채취한 혈액에서 혈당이 높게 나오는 이유이다. 이렇게 혈당이 높아지면 췌장의 베타세포는 혈당을 낮추는 인슐린을 분비한다. 인슐린은 일차적으로 포도당을 집결하여 간으로 이동하여 글리코겐 형태로 저장시키는 일을 돕고, 이차적으로는 이를 지방으로 바꿔 지방세포에 축적하는 일도 돕는다. 혈당이 떨어질 때를 대비하여 남은 포도당을 미리 비축해 두는 것이다. 이와 반대로 한동안 음식을 먹지 않아 혈당이 떨어지게 되면 췌장의 알파세포가 글루카곤을 분비한다. 글루카곤은 간으로 가서 인슐린이 저장해두었던 글리코겐을 다시 포도당의 형태로 바꾸어 혈액 속으로 내보낸다. 이처럼 혈당은 인슐린과 글루카곤의 길항작용*을 통해 일정 범위 내에서 유지된다. 만약 이 균형 상태가 깨지게 되면 혈당을 조절할 수 없게 되어 신체에 이상 현상이 나타나는데, 대표적인 질환이 당뇨병이다.

당뇨병이란 혈액 속에 지나치게 높은 양의 포도당이 존재하여 신장에서 모두 걸러지지 않고 소변으로 배출되는 질환이다. 당뇨병의 증세는 기원전 1500년경부터 나타났다는 기록이 존재할 정도로 오래되었다. 또한 당뇨병이란 이름은 당뇨병의 증세에서 비롯되었다. 당뇨병에 환자는 참을 수 없는 갈증과 소변의 증가를 경험하고, 점차 체중이 줄어든다. 특히 소변은 양이 늘어날 뿐만 아니라 달착지근한 냄새와 단맛이 난다. 그래서 소변량이 늘어나는 요붕증과 구별하기 위해 꿀과 같이 '달다'라는 말을 첨가해 '당뇨'라는 이름을 가지게 되었다.

* 길항작용: 생물체의 어떤 현상에 대하여 두 개의 요인이 동시에 작용하면서 서로 그 효과를 부정하는 경우 이 두 개의 요인 사이에 일어나는 작용. 심장 박동에 대한 교감 신경과 부교감 신경의 작용이나, 두 개의 약물을 함께 사용했을 때 서로 약효를 약화시키는 작용 따위가 있다.

① 소변의 양이 급속하게 늘고, 갈증이 난다면 당뇨병으로 인한 증상으로 보아야 한다.
② 인슐린과 글루카곤의 길항작용으로 인해 세포는 늘 안정적인 혈당을 공급받을 수 있다.
③ 인슐린은 혈당이 올라갈 때 혈당을 낮추기 위해 췌장의 알파세포에서 분비되는 호르몬이다.
④ 인슐린과 글루카곤의 길항작용에 이상이 생기면, 섭취한 포도당이 모두 소변으로 배출된다.
⑤ 당뇨병 환자가 인슐린을 처방받게 되면, 혈당을 글리코겐 형태로 바꿔 지방세포에 축적하는 것을 돕는다.

24 다음 글에서 [보기]가 들어갈 위치로 가장 적절한 것을 고르면?

　　㉠ JPL(제트추진연구소)은 무인 탐사 우주선 등의 연구 개발 및 운용에 종사하는 연구소로, 미국 항공 우주국 (NASA)에 속해있다. 이 연구소에서 약 7천 여명의 연구원과 기술자들이 연구 개발에 매진하고 있다. ㉡ 최근 연구원들과 기술자들은 특정 행성에 물이 존재하는지 확인할 수 있는 물 감지 로봇을 개발했다. ㉢ 피닉스가 화성에서의 물 발견에 성공해 전 세계가 떠들썩했던 사건 후에 NASA는 화성에 수질, 지질 검사를 계획중이라고 발표했다. ㉣ NASA는 화성 북위 70°에 물이 존재하는 것을 확인했다. 또한, 북위 70°에서 태양력 건전지가 최적의 효과를 발휘한다는 연구 결과를 토대로 계획에 박차를 가했다. ㉤ 화성에 물이 발견되었다는 것을 근거로 미래의 인류는 화성에서 터전을 마련할 수 있을 것으로 보고 있다.

┤ 보기 ├
　　피닉스가 임무를 시작한 지 20일 후에 지하에 있는 얼음을 발견했다. 피닉스는 흙과 함께 얼음을 가열하여 물을 채취했는데, 이것이 화성 최초의 물이다.

① ㉠　　　　　　　② ㉡　　　　　　　③ ㉢
④ ㉣　　　　　　　⑤ ㉤

25 다음 [보기]를 읽고 귀납적 추론으로 옳은 것을 고르면?

┤ 보기 ├
　　귀납적 추론이란 개별적인 사실이나 현상에서 공통점을 찾아내어, 그것을 전제로 일반적 결론을 이끌어내는 추론 형식의 추리 방법이다.

① 거짓말은 나쁜 것이다. 따라서 의사가 환자에게 거짓말을 한 경우도 당연히 나쁜 것이다.
② 소크라테스는 죽었고, 피카소도 죽었다. 따라서 모든 인간은 언젠가 죽는다는 것을 알 수 있다.
③ 철수는 지각을 많이 한다. 그러니깐 내일도 틀림없이 지각을 할 것이다.
④ 고난과 역경 속에서 동고동락한 사람치고 친구를 배신한 사람은 없다. 그러므로 그들의 우애는 영원할 것이다.
⑤ 호랑이는 육식동물이다. 육식동물은 채소를 먹지 않으므로, 호랑이도 채소를 먹지 않을 것이다.

1교시 지적능력평가 [자료해석]

[01~02] 다음 [표]는 A국 최종에너지 소비량에 관한 자료이다. 이를 바탕으로 질문에 답하시오.

[표1] 2018~2020년 유형별 최종에너지 소비량 비중   (단위: %)

구분	석탄		석유제품	도시가스	전력	기타
	무연탄	유연탄				
2018년	2.7	11.6	53.3	10.8	18.2	3.4
2019년	2.8	10.3	54.0	10.7	18.6	3.6
2020년	2.9	11.5	51.9	10.9	19.1	3.7

[표2] 2020년 부문별·유형별 최종에너지 소비량   (단위: 천 TOE)

구분	석탄		석유제품	도시가스	전력	기타	합계
	무연탄	유연탄					
산업	4,750	15,317	57,451	9,129	23,093	5,415	115,155
가정·상업	901	4,636	6,450	11,105	12,489	1,675	37,256
수송	0	0	35,438	188	1,312	0	36,938
기타	0	2,321	1,299	669	152	42	4,483
합계	5,651	22,274	100,638	21,091	37,046	7,132	193,832

※ TOE는 석유 환산 톤수를 의미함.

01 주어진 [표]에 대한 설명으로 옳은 것을 [보기]에서 고르면?

> ┤ 보기 ├
>
> ㉠ 2018~2020년 동안 석유제품 소비량은 매년 증가한다.
> ㉡ 2020년에는 수송부문의 최종에너지 소비량이 전체 최종에너지 소비량의 20% 이하를 차지한다.
> ㉢ 2018~2020년 동안 석유제품 소비량 비중 대비 도시가스 소비량 비중의 비율이 매년 감소한다.
> ㉣ 2020년에는 산업부문과 가정·상업부문에서 유연탄 소비량 대비 무연탄 소비량의 비율이 각각 18% 이상이다.

① ㉠, ㉡   ② ㉠, ㉣   ③ ㉡, ㉢   ④ ㉡, ㉣

02 다음 중 2020년 부문별·유형별 최종에너지 소비량에서 산업 소비량 대비 가정·상업 소비량의 비율이 가장 높은 유형을 고르면?

① 무연탄   ② 유연탄   ③ 석유제품   ④ 전력

[03~04] 다음 [표]는 세계 주요 터널화재 사고 A~F에 관한 자료이다. 이를 바탕으로 질문에 답하시오.

[표] 세계 주요 터널화재 사고 통계

구분	터널길이(km)	화재규모(MW)	복구비용(억 원)	복구기간(개월)	사망자(명)
A	50.5	350	4,200	6	1
B	11.6	40	3,200	36	40
C	6.4	120	72	3	12
D	16.9	150	312	2	11
E	0.2	100	570	10	192
F	1.0	20	18	8	0

※ 사고비용(억 원)=복구비용(억 원)+사망자(명)×5(억 원/명)

03 주어진 [표]에 대한 설명으로 옳은 것을 고르면?

① 터널길이가 길수록 사망자가 많다.
② 화재규모가 가장 크다고 해서 복구기간 또한 가장 긴 것은 아니다.
③ 터널화재 사고는 반드시 사망자를 발생시킨다.
④ 사고 C의 복구기간당 복구비용은 월평균 30억 원을 넘는다.

04 사고 A와 B의 사고비용의 차이는 얼마인지 고르면?

① 30억 원　　　　② 195억 원　　　　③ 805억 원　　　　④ 1,000억 원

05 다음은 A그룹 직원들의 평가 점수를 나타낸 자료이다. 이 그룹 직원들의 평균 점수를 고르면?

점수(점)	인원(명)
45 이상 ~ 55 미만	13
55 이상 ~ 65 미만	5
65 이상 ~ 75 미만	14
75 이상 ~ 85 미만	5
85 이상 ~ 95 미만	13
합계	50

① 65점　　　　② 70점　　　　③ 73점　　　　④ 75점

[06~07] 다음 [표]는 저탄소 녹색성장 10대 기술분야의 특허 출원 및 등록 현황에 관한 자료이다. 이를 바탕으로 질문에 답하시오.

[표] 저탄소 녹색성장 10대 기술분야의 특허 출원 및 등록 현황   (단위: 건)

구분	2009년		2010년		2011년	
	출원	등록	출원	등록	출원	등록
태양광/열/전지	1,079	1,534	898	1,482	1,424	950
수소바이오/연료전지	1,669	900	1,527	1,227	1,393	805
CO_2포집저장처리	552	478	623	409	646	371
그린홈/빌딩/시티	792	720	952	740	867	283
원전플랜트	343	294	448	324	591	282
전력IT	502	217	502	356	484	256
석탄가스화	107	99	106	95	195	88
풍력	133	46	219	85	363	87
수력 및 해양에너지	126	25	176	45	248	33
지열	15	7	23	15	36	11
전체	5,318	4,320	5,474	4,778	6,247	3,166

06 주어진 [표]에 대한 설명으로 옳지 않은 것을 [보기]에서 고르면?

┤ 보기 ├

㉠ 2009~2011년 동안 출원건수와 등록건수가 모두 매년 증가한 기술분야는 지열이 유일하다.

㉡ 2010년에 전년 대비 출원건수가 증가한 기술분야에서는 2011년에도 전년 대비 증가하였다.

㉢ 2009년 출원건수가 많은 상위 3개 기술분야의 등록건수 합은 2009년 전체 등록건수의 70% 이상이다.

㉣ 2010년 등록건수가 전년 대비 10% 이상 감소한 기술분야는 CO_2포집저장처리가 유일하다.

① ㉠, ㉡   ② ㉠, ㉢   ③ ㉡, ㉣   ④ ㉢, ㉣

07 다음 중 2009년 대비 2011년 등록건수의 증가율이 가장 큰 기술분야를 고르면?

① 원전플랜트   ② 전력IT   ③ 풍력   ④ 수력 및 해양에너지

08 주어진 [표]와 다음의 [산식]을 이용하여 이용객 선호도를 구할 때, 입장료와 사우나 유무 선호도 조사 결과를 조합하여 이용객 선호도가 세 번째로 큰 조합으로 바르게 짝지어진 것을 고르면?

[표1] 입장료 선호도 조사 결과

입장료	선호도	운영기간
15,000원	10.0점	2018.01.~2019.12.
30,000원	8.0점	2020.01.~2020.12.
60,000원	6.0점	2021.01. 이후 유지

[표2] 사우나 유무 선호도 조사 결과

사우나	선호도
유	10.0점
무	5.0점

┤ 산식 ├

이용객 선호도＝입장료 선호도＋사우나 유무 선호도

　　입장료　　　　　사우나 유무
① 15,000원　　　　　유
② 30,000원　　　　　유
③ 30,000원　　　　　무
④ 60,000원　　　　　유

[09~10] 다음 [표]는 지역별 건축 및 대체에너지 설비투자 현황에 관한 자료이다. 이를 바탕으로 질문에 답하시오.

[표] 지역별 건축 및 대체에너지 설비투자 현황 (단위: 건, 억 원, %)

지역	건축 건수	건축공사비 (A)	대체에너지 설비투자액				대체에너지 설비투자 비율 (B/A)×100
			태양열	태양광	지열	합(B)	
가	12	8,409	27	140	336	503	5.98
나	14	12,851	23	265	390	678	( )
다	15	10,127	15	300	210	525	( )
라	17	11,000	20	300	280	600	5.45
마	21	20,100	30	600	450	1,080	( )

※ 건축공사비 내에 대체에너지 설비투자액은 포함되지 않음.

09 주어진 [표]에 대한 설명으로 옳은 것을 [보기]에서 고르면?(단, 소수점 둘째 자리까지 반올림한다.)

┤ 보기 ├

㉠ 건축 건수 1건당 건축공사비는 '가' 지역이 '다' 지역보다 많다.
㉡ '가'~'마' 지역의 대체에너지 설비투자 비율은 모두 6% 미만이다.
㉢ '라' 지역에서 태양광 설비투자액이 420억 원으로 늘어도 대체에너지 설비투자 비율은 6% 이하이다.
㉣ 대체에너지 설비투자액 중 태양광 설비투자액 비율이 가장 낮은 지역은 대체에너지 설비투자 비율도 가장 낮다.

① ㉠, ㉡   ② ㉠, ㉢   ③ ㉡, ㉢   ④ ㉢, ㉣

10 '나' 지역의 대체에너지 설비투자 비율을 고르면?(단, 소수점 둘째 자리까지 반올림한다.)

① 3.57%   ② 4.47%   ③ 5.28%   ④ 5.91%

[11~12] 다음 [표]와 [보기]는 경기도, 충청도, 전라도, 경상도, 강원도의 종교인 구성비에 관한 자료이다. 이를 바탕으로 질문에 답하시오.

[표] 지역별 종교인 구성비 (단위: %)

지역 \ 종교	(가)	(나)	(다)
A	32	34	34
B	51	32	17
C	19	32	49
D	32	36	32
E	17	30	53

┤ 보기 ├

• 강원도의 (가) 종교인 비율과 충청도의 (다) 종교인 비율을 합하면, 경기도의 (나) 종교인 비율과 같다.
• 강원도의 (가) 종교인 비율과 경기도의 (가) 종교인 비율을 합하면, 전라도의 (다) 종교인 비율과 같다.

11 경기도에 해당하는 지역을 고르면?

① A   ② B   ③ C   ④ D

12 경상도에 해당하는 지역을 고르면?

① A   ② B   ③ C   ④ D

13 다음 자료를 참고할 때, A~K 11명의 이용료의 합계를 고르면?

- A는 30대 중반이다.
- B, C는 40~50대이고, 그들의 자녀인 D, E는 각각 18세, 20세이다.
- F와 G는 부부이며 각각 66세, 67세이다.
- H, I는 모두 30대이다.
- H, I의 자녀인 J는 3세, K는 7세이다.
- A, B, E, G, K는 할인 받을 수 있고 이들을 제외한 모두는 할인 대상이 아니다.

구분	6세 이하	7~20세	21~64세	65세 이상
정상가	무료	30,000원	50,000원	40,000원
할인가	무료	25,000원	40,000원	35,000원

① 385,000원   ② 390,000원   ③ 400,000원   ④ 410,000원

14 갑 그룹의 남사원 600명과 여사원 400명에게 5월과 10월 중에서 언제 여행을 가고 싶은지 하나만 선택하도록 질문하였더니, 남사원의 55%와 여사원의 65%가 5월을 선택하였다. 갑 그룹 1,000명의 사원 중에서 임의로 한 명을 뽑았더니 10월을 선택한 사원이었다면, 이 사원이 여사원일 확률을 고르면?(단, 모든 사원은 반드시 5월과 10월 중 하나를 선택해야 한다.)

① $\dfrac{10}{41}$ ② $\dfrac{12}{41}$ ③ $\dfrac{14}{41}$ ④ $\dfrac{16}{41}$

15 다음 [표]는 2011~2015년 군 장병 1인당 1일 급식비와 조리원 충원인원에 관한 자료이다. 이에 대한 설명으로 옳지 <u>않은</u> 것을 고르면?

[표] 군 장병 1인당 1일 급식비와 조리원 충원인원

구분	2011년	2012년	2013년	2014년	2015년
1인당 1일 급식비(원)	5,820	6,155	6,432	6,848	6,984
조리원 충원인원(명)	1,767	1,924	2,024	2,123	2,195
전년 대비 물가상승률(%)	5	5	5	5	5

※ 2011~2015년 동안 군 장병 수는 동일함.

① 2012년 이후 군 장병 1인당 1일 급식비의 전년 대비 증가율이 가장 큰 해는 2012년이다.

② 2012년의 조리원 충원인원이 목표 충원인원의 88%라고 할 때, 2012년의 조리원 목표 충원인원은 2,100명보다 많다.

③ 2012년 이후 조리원 충원인원은 매년 증가한다.

④ 2011년 대비 2015년의 물가상승률은 20%보다 높다.

16 A기업에서 생산한 스마트폰에 대해, 원가에 30%의 이익을 붙여 정가를 책정하였다. 이후 판매 증진을 위해 정가에서 60,000원을 할인하여 판매하였다. 할인 판매 시 스마트폰이 하나 판매될 때마다 원가의 20%에 해당하는 이익이 발생한다면 스마트폰의 원가는 얼마인지 고르면?

① 540,000원   ② 560,000원   ③ 580,000원   ④ 600,000원

[17~18] 다음 [그래프]와 [표]는 2010~2014년 '갑'국 상업용 무인기의 국내 시장 판매량과 수출입량에 관한 자료이다. 이를 바탕으로 질문에 답하시오.

[그래프] '갑'국 상업용 무인기의 국내 시장 판매량 (단위: 천 대)

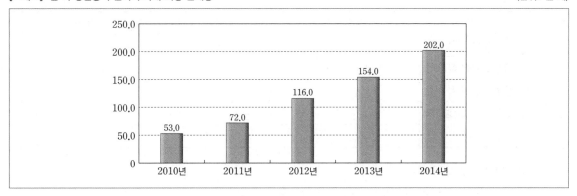

[표] '갑'국 상업용 무인기 수출입량 (단위: 천 대)

구분	2010년	2011년	2012년	2013년	2014년
수출량	1.2	2.5	18.0	67.0	240.0
수입량	1.1	2.0	3.5	4.2	5.0

※ 수출량은 국내 시장 판매량에 포함되지 않음.
※ 수입량은 당해 연도 국내 시장에서 모두 판매됨.

17 2014년 상업용 무인기의 국내 시장 판매량 대비 수입량의 비율을 고르면?

① 1.98% ② 2.48% ③ 3.02% ④ 5%

18 2011~2014년 동안 상업용 무인기 국내 시장 판매량의 전년 대비 증가율이 가장 큰 해를 고르면?

① 2011년 ② 2012년 ③ 2013년 ④ 2014년

19 다음 [표]는 A반의 지적능력평가 중 자료해석 시험 결과에 대한 상대도수 분포표의 일부분이다. 이에 대한 설명으로 옳지 <u>않은</u> 것을 고르면?

[표] A반의 자료해석 시험 결과

성적	학생 수(명)	상대도수	누적도수
60점 이상 70점 미만	6	( )	( )
70점 이상 80점 미만	( )	0.28	( )
80점 이상 90점 미만	8	( )	0.84
90점 이상 100점 미만	4	( )	( )
합계	( )	1	—

① 총 학생 수는 25명이다.
② 성적이 70점 이상 80점 미만인 학생의 누적도수는 0.52이다.
③ 성적이 70점 이상 80점 미만인 학생의 수는 7명이다.
④ 성적이 80점 이상 90점 미만인 학생의 상대도수는 0.64이다.

20 다음 그림과 같이 원의 둘레 위에 서로 다른 8개의 점이 있다. 세 개의 점을 이어서 만들 수 있는 삼각형의 개수를 고르면?

① 50개   ② 52개   ③ 56개   ④ 60개

육군부사관

실전 모의고사

육군부사관
실전 모의고사

| 2회 |

시험 구성 및 유의사항

구분		문항 수	시간	비고
1교시 지적능력평가	공간능력	18문항	10분	객관식 사지선다형
	지각속도	30문항	3분	객관식 양자택일/사지선다형
	언어논리	25문항	20분	객관식 오지선다형
	자료해석	20문항	25분	객관식 사지선다형

• 시험 시간은 OMR카드 마킹 시간을 포함한 시간입니다.

• 시험지는 반드시 과목별 순서대로 풀이하시기 바랍니다.

모바일
OMR 채점 서비스

정답만 입력하면
채점에서 성적분석까지 한번에 쫙!

- ☑ [QR 코드 인식 ▶ 모바일 OMR]에 정답 입력
- ☑ [eduwill.kr/mQYF ▶ 모바일 OMR]에 정답 입력
- ☑ 실시간 정답 및 영역별 백분율 점수 위치 확인
- ☑ 취약 영역 및 유형 심층 분석
- ※ 유효기간: 2023년 2월 28일

▶ 모바일 OMR 바로가기

육군부사관

1교시 지적능력평가 [공간능력]

18문항/10분

정답과 해설 P. 28

[01~05] 다음 [조건]을 참고하여 제시된 입체 도형의 전개도에 해당하는 것을 고르시오.

조건

※ 전개도를 접었을 때 전개도상의 그림, 기호, 문자가 입체 도형의 겉면에 표시되는 방향으로 접음.

※ 입체 도형을 전개하여 전개도를 만들 때, 전개도에 표시된 그림(예: , 등)은 회전의 효과를 반영함. 즉, 본 문제의 풀이과정에서 보기의 전개도상에 표시된 ' '와 ' '은 서로 다른 것으로 취급함.

※ 단, 기호 및 문자(예: ☎, ♤, ♨, K, H)의 회전에 의한 효과는 본 문제의 풀이과정에 반영하지 않음. 즉, 입체 도형을 펼쳐 전개도를 만들었을 때에 ' '의 방향으로 나타나는 기호 및 문자도 보기에서는 '☎' 방향으로 표시하며 동일한 것으로 취급함.

01

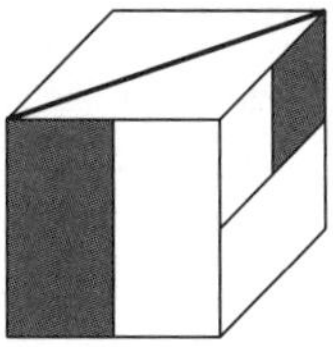

①

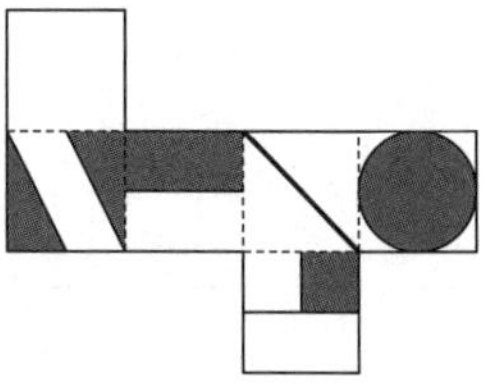

②

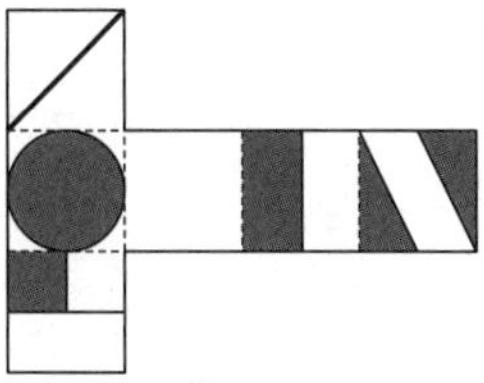

③

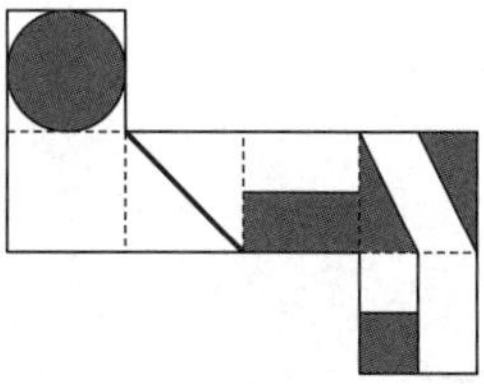

④

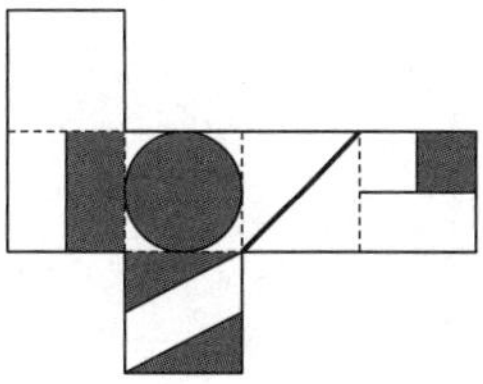

02

①

②

③

④

03

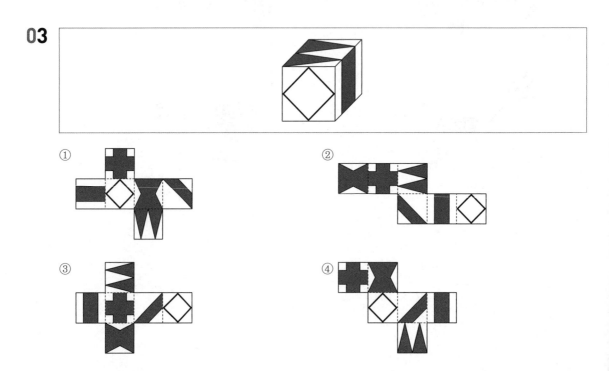

04

①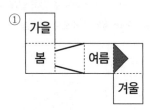

②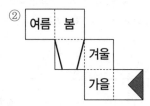

③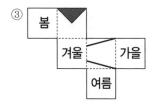

④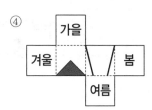

05

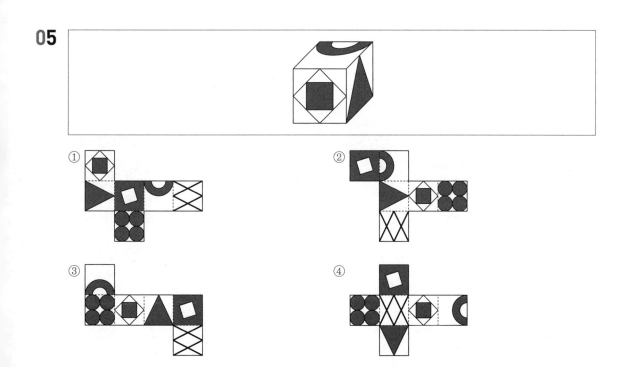

┤ 조건 ├

※ 전개도를 접을 때 전개도상의 그림, 기호, 문자가 입체 도형의 겉면에 표시되는 방향으로 접음.

※ 전개도를 접어 입체 도형을 만들 때, 전개도에 표시된 그림(예: ▮, ◢ 등)은 회전의 효과를 반영함. 즉, 본 문제의 풀이과정에서 보기의 전개도상에 표시된 '▮'와 '▭'은 서로 다른 것으로 취급함.

※ 단, 기호 및 문자(예: ☎, ♤, ♨, K, H)의 회전에 의한 효과는 본 문제의 풀이과정에 반영하지 않음. 즉, 전개도를 접어 입체 도형을 만들었을 때에 '🕿'의 방향으로 나타나는 기호 및 문자도 보기에서는 '☎' 방향으로 표시하며 동일한 것으로 취급함.

06

① 　② 　③ 　④

07

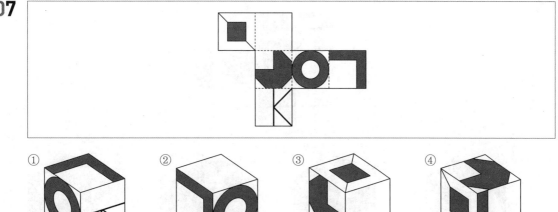

08

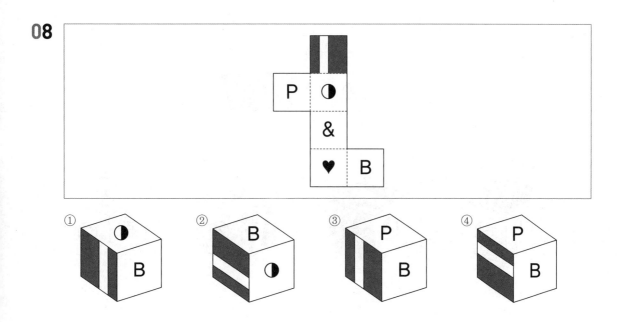

09

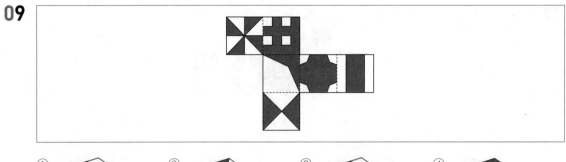

① 　② 　③ 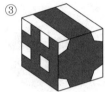　④

10

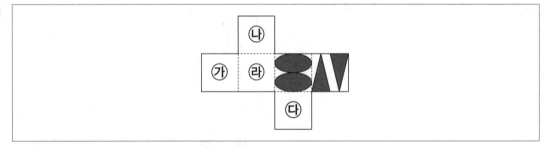

① 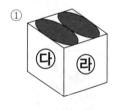　② 　③ 　④

[11~14] 다음 그림과 같이 쌓기 위해 필요한 블록의 개수를 고르시오.(단, 보이지 않는 뒤의 블록은 없다고 생각한다.)

11

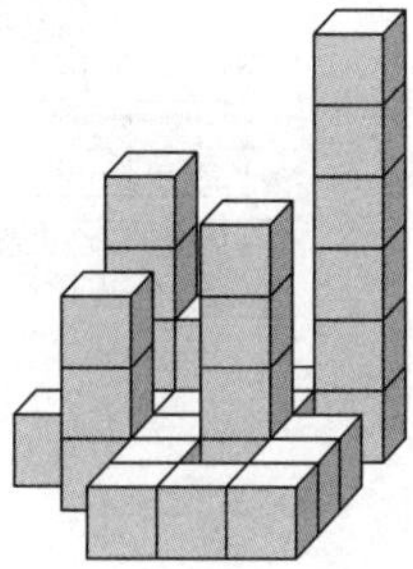

① 30개   ② 31개   ③ 32개   ④ 33개

12

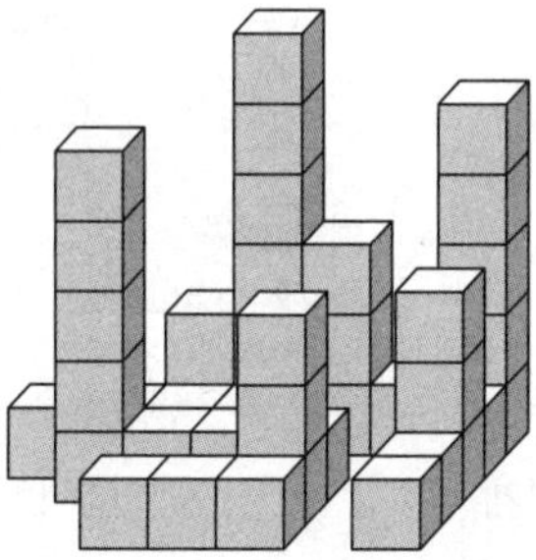

① 40개   ② 41개   ③ 42개   ④ 43개

13

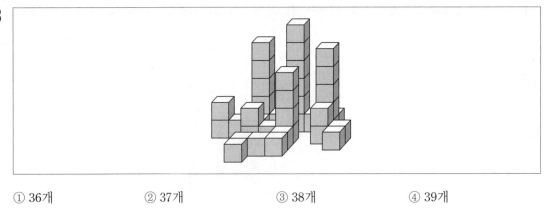

① 36개　　　　② 37개　　　　③ 38개　　　　④ 39개

14

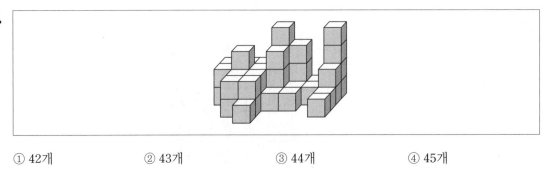

① 42개　　　　② 43개　　　　③ 44개　　　　④ 45개

15

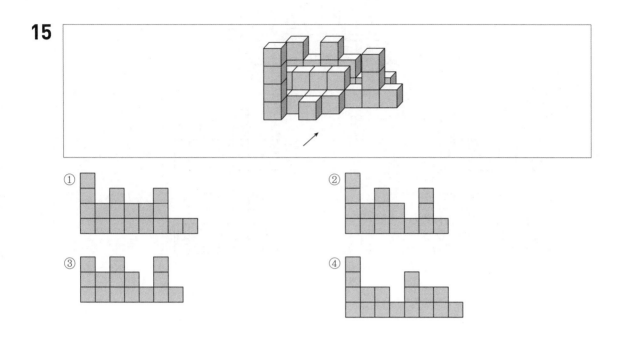

16

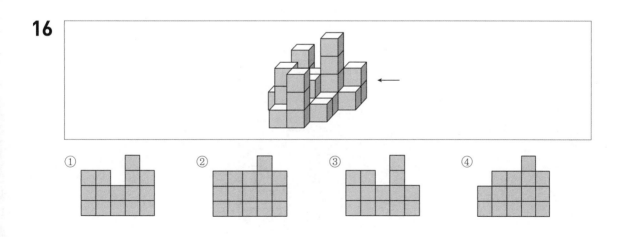

17

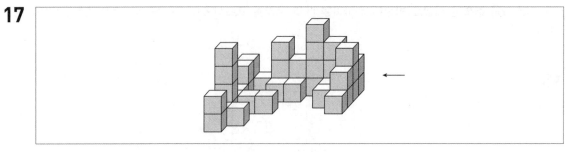

①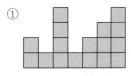

②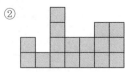

③

④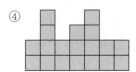

18

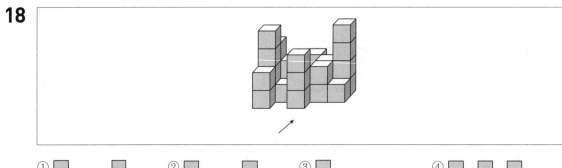

①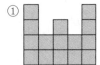

②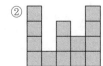

③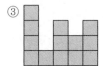

④

1교시 지적능력평가 [지각속도]

30문항/3분

정답과 해설 P. 33

[01~05] 다음 [보기]를 바탕으로 제시된 문자가 바르게 치환되었는지 판단하시오.

보기

12 = ♤	56 = ♡	73 = ◈	91 = ▨
36 = ▧	85 = ◀	05 = ▣	66 = ♠

01

12 85 05 66 — ♤ ◀ ▣ ♠

① 맞음　　　　　　　　　　　② 틀림

02

73 36 05 56 — ◈ ▧ ▣ ♡

① 맞음　　　　　　　　　　　② 틀림

03

56 73 91 85 — ♡ ◈ ▧ ◀

① 맞음　　　　　　　　　　　② 틀림

04

85 66 56 73 — ◀ ♤ ♡ ◈

① 맞음　　　　　　　　　　　② 틀림

05

05 36 05 66 — ▣ ▨ ▣ ♠

① 맞음　　　　　　　　　　　② 틀림

[06~10] 다음 [보기]를 바탕으로 제시된 문자가 바르게 치환되었는지 판단하시오.

┌ 보기 ├──

Latte = i ii   Mocha = iii iv   Bianco = v vi   Americano = vii viii

Macchiato = ix x   Doppio = xi xii   Espresso = XI XII   Affogato = VII VIII

06

Latte Doppio Bianco Espresso – i ii   xi xii   v vi   XI XII

① 맞음   ② 틀림

07

Macchiato Americano Latte Affogato – ix x   v vi   i ii   VII VIII

① 맞음   ② 틀림

08

Mocha Doppio Macchiato Bianco – i ii   xi xii   ix x   v vi

① 맞음   ② 틀림

09

Affogato Americano Mocha Latte – VII VIII   vii viii   iii iv   i ii

① 맞음   ② 틀림

10

Macchiato Mocha Doppio Bianco – ix x   iii iv   xi xii   v vi

① 맞음   ② 틀림

[11~15] 다음 [보기]를 바탕으로 제시된 문자가 바르게 치환되었는지 판단하시오.

┌─ 보기 ┐

$9 = ♉$ $8 = ♌$ $7 = ♍$ $6 = ♒$

$5 = ⅋$ $4 = ♋$ $3 = ♎$ $2 = er$

11

3 2 4 5 － ♎ er ♋ ⅋

① 맞음　　　　　　　　　② 틀림

12

6 4 8 3 － ♒ ♋ ♌ ♎

① 맞음　　　　　　　　　② 틀림

13

9 7 4 2 － ♉ ♍ ♎ er

① 맞음　　　　　　　　　② 틀림

14

8 4 2 5 － ♌ ♋ er ⅋

① 맞음　　　　　　　　　② 틀림

15

9 6 7 3 － ♉ ♒ ♍ ♎

① 맞음　　　　　　　　　② 틀림

[16~20] 다음 [보기]를 바탕으로 제시된 문자가 바르게 치환되었는지 판단하시오.

┤ 보기 ├

토론토 = 901	헬싱키 = 723	질리나 = 604	베를린 = 502
켐니츠 = 730	비엔나 = 475	베이징 = 058	오사카 = 817

16

질리나 베를린 베이징 오사카 – 604 502 058 817

① 맞음　　　　　　　　　　　② 틀림

17

비엔나 토론토 켐니츠 헬싱키 – 475 901 730 723

① 맞음　　　　　　　　　　　② 틀림

18

베를린 비엔나 켐니츠 오사카 – 502 475 730 817

① 맞음　　　　　　　　　　　② 틀림

19

헬싱키 토론토 베이징 질리나 – 723 901 058 604

① 맞음　　　　　　　　　　　② 틀림

20

토론토 비엔나 오사카 베를린 – 901 475 817 058

① 맞음　　　　　　　　　　　② 틀림

[21~25] 다음 [보기]를 바탕으로 제시된 문자가 바르게 치환되었는지 판단하시오.

| 보기 |

Sep = Φ	Aug = Λ	Jun = Σ	Mar = Ψ	Jan = Y
Apr = Π	Oct = P	Nov = Ω	Feb = Ξ	May = Θ

21

Nov Mar Oct Jan − Ω Ψ P Y

① 맞음　　　　　　　② 틀림

22

Jan May Apr Jun − Y Φ Π Σ

① 맞음　　　　　　　② 틀림

23

Jun Mar May Sep − Σ Ψ Θ Φ

① 맞음　　　　　　　② 틀림

24

Φ P Ψ Π − Sep Aug Mar Apr

① 맞음　　　　　　　② 틀림

25

Y Φ Θ Λ − Jan Sep Nov Aug

① 맞음　　　　　　　② 틀림

[26~30] 왼쪽의 문자가 몇 번 제시되는지 고르시오.

26

7

269451308178796054377154989017577848765

① 9   ② 8   ③ 7   ④ 6

27

★

§※″★《#$%≥《★‥&＊(▽★→#※★↓▬≫★√♀【』

① 5   ② 6   ③ 7   ④ 8

28

ㄷ

우리나라의 사회봉사명령은 다양한 법적 근거에 의하여, 폭넓은 대상자에 대하여 갖가지 형태로 집행되고 있다.

① 3   ② 4   ③ 5   ④ 6

29

o

One man with courage makes a majority.

① 2   ② 3   ③ 4   ④ 5

30

ㄹ

1년간의 행복을 위해서는 정원을 가꾸고, 평생의 행복을 원한다면 나무를 심어라.

① 6   ② 7   ③ 8   ④ 9

1교시 지적능력평가 [언어논리]

01 다음 빈칸에 들어갈 단어로 가장 적절한 것을 고르면?

> 지도는 세상을 보는 (　　　)이다. 지도를 통해 세상을 알 수 있다.

① 눈   ② 창   ③ 문
④ 길   ⑤ 물

02 다음 밑줄 친 단어와 의미상 가장 관련 깊은 한자어를 고르면?

> 상대방에게 빈말이라도 칭찬하려면 어느 정도 근거는 가지고 있어야 한다. 예컨대 '센스있다'는 빈말을 하려면 그에 상응하는 말 한마디 정도는 할 줄 아는 사람이라야 하는 것이다.

① 간언(間言)   ② 눌언(訥言)   ③ 실언(失言)
④ 망언(妄言)   ⑤ 허언(虛言)

03 단어의 표준발음으로 옳지 <u>않은</u> 것을 고르면?

① 공권력[공꿘녁]   ② 입원료[이붠뇨]   ③ 늑막염[능마겸]
④ 식용유[시굥뉴]   ⑤ 동원령[동:원녕]

04 밑줄 친 부분의 맞춤법이 옳지 <u>않은</u> 것을 고르면?

① 아내는 <u>왠지</u> 달갑지 않은 표정이었다.
② 주희 결혼식이 몇 월 <u>며칠</u>이라고?
③ 실내에서는 흡연을 <u>삼가하시기</u> 바랍니다.
④ 석차 <u>백분율</u>을 계산해보니 합격선이다.
⑤ <u>오랫동안</u> 망설인 끝에 드디어 결심했다.

05 사전의 등재 순서에 따라 바르게 나열한 것을 고르면?

① 두다 – 뒤뜰 – 뒤쪽 – 돼지
② 네모 – 넘다 – 냠냠 – 늴리리
③ 얼음 – 여름 – 얇다 – 왜가리
④ 괴다 – 교실 – 구멍 – 귀엽다
⑤ 사과 – 세다 – 시계 – 슈크림

06 다음 빈칸에 들어갈 표현으로 가장 적절한 것을 고르면?

> 오늘날 대중 매체는 떼려야 뗄 수 없는 (   ) 존재가 되었다. 사회생활에서는 말할 것도 없고 개인
> 의 생활에서도 그렇다. 그것은 우리에게 필요한 일상 정보를 제공하고, 우리가 배우거나 알아야 할 것
> 을 알려준다. 또한 우리에게 무료한 시간이나 공허를 깨울 수 있는 오락과 기분전환을 제공하고, 우리
> 의 상상력을 자극하고 키운다.

① 불가피(不可避)한   ② 불가분(不可分)의   ③ 불가결(不可缺)의
④ 불가불(不可不)한   ⑤ 부득불(不得不)의

07 다음 나열된 단어와 공통적으로 연관되는 의미로 가장 적절한 것을 고르면?

소탕 박멸 삭제 근절

① 헐다   ② 버리다   ③ 없애다
④ 찾다   ⑤ 망가뜨리다

08 다음 밑줄 친 ㉠~㉤ 중 그 쓰임이 옳지 않은 것을 고르면?

민수: 야, 우리 그 일에 대해 모르는 거라고 ㉠ 입을 맞추는 거다!
수지: 그러자! 난 아직도 그 생각만 하면 ㉡ 얼굴이 팔려.
민수: 너같이 ㉢ 얼굴이 두꺼운 사람도 그런데 나는 어떻겠니. 그러니까 절대 ㉣ 입 밖에 내지 마!
수지: 알았어. 내가 ㉤ 삼수갑산에 가는 한이 있더라도 지킬게.

① ㉠   ② ㉡   ③ ㉢   ④ ㉣   ⑤ ㉤

09 다음 글을 쓴 계기로 적절한 것을 고르면?

　내가 오덕전 선생에게 묻기를,
　"우리나라에서 예로부터 문장으로 세상에 이름을 떨친 사람이 많으나, 소 먹이는 아이나 심부름꾼까지 그 이름을 아는 사람은 적었는데, 다만 선생의 이름은 비록 부인이나 아이들까지라도 모르는 사람이 없으니 어찌하여 그러합니까?" 하니, 선생은 웃으며 말하기를, "내가 일찍 나이가 많은 서생이 되어 사방에 다니며 객지 생활을 하느라고 가지 않은 곳이 없었기 때문에 아는 사람이 많았고, 연달아 과거에 응시하였으나 합격되지 못했는데, 그럴 적마다 사람들은, '금년에도 아무개가 또 합격되지 못하였다.' 하여, 이 때문에 남의 귀와 눈에 익숙하게 된 것뿐이요, 재주가 있어서 그런 것이 아니오. 또한 실속 없이 헛된 명성만 누리는 것은 공로가 없이 높은 봉급을 먹는 것이나 마찬가지오. 나는 이런 까닭으로 이렇게 곤궁하게 지내는 것이니, 평생에 가장 싫어하는 것이 이름이오." 하였다. 어떤 사람이 공을 "재주만 믿고 남에게 거만하다." 하는 이가 있다면, 이것은 선생을 모르는 사람이다.

① 겸손한 오덕전 선생에 대한 글을 써야겠다.
② 헛이름만 누리는 오덕전 선생에 대한 글을 써야겠다.
③ 젊어서 고생이 많았던 오덕전 선생에 대한 글을 써야겠다.
④ 문장으로 이름을 떨치는 오덕전 선생에 대한 글을 써야겠다.
⑤ 과거에서 여러 번 낙방한 오덕전 선생에 대한 글을 써야겠다.

10 다음 밑줄 친 ㉠~㉤의 문맥적 의미가 적절하지 <u>않은</u> 것을 고르면?

> 전 세계적으로 빠르게 확산되고 있는 코로나19 바이러스에 이미 1,300만 명 이상이 감염됐고 이 중 50만 명 이상이 사망했다. 코로나19에 감염된 환자들은 발열 및 기침 등의 경증상만 앓고 자연적으로 회복되는 경우가 많으나, 어떤 환자들은 호흡곤란, 폐 기능 악화 등의 중증 질환으로 발전해 심한 경우 사망에 이르기도 한다. 중증 질환으로 발전하는 대표적 원인으로는 사이토카인 폭풍을 들 수 있다. 사이토카인 폭풍은 외부에서 침투한 바이러스에 대항하기 위해 인체 내 면역 체계의 과도한 반응이 정상 세포까지 공격하여 일어나는 대규모 염증 반응이다. 흔히 면역 능력이 강한 젊은 세대일수록 더 강력하게 일어난다고 알려져 있다.
>
> 만약 집에 ㉠ 도둑이 들었음을 알았다고 치자. 그럼 어떻게 대처해야 할까? 다칠 것을 각오하고 ㉡ 무기가 될 만한 도구로 도둑과 맞서 싸워야 할까? 아니면 ㉢ 인기척을 내 도둑이 스스로 도망치게 해야 할까? 대부분은 후자의 방법을 추천할 것이다. 전자의 방법을 쓴다면, 잘못될 경우 도둑이 ㉣ 강도로 돌변해 어떠한 해를 끼칠지 모르기 때문이다. 바이러스가 우리 몸에 침투한 경우도 비슷한 일이 벌어진다. 새로운 숙주를 만난 바이러스는 사람 몸의 면역 체계와 격렬하게 싸우는데, 이 과정에서 바이러스는 50%가 넘는 확률로 승리한다. 하지만 ㉤ 승리의 대가는 비싸다. 면역 체계를 모두 없앤 숙주는 사망에 이르게 되는데, 이는 곧 바이러스의 사멸과 연결되기 때문이다.

① ㉠: 코로나19 바이러스
② ㉡: 사이토카인 폭풍
③ ㉢: 정상적 면역 반응
④ ㉣: 호흡 곤란, 폐 기능 악화
⑤ ㉤: 바이러스의 사멸

11 다음 글의 주제로 가장 적절한 것을 고르면?

빈곤하게 생활하는 사람들이 타인을 돕는 데 더 적극적인 이유는 무엇일까? 켈트너는 생활이 어려운 사람들의 경우 어려운 상황에 처하면 함께 뭉쳐서 해결해야 한다고 생각하는 경향이 있음을 발견했다. 이를 통해 그들은 보다 사회적으로 영민하게 대처할 수 있다는 것이다. 그는 "불확실한 상황에 처하면 타인을 생각하게 된다. 사회 네트워크를 형성하게 되는 것이다."라고 말한다. 예를 들어, 가난한 젊은 엄마가 아기를 출산하면 아이를 보살피기 위해 음식, 물품과 보육이 필요하다. 만약 이 엄마가 바람직한 사회생활을 했다면 지역사회의 이웃들이 나서서 도와줄 것이다. 이처럼 제한적인 소득이 공감 능력이나 사회적 반응성을 기르는 데 필수 요건인 것은 아니다. 은행 잔고와 상관없이 고통은 우리로 하여금 타인의 필요에 보다 주의를 기울이게 하고 우리도 이미 잘 아는 어려움에 처한 사람을 볼 때 도움을 주고자 하기 때문에 이타주의와 영웅주의적 행위를 낳는다.

① 타인에 대한 원조는 소득에 비례한다.
② 지역사회에 대한 경제적 지원이 필요하다.
③ 타인을 돕는 것은 소득과는 아무런 관련이 없다.
④ 우리는 항상 주변의 어려운 이웃을 돌아보아야 한다.
⑤ 바람직한 사회생활을 위해서는 타인과의 공감 능력이 필수적이다.

12 다음 (가)~(바) 문장의 논리적 관계를 분석한 내용으로 가장 적절하지 <u>않은</u> 것을 고르면?

(가) 한 민족의 전통은 고유한 것이다. (나) 이때 고유하다, 고유하지 않다고 하는 것은 상대적인 개념으로 볼 수 있다. (다) 어느 민족의 어느 사상도 완전히 동일한 것이 없다는 점에서는 모두가 다 고유하다고 할 수 있다. (라) 한 종교나 사상, 정치 제도가 다른 나라에 도입된다 하더라도 꼭 동일한 양상으로 발전되는 법은 없으며, 문화나 예술 그리고 과학 기술조차도 완전히 동일한 발전 양상을 보인다고 할 수 없기 때문이다. (마) 이런 점에서, 조상으로부터 물려받은 모든 유산이 다 고유하다고 할 수 있다. (바) 그러나 한편으로는 한 민족이 창조하고 계승한 문화나 관습이나 물건이 완전히 고유하며, 다른 민족의 문화나 전통과 유사점을 전혀 찾을 수가 없고, 그것만의 독특성을 가졌다면, 이는 극히 원시 시대의 몇몇 관습 외에는 없다고 할 수도 있다.

① (나)는 (가)의 근거이다.
② (다)는 (나)의 구체화이다.
③ (라)는 (마)의 근거이다.
④ (바)는 (마)의 반론이다.
⑤ (바)는 논증의 결론이다.

13 다음 A학자의 주장에 부합하는 사례로 가장 적절한 것을 고르면?

A학자는 18세기부터 현대까지의 미디어의 등장 배경과 발전 과정을 분석하면서, 공공 영역의 부상과 쇠퇴에 대해 연구하였다. 그에 따르면 공공 영역은 일반적 쟁점에 대해 토론하고, 의견을 수렴하는 민주적 장으로서의 역할을 담당한다.

그는 17~18세기의 유럽 도시의 살롱에서 공공 영역을 찾아냈다. 그는 비록 참여할 수 있는 사람들이 정해져 있지만 살롱의 토론 문화는 당시 정치적 문제를 해결하는 데 중요한 역할을 했다고 보았다. 적어도 살롱 안에서 진행되는 공개적 토론에서는 각각의 참석자들은 동등한 자격을 부여받았다.

그러나 그에 따르면, 현대 사회의 민주적 토론은 문화 산업의 발달과 함께 오히려 퇴보했다. 대중매체와 대중오락의 보급은 공공 영역이 공허해지는 원인으로 작용했고, 상업적 이해관계는 공공의 이해관계에 우선시되었다. 공공 토론은 개방적이고, 합리적인 수순에 의해서가 아니라 광고에서처럼 조작과 통제를 통해 형성되었다. 미디어의 상업화가 공공 영역을 침범하고, 수익이 보장되는 콘텐츠 제작만을 추구함으로써 공개적 토론의 장은 축소되고 만 것이다.

① 인터넷의 발달과 보급은 공익 광고뿐만 아니라 상업 광고도 증가시켰다.
② 살롱 문화는 특정 계급의 장이었기 때문에 전체를 아우르는 논제에 대한 토론이 이뤄지기 어려웠다.
③ 글로벌 미디어의 발달로 인해 특정 지역의 반인륜적 문제 상황에 대한 국제적 기구의 개입이 이전에 비해 용이해졌다.
④ 수익성 위주의 미디어 플랫폼과 콘텐츠가 증가하면서 사회적 문제 상황에 대해 토론하는 프로그램이 감소하였다.
⑤ 기업은 이미지 제고를 위해 사익과 공익을 동시에 추구할 수 있는 콘텐츠 개발에 적극적으로 투자하려는 경향성이 높아지고 있다.

14 다음 글의 내용과 일치하지 <u>않는</u> 것을 고르면?

> 잔치는 경사(慶事)에 음식을 차리고, 손님을 맞이해 함께 먹고 즐기는 것을 뜻한다. 잔치는 음식을 나누다는 점에서 중요한 공동체 행사였으며, 흔히 결혼식을 달리 이르는 말로 쓰이기도 했다. 결혼은 고대부터 지금까지 가장 대표적인 경사로 여겨졌기 때문이다.
>
> 잔치가 열리면 사람들은 모여 서로의 안부를 묻고, 덕담을 주고받았다. 사람 사이의 오고감은 흥겨운 노래와 춤이 함께하기 마련이고, 이런 놀이에서는 친분은 물론 신분까지 넘나들었다.
>
> 한국 잔치의 특성은 속담에서 어느 정도 유추가 가능하다. 먼저, '잔치는 잘 먹은 놈 잘 차렸다 하고, 못 먹은 놈 못 차렸다 한다'는 어떤 일이나 사물에 대한 평가는 자신의 경험을 바탕으로 한다는 뜻이지만, 일단은 음식을 먹는 것이 잔치의 주요 특성임을 알려준다. '잔치에는 먹으러 가고, 장사에는 보러 간다'도 축하하러 간 혼인 잔칫집에서는 먹는 데만 신경을 쓰고, 위로하며 일을 도와주어야 할 초상집에 가서는 구경만 하는 야박한 인심을 나타내지만, 이 역시 잔치에서의 음식의 중요함을 잘 드러내고 있다고 볼 수 있다.
>
> 이처럼 잔치는 음식을 잘 차려 손님을 정성껏 대접해야 하기에, 잔치를 주체하는 집에서는 부담이 되기 마련이었다. 그래서 잔치의 또 다른 면을 보여주는 속담으로는 '잔칫날 다가오듯 한다'가 있다. 잔치를 준비하는 집의 큰 부담을 나타낸 것이다. '남의 잔칫상에 찬물을 끼얹는다' 역시 잔칫집에 초대받아 오히려 훼방 놓는 사람들이 있음을 보여주어, 잔치를 치르는 것에 어려움을 나타내고 있다.

① 속담은 우리 사회의 면모를 함축하여 표현하기도 한다.
② 잔치의 일차적 특성은 함께 모여 음식을 나눈다는 것이다.
③ 결혼을 잔치로 부르는 이유는 가장 중요한 경사였기 때문이다.
④ 잔치를 마련하는 쪽에서 음식 준비와 손님 접대는 큰 부담이었다.
⑤ 잔치에서 행하는 놀이의 흥겨움은 신분까지 넘나들게 해 주었다.

15 다음 밑줄 친 ㉠~㉤ 중 글 전체 흐름상 어색한 문장을 고르면?

포카리스웨트 광고와 신호등에 표현된 색깔의 상징적 의미는 무엇일까? 포카리스웨트 광고에는 온통 파란색으로 이루어져 있다. 광고 속 모델은 파란 하늘을 배경 삼아 파란색 계열의 차를 타고 파란 바다 옆을 질주한다. 때로는 파란 하늘과 하얀 건물 사이로 파란 옷을 입은 모델이 뛰어간다. ㉠ 일반적으로 차가우면서 깨끗한 이미지의 흰색이나 파란색의 색깔을 통해 이온 음료의 특성상 '시원하다'는 메시지를 전달하는 데 사용된 것이다.

㉡ 신호등은 철도나 도로에서 진행 및 정지 등의 신호를 나타내 교통 안전을 확보하고 교통의 흐름을 원활히 하는 장치이다. 도로의 신호등은 빨강, 노랑, 녹색으로 이루어져 있다. 도로의 신호등의 녹색불이 켜지면 사람들은 멈추고 자동차는 도로를 주행한다. 잠시 후 빨간색이 켜지면 자동차는 멈추고 사람들은 횡단보도를 건넌다. ㉢ 또한 노란색이 켜지면 운전자는 정지선에 멈춰 서거나 출발할 준비를 한다. 신호등의 빨강, 노랑, 녹색은 어떤 의미를 전달하는 데 사용될까? ㉣ 이들 색깔은 사람들에게 경각심과 안정감의 메시지를 전달한다. ㉤ 이렇게 색깔은 송신자가 수신자 사이에서 메신저 역할을 할 수 있다. 직접 말로 전달하지 않더라도 어떤 색깔로 표현하느냐에 따라서 수신자들이 받아들이는 의미가 다른 것이다.

① ㉠　　　　　② ㉡　　　　　③ ㉢　　　　　④ ㉣　　　　　⑤ ㉤

16 다음 [보기]의 ㉠~㉤에 사용된 내용 전개 방식으로 적절하지 <u>않은</u> 것을 고르면?

┤ 보기 ├

㉠ 온실 효과로 지구의 기온이 상승할 때 가장 심각한 영향은 해수면의 상승이다. 이러한 현상은 바다와 육지의 비율을 변화시켜 기후 변화를 유발하며, 게다가 섬나라와 저지대는 온통 물에 잠기게 된다.

㉡ 어떤 동물들은 소리가 아닌 방식으로 신호를 주고받기도 한다. 예컨대 개미는 '페로몬'이라는 화학 물질을 몸 밖으로 배출하여 다른 개체들의 반응을 유도할 수 있다.

㉢ 벼랑 아래는 빽빽한 소나무 숲에 가려 보이지 않았다. 새털 구름이 흩어진 하늘 아래 저 멀리 논과 밭, 강을 선물 세트처럼 끼고 들어앉은 소읍의 전경은 적막해 보였다.

㉣ 여닫이문의 경우 문의 폭인 90cm를 제외하면 남은 벽면의 활용이 가능하지만, 미닫이문의 경우 벽으로 밀리는 부분까지 포함해서 1.8m의 벽면이 필요하므로 벽면 활용에 비효율적이다.

㉤ 언어는 성격상 크게 두 가지로 나뉜다. '말'이라고 부르는 음성 언어와 '글'이라고 부르는 문자 언어가 그것이다.

① ㉠: 인과　　　　　② ㉡: 예시　　　　　③ ㉢: 묘사
④ ㉣: 대조　　　　　⑤ ㉤: 분석

17 다음 글을 이해한 내용으로 적절하지 <u>않은</u> 것을 고르면?

바람직한 인간을 추구하는 것은 개개인의 과제이기도 하지만 공동체의 과제이기도 했다. 바람직한 인간이 많을수록 공동체 역시 이상적 사회를 구축할 수 있었기 때문이다. 그래서 바람직한 인간상에 대한 해답을 추구하는 것은 시대를 막론하고 끊임없이 이어졌다. 공동체의 발전을 전제로 한다는 점에서 국가관과도 밀접하게 연관이 되었고, 이는 문화권에 따라 그 기준을 달리하는 계기로 작용하게 된다.

동아시아의 유교 문화권에서 바람직한 인간상은 '군자(君子)'로 정리할 수 있다. 군자는 끊임없이 자신을 단련하여 도달하는 인간상으로, 언행이 점잖고 너그러우며 학식이 높은 사람을 이른다. 《논어(論語)》에서 이르는 군자는 자신의 이익밖에 챙길 줄 모르는 소인들을 지도하며, 세상에 참여하여 사람과 백성을 편안하게 하고자 노력하는 이로도 정리할 수 있다.

서구에서 바람직한 인간상의 기준은 '교양'이었다. 독일의 철학자 헤르더는 "인간은 교양을 통해서 사람다움으로 올라간다."라고 말했다. 즉 사람이 사람답기 위해서는 교양이 필요하다는 것이다. 이러한 교양의 개념이 정립된 것은 19세기로, 매슈 아널드의 노력이 많이 반영된 결과였다. 그는 각기 타고난 능력을 개발하여 완성에 도달하는 것이 인간의 이상인데, 교양은 이러한 이상에 도달하려는 노력이라고 말했다. 그리하여 지정의(知情意)가 조화롭게 발전한 사람, 외면이 아닌 내면이 성숙한 사람, 끊임없이 자신의 몸과 마음을 닦는 사람, 자신만이 아니라 사회 구성원 모두 교양을 갖추도록 도움을 주는 사람을 교양인으로 보았다.

① 바람직한 인간이 많을수록 공동체의 발전이 촉진된다.
② 동양과 서양이 추구하는 바람직한 인간상이 되기 위한 과정은 상이하다.
③ 헤르더는 인간으로 태어났더라도 모두 사람다움을 갖춘 것은 아니라고 보았다.
④ 동양과 서양 모두 바람직한 인간이 되기 위해서는 지적인 면모를 갖추어야 한다.
⑤ 바람직한 인간상은 선천적으로 타고난 능력이 아닌 개인의 노력을 전제로 하고 있다.

18 다음 명제가 항상 참이고 문장 간의 논리를 고려했을 때, (다)에 들어갈 내용으로 가장 적절한 것을 고르면?

(가) 도시에는 교통이 발달한다.
(나) 전주는 도시이다.
(다) 그러므로 (   )

① 전주는 교통이 발달되어 있다.
② 전주는 교통이 발달되어 있지 않다.
③ 전주에 교통이 발달되어 있는지 알 수 없다.
④ 전주가 교통이 발달되어 있는지는 가봐야 알 수 있다.
⑤ 전주는 교통이 발달되어 있을 수도 그렇지 않을 수도 있다.

19 다음 글 뒤에 이어질 내용으로 적절하지 <u>않은</u> 것을 고르면?

> 독재자나 정복자들이 종교적·정치적 이유로 책을 불태우는 '분서(焚書)'는 인류 역사의 초기부터 벌어졌던 일이다. 기원전 3세기경 진시황의 분서갱유(焚書坑儒)가 대표적이다. 20세기에도 중국을 비롯한 독일, 세르비아, 이라크, 스리랑카, 티베트 등지에서 끊이지 않고 분서는 일어났다. 가장 최근으로는 2020년 홍콩에서 보안법을 반대한 민주화 인사들이 낸 책의 대출을 중단한 사건으로, '현대판 분서'로 평가받고 있다. 그렇다면 왜 독재자들은 책을 불태우고 없애려고 하는 것일까?
>
> 책은 다양한 지식이 담긴 기록물인 동시에, 개인과 집단의 사상·철학·역사·문화를 담고 있다. 그래서 책을 없애면 책 속의 지식이나 그 속에 담긴 여러 요소들이 사람들에게 전파되는 것을 막을 수 있을 뿐만 아니라 한 집단의 고유한 문화유산을 송두리째 파괴하는 상징이 되기도 한다. 그래서 독재자나 침략자들은 정복하고 싶은 대상이나 반대파들의 신체를 억압하는 수단을 사용하는 동시에 그들의 책과 도서관을 불태워버리는 것이다. 구체적인 기록을 살펴보면 다음과 같다.

① 1933년 5월 10일 히틀러의 나치 정권은 책 2만 5,000여 권을 베를린 베벨 광장에서 불태우는 사건을 일으켰다. 당시 독일 선전장관 괴벨스는 '독일 문학을 정화시킨다'는 목적하에 나치 사상에 반대하는 책, 유대인 작가의 책, 자유사상을 담은 책 들을 모두 불태우자고 사람들을 선동했다.

② 1966년부터 10년간 중국 마오쩌둥이 주도한 문화대혁명은 전근대적 문화와 자본주의를 철저히 배척하고 사회주의 사상을 실천하자는 극단적 사회주의 운동이었다. 마오쩌둥은 반대파를 몰아내고 정치적 입지를 강화하기 위해 힘썼고, 이를 따르는 청년들은 문화재를 파괴하고 책을 불태웠을 뿐 아니라 지식인들을 학대했다.

③ 기원전 221년 중국을 최초로 통일한 진시황은 중앙 집권 체제를 만드는 데 심혈을 기울였다. 봉건제를 폐지하고 군현제를 실시했으며, 유가 사상 대신 법가 사상을 국가 통치 이념으로 삼았다. 일부 유학자들은 군현제 등을 비판하였고, 승상 이사는 비판적인 학자들의 책을 없애라고 황제에게 건의하게 된다. 책을 통해 과거 역사와 현재가 비교되고 유학 사상도 전해지니 이를 통제하기 위해 책을 태워야 한다는 주장이었다. 진시황은 이를 받아들여 실용적 목적의 책을 제외한 모든 책을 불태우라 명하였다.

④ 보안법이 발효된 다음날인 2020년 7월 1일 아침 홍콩 주요 신문 1면에는 이를 축하하는 정부 광고가 실렸지만, 〈핑궈일보〉만 보안법 비판 기사를 실었다. 다음 달 홍콩 경찰은 〈핑궈일보〉를 압수수색하고, 지미 라이를 체포해 국가보안법 위반 혐의로 기소하고 재산을 압류했다.

⑤ 1987년 2월 12일 〈한국민중사〉 1, 2를 발간한 도서출판 〈풀빛〉의 대표 나병식 사장이 연행되었다. 풀빛출판사 사무실에 서울지검 수사관들이 들이닥쳐 수색영장도 없이 사무실을 수색하여 250여 권에 달하는 책을 압수하고 보안유지라는 미명하에 전화선을 절단했다. 나병식 사장은 국가보안법 이적표현물 제작 혐의로 구속되었다.

20 다음 글에서 [보기]가 들어갈 위치로 가장 적절한 것을 고르면?

옛날에는 상표라는 개념이 없었다. 맛이나 향기처럼 한 물건을 다른 물건과 구별하는 특징은 그 물건에 내재해 있다고 믿었다. 포장을 해서 파는 제품과 광고를 하는 제품은 별로 없었다. 제품의 명성은 입소문이나 시장을 개척하는 상인들을 통해 퍼졌을 뿐이다. (㉠) 구매자를 위한 법적 보호 장치도 없었고 제품의 품질을 따져 볼 책임은 제품을 사는 사람에게 있었다. (㉡) 그래서 제품의 품질을 보증해 주는 것은 판매자 개인에 대한 평판이나 구매자의 안목뿐이었다. 판매량은 많지 않았고 판매자와 구매자의 관계는 인격적이었다. (㉢) 규모가 커진 기업들이 대량소비 시장을 겨냥해 제품을 만들고 광고망을 구축하였다. 제품을 실제로 만드는 사람은 노동자들이었지만 이름을 내건 것은 기업들이었다. 운송의 효율이 개선돼 먼 곳까지 제품을 가져다 팔아도 수지가 맞게 되면서 구매자들이 전보다 훨씬 넓은 지역에 퍼져 있는 시대가 되었다. (㉣) 같은 기업이 여러 지역에 공장을 세우면서 한 제품이 특정 지역과 연결되는 일도 없어졌다. 생산자와 소비자 사이의 인격적 거래 관계는 없어졌고 소비자는 생산자가 아니라 기업의 이름을 보고 제품을 선택하는 시대가 되었다. (㉤) 대량 소비 시장은 각 거래에서 발생하는 이윤이 전보다 적어졌기 때문에 기업들은 반복 구매에 승부를 걸게 되었다. 구입한 제품에 한 번 만족한 소비자들은 계속 같은 제품을 구입할 것이기 때문이다.

┤ 보기 ├
이런 상황은 산업화의 진전으로 같은 제품을 대량 생산할 수 있는 기업들이 19세기에 등장하면서 변하기 시작했다.

① ㉠ ② ㉡ ③ ㉢
④ ㉣ ⑤ ㉤

21 다음 글을 정치와 연관지을 때 밑줄 친 ㉠~㉫의 비유가 적절하지 <u>않은</u> 것을 고르면?

> 음식을 잘하는 요리사는 ㉠설탕을 잘 이용한다. ㉡요리를 잘못하여, 너무 짜거나 시거나 쓴 경우, 설탕을 첨가함으로써 ㉢음식 맛을 교정한다. 아니, 정확하게 말해서 음식 맛을 교정하는 것이 아니라, 먹는 사람을 교묘히 속이는 것이다. ㉣먹는 사람은 단맛부터 느끼기 때문에 시고 짜고 쓴맛들은 벌써 단맛에 의해 ㉫맛봉오리 세포들이 마취됨으로써 약화되기 때문이다.

① ㉠ 공약
② ㉡ 정책 집행을 잘못하여
③ ㉢ 정치계에서 사퇴한다
④ ㉣ 국민
⑤ ㉫ 정책 비판 능력

22 다음 중 빈칸 ㉠~㉢에 들어갈 접속어가 바르게 짝지어진 것을 고르면?

> 평화로운 시대에 시인의 존재는 문화의 비싼 장식일 수 있다. (㉠) 시인은 조국이 비운에 빠졌거나 통일을 잃었을 때 장식의 의미를 떠나 민족의 예언가가 될 수 있고, 민족혼을 불러일으키는 선구자적 지위에 놓일 수도 있다. (㉡) 스스로 군대를 가지지 못한 채 제정 러시아의 가혹한 탄압 아래 있던 폴란드 사람들은 시인을 민족의 재생을 예언하고 굴욕스러운 현실을 탈피하도록 격려하는 예언자로 여겼다. (㉢) 통일된 국가를 가지지 못하고 이산되어 있던 이탈리아 사람들은 시성 단테를 유일한 '이탈리아'로 숭앙했고, 제1차 세계대전 때 독일군의 잔혹한 압제하에 있었던 벨기에 사람들은 베르하렌을 조국을 상징하는 시인으로 추앙하였다.

	㉠	㉡	㉢
①	그러므로	예컨대	따라서
②	그러므로	그래서	반대로
③	그러나	그래서	반대로
④	그러나	예컨대	또한
⑤	그러나	그래서	또한

23 다음 밑줄 친 부분의 의미로 가장 적절한 것을 고르면?

팝아트의 선구자이자 현대 미술의 아이콘으로 불리는 앤디 워홀(Andy Warhol)은 다른 예술가와는 확연히 구분되는 자신만의 독보적인 작품 세계를 만들기 위해 노력했다. 그리고 더 많은 사람들이 작품을 통해 예술을 감상할 수 있기를 바랐다. 이를 위해 그가 선택한 것은 일상적 소재를 대상으로 삼는 것과 단시간에 수십 장을 찍어낼 수 있는 실크 스크린 판화 기법을 도입하는 것이었다. 그는 특정 이미지를 반복적으로 만들어냄으로써 미술품이 예술가의 유일무이한 창조물이라는 기존의 관념을 부정하고, 상업 예술과 순수 예술의 경계를 무너뜨렸으며, 완전히 새로운 예술의 세계를 열었다.

앤디 워홀은 이렇게 말했다. "아메리카의 위대성은 가장 부유한 소비자들도 본질적으로는 가장 빈곤한 소비자들과 똑같은 것을 구입하려는 전통을 세웠다는 점이다. 여러분은 텔레비전에서 코카콜라 광고를 볼 수 있는데, 대통령이나 엘리자베스 테일러가 그것을 마신다는 것을 잘 알고 있으며, 여러분도 마찬가지로 그것을 마실 수 있다." 워홀은 자본주의 구조 내에서 예술의 자본주의적 속성을 가장 잘 파악해 내고, 표현해 낸 작가이다. 그는 소비 사회에 순응하며 그 가치를 드러내놓고 찬양했다.

이러한 그의 견해는 코카콜라 병으로 가득 채워진 작품을 통해 드러난다. 세간에 그는 '아메리칸드림'을 이뤄낸 사람이라는 평가를 받기도 했다. 그는 체코에서 건너온 가난한 이민 노동자의 대표격이었다. 말하자면 그는 가장 전형적인 자본주의의 리얼리스트였다.

① 미국에서 자신의 꿈을 이룬 개척자이다.
② 예술에 자본주의의 원리를 적용시킨 사람이다.
③ 예술을 자본주의에 맞춰 변형시킨 혁명가이다.
④ 예술의 본질을 사실적으로 구체화한 사람이다.
⑤ 자본주의를 바탕으로 예술을 기만한 사기꾼이다.

24 다음 대화에서 '을'이 범하고 있는 논리상의 오류를 고르면?

> 갑: 대학병원 간호사 출신인 A씨가 이번에 대학 교수로 취임하게 되었다고 해.
>
> 을: 그 사람은 9년 전 간호사 시절 직장 내 폭력의 가해자였다고 하던 걸. 그러니깐 그 사람의 수업은 전문성이 없을 거야.

① 합성의 오류
② 의도확대의 오류
③ 인신공격의 오류
④ 원천봉쇄의 오류
⑤ 성급한 일반화의 오류

25 다음 밑줄 친 ㉠의 표현 방식과 가장 유사한 것을 고르면?

> 등잔 심지를 돋우고 불을 켠 다음 비망록에 철필로 군청 빛 '모'를 심어갑니다. 불행한 인구가 그 위에 하나하나 탄생합니다. 조밀한 인구가―.
>
> 내일은 진종일 화초만 보고 놀리라. ㉠ 탈지면에다 알코올을 묻혀서 온갖 근심을 문지르리라, 이런 생각을 먹습니다. 너무도 꿈자리가 뒤숭숭하여서 그러는 것입니다. 화초가 피어 만발하는 꿈, '그라비아' 원색판 꿈, 그림책을 보듯이 즐겁게 꿈을 꾸고 싶습니다. 그러면 간단한 설명을 위하여 상쾌한 시를 지어서 '7포인트' 활자로 배치하는 것도 좋습니다.
>
> ― 이상, <산촌여정(山村餘情)>

① 가끔씩 목을 죄고 있던 넥타이가 바람에 펄럭거렸으나 / 슬픔은 아직 널어 말릴 만하고

ㅤㅤㅤㅤㅤㅤㅤㅤㅤㅤㅤㅤㅤㅤㅤㅤㅤㅤㅤㅤ― 이기성, <마을>

② 내 홀로 밤 깊어 뜰에 나리면 / 머언 곳에 여인의 옷 벗는 소리.ㅤㅤㅤ― 김광균, <설야>

③ 바람은 내 귀에 속삭이며 / 한 자국도 섰지 마라 옷자락을 흔들고,/ 종다리 울타리 너머 아씨같이 구름 뒤에 반갑다 웃네.ㅤㅤㅤㅤㅤㅤㅤㅤㅤ― 이상화, <빼앗긴 들에도 봄은 오는가>

④ 가야 할 때가 언제인가를 / 분명히 알고 가는 이의 / 뒷모습은 얼마나 아름다운가.

ㅤㅤㅤㅤㅤㅤㅤㅤㅤㅤㅤㅤㅤㅤㅤㅤㅤㅤㅤㅤ― 이형기, <낙화>

⑤ 나이 어린 계집아이 하나가 오른다./ 옛말속같이 진진초록 새 저고리를 입고 / 손잔등이 밭고랑처럼 몹시도 터졌다.ㅤㅤㅤㅤㅤㅤㅤㅤ― 백석, <팔원(八院)―서행 시초(西行詩抄) 3>

1교시 지적능력평가 [자료해석]

20문항/25분

정답과 해설 P. 48

01 다음 [표]는 2010년 지역별 외국인 소유 토지면적에 관한 자료이다. 이에 대한 설명으로 옳은 것을 고르면?

[표] 2010년 지역별 외국인 소유 토지면적 (단위: 천 m^2)

구분	면적	전년 대비 증감면적
서울	3,918	332
부산	4,894	−23
대구	1,492	−4
인천	5,462	−22
광주	3,315	4
대전	1,509	36
울산	6,832	37
경기	38,999	1,144
강원	21,747	623
충북	10,215	340
충남	20,848	1,142
전북	11,700	289
전남	38,044	128
경북	29,756	603
경남	13,173	530
제주	11,813	103
합계	223,717	5,262

① 2010년 외국인 소유 토지면적의 전년 대비 증감면적이 가장 큰 지역은 충남이다.
② 2010년 외국인 소유 토지면적의 총합은 2억 m^2를 넘지 않는다.
③ 2010년에 외국인 소유 토지면적이 가장 작은 지역은 대구이다.
④ 2009년 제주의 외국인 소유 토지면적은 11,916m^2이다.

[02~03] 다음 [표]는 정보통신 기술분야별 예산 신청금액 및 확정금액에 관한 자료이다. 이를 바탕으로 질문에 답하시오.

[표] 정보통신 기술분야별 예산 신청금액 및 확정금액 (단위: 억 원)

구분	2018년		2019년		2020년	
	신청	확정	신청	확정	신청	확정
네트워크	1,179	1,112	1,098	1,082	1,524	950
이동통신	1,769	1,679	1,627	1,227	1,493	805
메모리반도체	652	478	723	409	746	371
방송장비	892	720	1,052	740	967	983
디스플레이	443	294	548	324	691	282
LED	602	217	602	356	584	256
차세대컴퓨팅	207	199	206	195	295	188
시스템반도체	233	146	319	185	463	183
RFID	226	125	276	145	348	133
3D 장비	115	54	113	62	136	149
전체	6,318	5,024	6,564	4,725	7,247	4,300

02 주어진 [표]에 대한 설명으로 옳지 <u>않은</u> 것을 [보기]에서 고르면?

┤ 보기 ├

㉠ 2019년과 2020년에 확정금액이 전년 대비 매년 감소한 기술분야는 네트워크, 이동통신, 메모리반도체, 차세대컴퓨팅이다.
㉡ 2020년에 신청금액이 전년 대비 35% 이상 증가한 기술분야는 총 2개이다.
㉢ 2019년 확정금액 하위 3개 기술분야의 확정금액 합은 2019년 전체 확정금액의 10% 이상을 차지한다.
㉣ 2019년에 신청금액이 전년 대비 증가한 기술분야 중 확정금액도 전년 대비 증가한 분야는 총 4개이다.

① ㉠, ㉡   ② ㉠, ㉣   ③ ㉡, ㉢   ④ ㉢, ㉣

03 2019년 신청금액이 전년 대비 8% 이상 감소한 기술분야를 고르면?

① 네트워크   ② 이동통신   ③ LED   ④ 차세대컴퓨팅

[04~05] 다음 [표]는 어느 공공기관의 신입사원 모집에 대하여 조사한 최근 5년간의 여성 응시자 합격률에 관한 자료이다. 이를 바탕으로 질문에 답하시오.

[표] 최근 5년간 여성 응시자 합격률

구분	응시자(명)		합격자(명)		여성 응시자 합격률(%)
	전체	여성(a)	전체	여성(b)	
2016년	47,397	8,194	223	71	0.87
2017년	45,469	11,102	200	76	0.68
2018년	45,812	12,054	216	95	0.79
2019년	53,766	17,424	233	104	0.60
2020년	60,991	21,533	251	123	0.57

※ 여성 응시자 합격률(%)=$\dfrac{b}{a}\times100$

04 주어진 [표]에 대한 설명으로 옳지 <u>않은</u> 것을 고르면?

① 2016년의 여성 응시자 합격률은 87%이다.

② 2020년의 응시자 수는 2019년에 비해 7천 명 이상 많다.

③ 2018년의 합격자 수는 2017년 대비 8%가 늘었다.

④ 2016년 대비 2017년의 여성 합격자 수는 5명이 늘었다.

05 응시자 수가 가장 많은 해의 합격자 수 대비 합격한 남성의 비율을 고르면?(단, 소수점 첫째 자리에서 반올림한다.)

① 47%　　　　　② 51%　　　　　③ 55%　　　　　④ 62%

06 갑과 을은 일정한 속도로 움직이는 에스컬레이터를 동시에 타고 각자의 일정한 속력으로 한 걸음에 한 계단씩 걸어 오르고 있다. 갑은 을 속도의 2배로 빠르게 움직이며, 갑은 30계단을 올라가고 을은 20계단을 올라갔다. 갑이 30계단을 오르는 동안 자동으로 올라간 에스컬레이터의 계단 수는 몇 개인지 고르면?(단, 갑과 을이 올라간 에스컬레이터의 계단 수는 동일하다.)

① 15개　　　　　② 20개　　　　　③ 30개　　　　　④ 75개

다음 [표]는 가공식품 섭취와 가공식품 첨가물 사용 현황 및 1일 섭취 허용량에 관한 자료이다. 이를 바탕으로 질문에 답하시오.

[표1] 가공식품 섭취 현황 (단위: g)

가공식품	1일 평균 섭취량
a	3
b	5
c	60
d	30

[표2] 가공식품 첨가물 사용 현황 및 1일 섭취 허용량

첨가물	사용 가공식품	가공식품 1g당 사용량(mg/g)	체중 1kg당 1일 섭취 허용량(mg/kg)
A	a	5	4
	b	40	
B	c	4	0.14
	d	25	

※ 체중 1kg당 가공식품 첨가물 1일 평균 섭취량(mg/kg)= $\dfrac{\text{가공식품 1g당 사용량(mg/g)} \times \text{가공식품 1일 평균 섭취량(g)}}{\text{해당 집단의 평균 체중(kg)}}$

07 '갑' 그룹의 평균 체중이 50kg이라 할 때, 첨가물 A에 사용된 가공식품의 1일 평균 섭취량(mg/kg)의 합을 고르면?

① 4.3   ② 6.1   ③ 7   ④ 8.9

08 '갑' 그룹의 평균 체중이 60kg이라 할 때, 첨가물 B에 사용된 가공식품의 1일 평균 섭취량(mg/kg)의 합을 고르면?

① 11.5   ② 16.5   ③ 20   ④ 24.75

[09~10] 다음 [표]는 국가별 조류 인플루엔자 감염자 수 및 사망자 수에 관한 자료이다. 이를 바탕으로 질문에 답하시오.

[표] 국가별 조류 인플루엔자 감염자 수 및 사망자 수 (단위: 명)

구분	2013년		2014년		2015년		2016년		2017년		2018년		합계	
	감염	사망	감염	사망	감염	사망	감염	사망	감염	사망	감염	사망	감염	사망
아제르바이잔	0	0	0	0	0	0	8	5	0	0	0	0	8	5
캄보디아	0	0	0	0	4	4	2	2	1	1	0	0	7	7
중국	1	1	0	0	8	5	13	8	5	3	3	3	30	20
지부티	0	0	0	0	0	0	1	0	0	0	0	0	1	0
이집트	0	0	0	0	0	0	18	10	25	9	7	3	50	22
인도네시아	0	0	0	0	20	13	55	45	42	37	16	13	133	108
이라크	0	0	0	0	0	0	3	2	0	0	0	0	3	2
라오스	0	0	0	0	0	0	0	0	2	2	0	0	2	2
미얀마	0	0	0	0	0	0	0	0	1	0	0	0	1	0
나이지리아	0	0	0	0	0	0	0	0	1	1	0	0	1	1
파키스탄	0	0	0	0	0	0	3	1	0	0	0	0	3	1
태국	0	0	17	12	5	2	3	3	0	0	0	0	25	17
터키	0	0	0	0	0	0	12	4	0	0	0	0	12	4
베트남	3	3	29	20	61	19	0	0	8	5	5	5	106	52
전체	4	4	46	32	98	43	115	79	88	59	31	24	382	241

※ 감염자 수에는 사망자 수가 포함되어 있음.

09 주어진 [표]에 대한 설명으로 옳은 것을 [보기]에서 고르면?

┤ 보기 ├

㉠ 2013 ~ 2018년 사이 오직 한 해에만 사망자가 발생한 나라는 5개국이다.
㉡ 2013 ~ 2018년 사이 중국과 베트남의 감염자 수 합은 매년 전체 감염자 수의 50% 이상을 차지한다.
㉢ 2013 ~ 2018년 사이 총감염자 수 대비 총사망자 수 비율이 50% 이상인 나라는 8개국이다.
㉣ 2016년 이집트와 터키의 감염자 수 합은 2016년 전체 감염자 수의 25% 이상이다.
㉤ 2016 ~ 2018년 사이 인도네시아의 총사망자 수는 같은 기간 전체 사망자 수의 50% 이상이다.

① ㉠, ㉡, ㉢   ② ㉠, ㉢, ㉤   ③ ㉠, ㉣, ㉤   ④ ㉢, ㉣, ㉤

10 2016년 전체 감염자 수의 전년 대비 증가율을 고르면?(단, 소수점 둘째 자리에서 반올림한다.)

① 17.3%   ② 18.4%   ③ 19.2%   ④ 20.9%

[11~12] 다음 [그래프]와 [표]는 어느 나라의 이동통신 시장 추이에 관한 자료이다. 이를 바탕으로 질문에 답하시오.

[그래프] 이동통신 서비스 유형별 매출액 　　　　　　　　　　　　　　　　　　　　　　　　(단위: 억 달러)

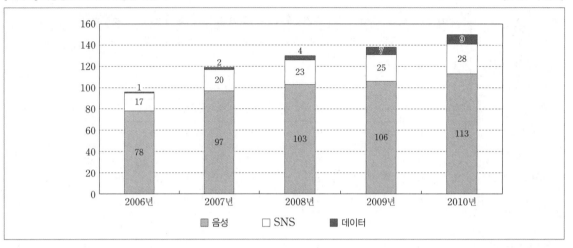

[표1] 4대 이동통신 사업자 매출액 　　　　　　　　　　　　　　　　　　　　　　(단위: 백만 달러)

구분	A사	B사	C사	D사	합계
2008년	3,701	3,645	2,547	2,958	12,851
2009년	3,969	3,876	2,603	3,134	13,582
2010년	3,875	4,084	2,681	3,223	13,863
2011년 1~9월	2,709	3,134	1,956	2,154	9,953

[표2] 이동전화 가입 대수 및 보급률 　　　　　　　　　　　　　　　　　　　(단위: 백만 대, %)

구분	2006년	2007년	2008년	2009년	2010년
가입 대수	52.9	65.9	70.1	73.8	76.9
보급률	88.8	109.4	115.5	121.0	125.3

※ 보급률(%) = $\dfrac{\text{이동전화 가입 대수}}{\text{전체인구}} \times 100$

11 2007~2010년 동안 이동통신 서비스 유형 중 음성 서비스 매출액의 전년 대비 증가율이 가장 낮은 해를 고르면?

① 2007년　　　　② 2008년　　　　③ 2009년　　　　④ 2010년

12 주어진 [그래프]와 [표]에 대한 설명으로 옳은 것을 고르면?(단, 소수점 첫째 자리에서 반올림한다.)

① 2007~2010년 동안 이동통신 서비스 유형 중 SNS 매출액은 꾸준히 증가하고 있다.
② 2008~2011년 9월까지 4대 이동통신 사업자 매출액의 순위는 매년 일정하다.
③ 2007~2010년 동안 이동전화 가입 대수의 전년 대비 증가율은 매년 증가한다.
④ 2011년 10~12월 동안 4대 이동통신 사업자의 월별 매출액이 각각 당해년도 1~9월까지의 월평균 매출액과 동일하다면 2011년 매출액 합계는 전년도보다 증가할 것이다.

13 E회사의 생산라인에서 사용하는 A기계 32대 중 16대를 B기계로 교체하려고 한다. 다음 [표]를 바탕으로 교체 후 일일 매출의 감소액은 얼마인지 고르면?

[표] 기계별 기기 1대당 운용 횟수와 매출

구분	기기 1대당 운용 횟수(1일)	운용 1회당 매출
A기계	200회	3,000원
B기계	85회	7,000원

① 74,500원　　　② 77,800원　　　③ 80,000원　　　④ 81,400원

14 어느 학교의 작년의 학생 수는 1,000명이었다. 올해는 작년보다 남학생은 10% 증가하고, 여학생은 12% 감소하여 전체적으로 10명이 감소했다. 올해의 여학생 수는 몇 명인지 고르면?

① 420명　　　② 440명　　　③ 460명　　　④ 480명

15 다음 [표]는 외국인환자 유치실적 조사 현황에 관한 자료이다. 이에 대한 설명으로 옳지 <u>않은</u> 것을 고르면?

[표] 외국인환자 유치실적 조사 현황 (단위: 개소, 명)

구분			2009년	2010년	2011년	2012년	2013년
조사대상기관		전체	1,547	2,000	2,415	3,097	3,314
		의료기관	1,453	1,814	2,091	2,530	2,497
		유치업자	94	186	324	567	817
	응답기관	유실적 전체	542	898	982	1,176	1,590
		유실적 의료기관	508	844	875	1,028	1,290
		유실적 유치업자	34	54	107	148	300
		무실적 전체	926	788	610	847	1,280
		무실적 의료기관	872	731	508	715	943
		무실적 유치업자	54	57	102	132	337
	무응답기관	전체	79	314	823	1,074	444
		의료기관	73	239	708	787	264
		유치업자	6	75	115	287	180
외국인환자 유치실적(합계)			60,201	81,789	122,297	159,464	211,218

① 조사대상기관 중 의료기관의 비중은 2010년 이후 매년 증가하였다.

② 2010년 이후 조사대상기관 중 응답 기관의 유실적 전체의 전년 대비 증가율이 가장 작은 연도는 2011년이다.

③ 2010년 이후 유치업자는 매년 전년 대비 40% 이상 증가하였다.

④ 2010년 실적이 있다고 응답한 기관 중 의료기관의 비중은 같은 해 실적이 없다고 응답한 기관 중 의료기관의 비중보다 크다.

16 다음 [표]는 2004~2011년 우리나라 연령대별 여성취업자에 관한 자료이다. 이에 대한 설명으로 옳지 않은 것을 고르면?

[표] 연령대별 여성취업자   (단위: 천 명)

구분	전체 여성취업자	연령대		
		20대	50대	60대 이상
2004년	9,364	2,233	1,083	1,096
2005년	9,526	2,208	1,407	1,034
2006년	9,706	2,128	1,510	1,073
2007년	9,826	2,096	1,612	1,118
2008년	9,874	2,051	1,714	1,123
2009년	9,772	1,978	1,794	1,132
2010년	9,914	1,946	1,921	1,135
2011년	10,091	1,918	2,051	1,191

① 50대 여성취업자는 매년 증가하였다.

② 2007년 20대 여성취업자는 전년 대비 1% 이상 감소하였다.

③ 50대 여성취업자가 60대 이상 여성취업자보다 적은 연도는 2004년 한 해이다.

④ 2005 ~ 2011년 동안 60대 이상 여성취업자의 전년 대비 증감폭은 2011년이 가장 크다.

17 어느 코인 노래방에서 사용하던 A사의 노래방 기계 20대 중 5대를 B사의 노래방 기계로 교체하려고 한다. 교체 후 일일 매출 증가액은 얼마인지 고르면?

노래방 기계 제조사	노래방 기계 1대당 선곡 횟수(1일)	매출(회당)
A사	150회	500원
B사	65회	1,200원

※ 일일 매출(원) = 1일 선곡 횟수×회당 매출×기계 대수

① 15,000원   ② 15,500원   ③ 20,200원   ④ 20,700원

18 다음 [표]는 S기업의 제품의 현재까지 누적한 판매 정보에 관한 자료이다. 제품 한 개만을 더 판매하고 영업을 종료한다고 할 때 총이익이 정확히 70,000원이 되려면, 판매해야 하는 한 개의 제품을 고르면?(단, 각 제품의 이익은 판매가에서 부품단가를 뺀 금액이다.)

[표] S기업의 제품별 누적 판매 정보

제품	판매가	현재 누적 판매량	부품단가(개당)				
			[부품1] 200원	[부품2] 300원	[부품3] 100원	[부품4] 150원	[부품5] 250원
A	3,000원	5개	사용				
B	3,500원	4개	사용	사용			
C	4,000원	4개	사용	사용	사용		
D	4,000원	2개	사용	사용		사용	
E	4,300원	6개	사용	사용	사용		사용

① A   ② B   ③ C   ④ D

19 어떤 집회에서 참가자에게 휴대용 물티슈 90개를 나눠주는데 한 사람에게 11개씩 나눠주었더니 물티슈가 부족했다. 이 집회에 참여한 사람 수가 최소 몇 명인지 고르면?

① 9명   ② 10명   ③ 11명   ④ 12명

20 다음 [표]는 세계 보건 기구에서 제시한 초, 중, 고등학생의 표준 비만도에 관한 자료이다. 이를 바탕으로 [보기]의 A고등학교 학생 중 중도 비만인 사람을 고르면?

[표] 초, 중, 고등학생의 표준 비만도에 따른 비만 정도

표준 비만도	분류
95 미만	체중 미달
95 이상 120 미만	정상 체중
120 이상 130 미만	경도 비만
130 이상 150 미만	중도 비만
150 이상	고도 비만

※ 표준 비만도 $= \dfrac{\text{몸무게(kg)}}{(\text{키(cm)} - 100) \times 0.9} \times 100$

┤ 보기 ├

[표] A고등학교 구성원의 키와 몸무게

이름	키(cm)	몸무게(kg)
갑	164	58
을	180	80
병	172	97
정	166	43

① 갑   ② 을   ③ 병   ④ 정

육군부사관

실전 모의고사

육군부사관
실전 모의고사

┃3회┃

시험 구성 및 유의사항			
구분	문항 수	시간	비고
1교시 지적능력평가 공간능력	18문항	10분	객관식 사지선다형
지각속도	30문항	3분	객관식 양자택일/사지선다형
언어논리	25문항	20분	객관식 오지선다형
자료해석	20문항	25분	객관식 사지선다형

- 시험 시간은 OMR카드 마킹 시간을 포함한 시간입니다.
- 시험지는 반드시 과목별 순서대로 풀이하시기 바랍니다.

모바일
OMR 채점 서비스

정답만 입력하면
채점에서 성적분석까지 한번에 짝!

필기평가

문항	답안입력
01	① ② ❸ ④ ⑤
02	① ② ③ ❹ ⑤
03	① ② ③ ④ ❺
04	① ❷ ③ ④ ⑤
05	❶ ② ③ ④ ⑤
06	❶ ② ③ ④ ⑤
07	① ② ❸ ④ ⑤

필기평가 성적분석

☑ [QR 코드 인식 ▶ 모바일 OMR]에 정답 입력

☑ [eduwill.kr/UQYF ▶ 모바일 OMR]에 정답 입력

☑ 실시간 정답 및 영역별 백분율 점수 위치 확인

☑ 취약 영역 및 유형 심층 분석

※ 유효기간: 2023년 2월 28일

▶ 모바일 OMR 바로가기

1교시 지적능력평가 [공간능력]

18문항/10분

정답과 해설 P. 55

[01~05] 다음 [조건]을 참고하여 제시된 입체 도형의 전개도에 해당하는 것을 고르시오.

┤ 조건 ├

※ 전개도를 접었을 때 전개도상의 그림, 기호, 문자가 입체 도형의 겉면에 표시되는 방향으로 접음.

※ 입체 도형을 전개하여 전개도를 만들 때, 전개도에 표시된 그림(예: ▐, ◪ 등)은 회전의 효과를 반영함. 즉, 본 문제의 풀이과정에서 보기의 전개도상에 표시된 '▐'와 '▬'은 서로 다른 것으로 취급함.

※ 단, 기호 및 문자(예: ☎, ♧, ♨, K, H)의 회전에 의한 효과는 본 문제의 풀이과정에 반영하지 않음. 즉, 입체 도형을 펼쳐 전개도를 만들었을 때에 '☏'의 방향으로 나타나는 기호 및 문자도 보기에서는 '☎' 방향으로 표시하며 동일한 것으로 취급함.

01

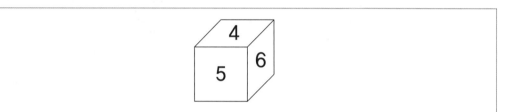

①
	8		
7	3	4	5
	6		

②
	8		
3	4	5	6
	7		

③
	4		
7	5	3	8
		6	

④
	4		
8	5	6	7
3			

02

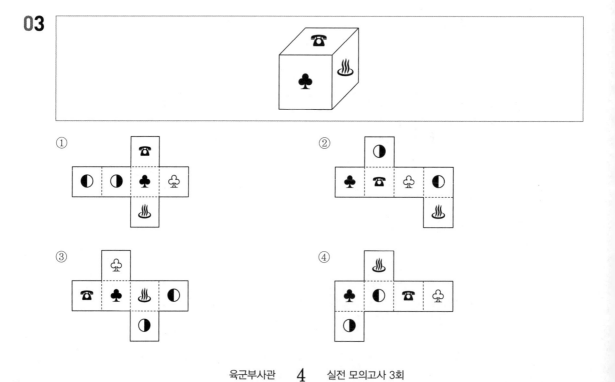

03

04

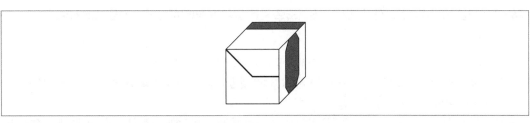

①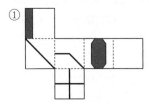

②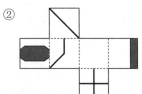

③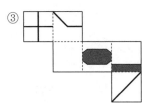

④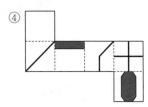

05

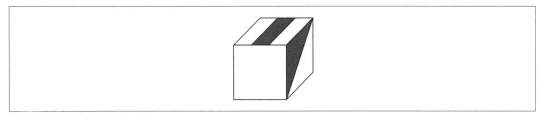

①

②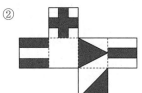

③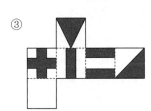

④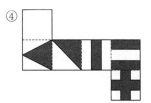

┤ 조건 ├

※ 전개도를 접을 때 전개도상의 그림, 기호, 문자가 입체 도형의 겉면에 표시되는 방향으로 접음.

※ 전개도를 접어 입체 도형을 만들 때, 전개도에 표시된 그림(예: █, ◢ 등)은 회전의 효과를 반영함. 즉, 본 문제의 풀이과정에서 보기의 전개도상에 표시된 '█'와 '▬'은 서로 다른 것으로 취급함.

※ 단, 기호 및 문자(예: ☎, ♧, ♨, K, H)의 회전에 의한 효과는 본 문제의 풀이과정에 반영하지 않음. 즉, 전개도를 접어 입체 도형을 만들었을 때에 '↻' 방향으로 나타나는 기호 및 문자도 보기에서는 '☎' 방향으로 표시하며 동일한 것으로 취급함.

06

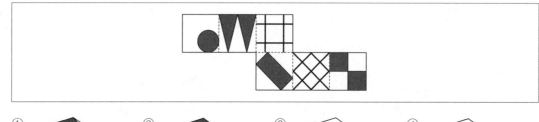

① 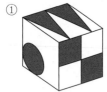　② 　③ 　④

07

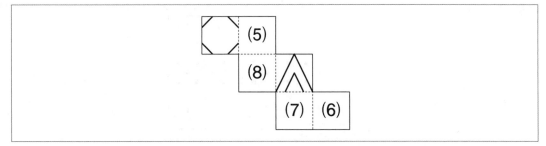

① 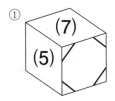   ② 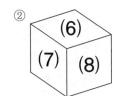   ③ 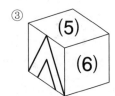   ④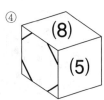

08

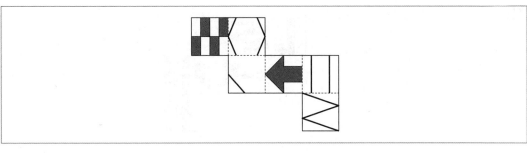

①    ② 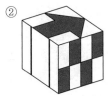   ③ 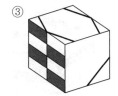   ④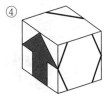

09

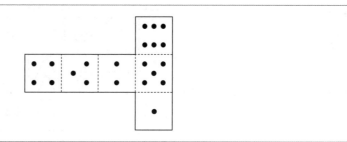

① 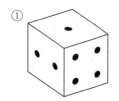 ② 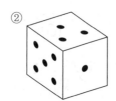 ③ 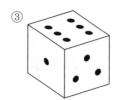 ④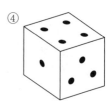

10

①  ②  ③  ④

11

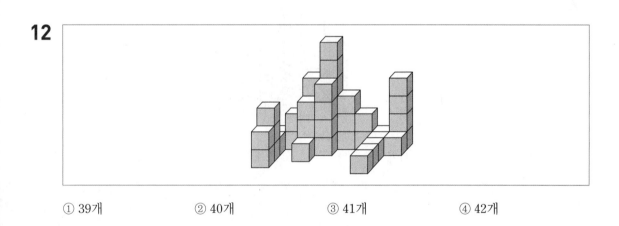

① 35개　　　　② 36개　　　　③ 37개　　　　④ 38개

12

① 39개　　　　② 40개　　　　③ 41개　　　　④ 42개

13

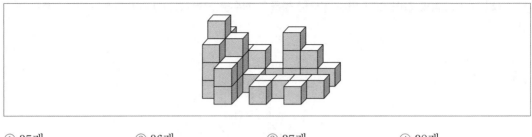

① 35개   ② 36개   ③ 37개   ④ 38개

14

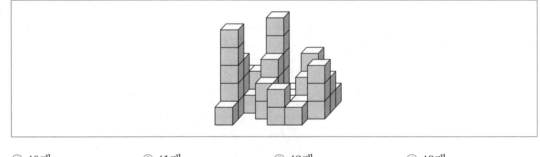

① 40개   ② 41개   ③ 42개   ④ 43개

[15~18] 다음 블록을 화살표 방향에서 바라볼 때의 모양을 고르시오.(단, 보이지 않는 뒤의 블록은 없다고 생각한다.)

15

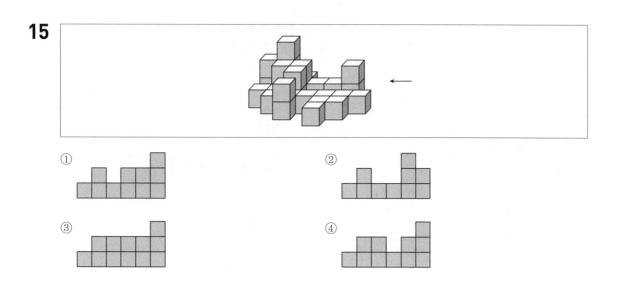

16

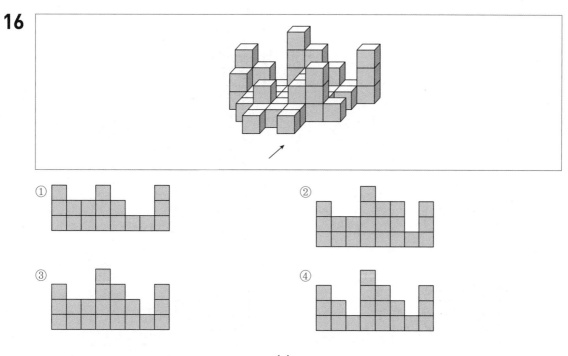

17

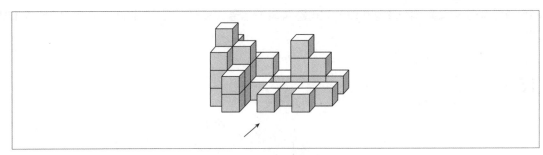

①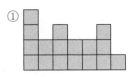

②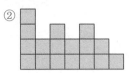

③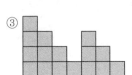

④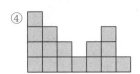

18

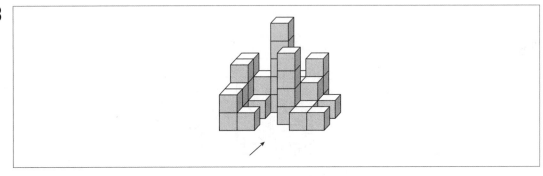

①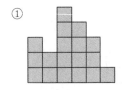

②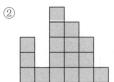

③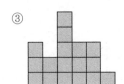

④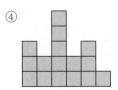

1교시 지적능력평가 [지각속도]

[01~05] 다음 [보기]를 바탕으로 제시된 문자가 바르게 치환되었는지 판단하시오.

┤ 보기 ├

☹ = ☆	☺ = ☉	☻ = ♊	Ψ = ♂
♃ = ☂	♁ = ☀	♉ = ☢	♌ = ◐

01

ㅎ ☻ ♌ ♃ - ☀ ♊ ♂ ☂

① 맞음   ② 틀림

02

☺ ☻ Ψ ☹ - ☉ ♊ ♂ ☆

① 맞음   ② 틀림

03

♉ ♃ ♁ ☺ - ☢ ◐ ☀ ☉

① 맞음   ② 틀림

04

Ψ ♃ ☹ ♉ - ♂ ☂ ☆ ☢

① 맞음   ② 틀림

05

♉ ♃ ☺ ☻ - ☢ ☂ ☉ ☆

① 맞음   ② 틀림

[06~10] 다음 [보기]를 바탕으로 제시된 문자가 바르게 치환되었는지 판단하시오.

┤ 보기 ├

Æ = 119	ÐĦ = 116	IJ = 113	Œ = 114
ÞŦ = 112	đð = 115	ij = 118	ħþ = 117

06

IJ Œ đð ÐĦ — 113 114 115 116

① 맞음   ② 틀림

07

ħþ ij ÞŦ Æ — 117 118 112 119

① 맞음   ② 틀림

08

Œ ħþ ij ÐĦ — 114 117 115 116

① 맞음   ② 틀림

09

Æ đð ÞŦ Œ — 119 115 112 114

① 맞음   ② 틀림

10

ħþ ij IJ đð — 117 118 113 115

① 맞음   ② 틀림

[11~15] 다음 [보기]를 바탕으로 제시된 문자가 바르게 치환되었는지 판단하시오.

┤ 보기 ├

| ☺ = 3!4# | ☹ = 2#5@ | ✡ = 3@6$ | ☾ = 1%4$ |
| ॐ = 8!2% | ✋ = 5&7$ | 💣 = 6#1@ | ❄ = 1#3% |

11

☹ ✡ ✋ ॐ — 2#5@ 3@6$ 5&7$ 6#1@

① 맞음   ② 틀림

12

❄ ☾ ☺ ☹ — 1#3% 1%4$ 3!4# 2#5@

① 맞음   ② 틀림

13

💣 ✡ ॐ ☾ — 6#1@ 3@6$ 8!2% 1%4$

① 맞음   ② 틀림

14

☹ 💣 ❄ ॐ — 2#5@ 6#1@ 1#3% 8!2%

① 맞음   ② 틀림

15

☹ ☺ ✡ ✋ — 2#5@ 3!4# 1#3% 5&7$

① 맞음   ② 틀림

[16~20] 다음 [보기]를 바탕으로 제시된 문자가 바르게 치환되었는지 판단하시오.

┤ 보기 ├

감남 = rad   관변 = kPa   귀비 = MPa   글말 = GPa   금참 = ㎏

여역 = cd   활월 = Pa   수소 = Gy   형상 = Bq   답접 = Sv

16

활월 수소 형상 여역 — Pa Gy Bq cd

① 맞음   ② 틀림

17

답접 금참 글말 귀비 — Gy ㎏ GPa MPa

① 맞음   ② 틀림

18

관변 감남 여역 활월 — kPa rad cd Pa

① 맞음   ② 틀림

19

귀비 글말 감남 수소 — kPa GPa rad Gy

① 맞음   ② 틀림

20

수소 관변 여역 글말 — Gy kPa cd GPa

① 맞음   ② 틀림

[21~25] 다음 [보기]를 바탕으로 제시된 문자가 바르게 치환되었는지 판단하시오.

┤ 보기 ├

♉Ⅱ = ⊕	♌♍ = ⊗̂	♏♐ = ⊗̌	♒♓ = φ̂
♋♉ = ⊗	♋✓ = ×̇	♎♑ = ⊣	♈♈ = ⊢

21

♋✓ ♋♉ ♏♐ ♒♓ — ×̇ ⊗ ⊗̌ φ̂

① 맞음   ② 틀림

22

♈♈ ♎♑ ♉Ⅱ ♌♍ — ⊢ ⊣ ⊕ ⊗̂

① 맞음   ② 틀림

23

♒♓ ♏♐ ♌♍ ♎♑ — φ̂ ⊗̌ ⊗̂ ⊣

① 맞음   ② 틀림

24

♉Ⅱ ♌♍ ♎♑ ♋✓ — ⊕ ⊗̂ ⊢ ×̇

① 맞음   ② 틀림

25

♋♉ ♋✓ ♎♑ ♏♐ — ⊗̂ ×̇ ⊣ ⊗̌

① 맞음   ② 틀림

26

N	NAVIEKVCNXQOMENFWEMVZNFOEKVKACVWEKFGNBVMAN

① 4　　　　　② 5　　　　　③ 6　　　　　④ 7

27

25	32984392057325839813884259171387282756362363653523263284 25

① 1　　　　　② 2　　　　　③ 3　　　　　④ 4

28

ㄴ	끝없는 도전으로 새로운 내일을 연다. 우리가 바로 리더다!

① 6　　　　　② 7　　　　　③ 8　　　　　④ 9

29

e	They have special eyelids that close a millisecond before each fit.

① 9　　　　　② 10　　　　　③ 11　　　　　④ 12

30

Φ	⊕ΦΦ⚶⚘⟁⊕ΦΦ⚶⚶⚶+⊕ΦΦ⚶⚘⟁⊕ΦΦ⚶⚶⚶⟊⟂⊕Ｔ⊥⊕Ｔ⊥ΦΦ⚶

① 5　　　　　② 6　　　　　③ 7　　　　　④ 8

1교시 지적능력평가 [언어논리]

01 다음 밑줄 친 ㉠~㉤의 뜻풀이로 적절하지 <u>않은</u> 것을 고르면?

> 서스펜스는 관객에게 무슨 일인가를 ㉠ 예측하게 함으로써 사건의 열쇠에 대한 호기심을 불러일으키면서 발생한다. 또, 공포감을 갖게 함으로써 서스펜스를 만들기도 한다. 예를 들어, 누가 범인인지 모르는 상태에서 계속 그 해답을 ㉡ 지연시키거나 헷갈리게 하거나 반전시킴으로써 두려움을 ㉢ 증폭시킨다. 또한 관객을 등장인물에게 ㉣ 동화시킴으로써 서스펜스 상황에 ㉤ 몰입하게 한다.

① ㉠: 미리 헤아려 짐작함
② ㉡: 무슨 일을 더디게 끌어 시간을 늦춤
③ ㉢: 생산을 늘림
④ ㉣: 성질, 사상 따위가 다르던 것이 서로 같게 됨
⑤ ㉤: 깊이 파고들거나 빠짐

02 다음 밑줄 친 ㉠의 의미와 가장 유사한 것을 고르면?

> 선생님은 내가 쓴 과제를 비롯해서 몇 권의 책을 ㉠싼 가방을 들고 있었다.

① 친구에게 줄 선물을 예쁜 포장지에 싸 놓았다.
② 축제 때, 분수를 싸고 둘러선 사람들을 보았다.
③ 내일 가져 갈 책가방을 미리 싸 두어라.
④ 저 사람이 입이 싸다는 것을 모두 잘 알고 있었다.
⑤ 어제 가 본 동네는 상대적으로 집값이 쌌다.

03 다음 밑줄 친 단어의 쓰임이 옳지 <u>않은</u> 것을 고르면?

① 그는 투자를 받아 사업을 크게 <u>벌렸다</u>.
② 어머니는 삯바느질을 통해 살림을 <u>늘리셨다</u>.
③ 청소가 끝나면 할아버지의 한약을 <u>달여야</u> 한다.
④ 그는 긴 여행에 체력이 <u>부쳐서</u> 쉬고만 싶었다.
⑤ 분노를 다스리고 분을 <u>삭여</u> 평정심을 되찾아야 한다.

04 다음 글의 중심내용을 가장 잘 나타내는 속담을 고르면?

하늘이 날짐승과 길짐승에게는 발톱과 뿔을 주고 단단한 발굽과 예리한 이빨을 주었으며 여러 가지 독(毒)을 주어서, 각기 하고 싶어 하는 것을 얻게 하고 외부로부터의 습격을 막아낼 수 있게 하였는데, 사람에게는 벌거숭이로 유약(柔弱)하여 제 생명을 보호하지 못할 듯이 하였으니, 어찌하여 하늘은 천하게 하여야 할 금수(禽獸)에게는 후하게 하고, 귀하게 하여야 할 인간에게는 박하게 하였는가. 이는 인간에게는 지혜로운 생각과 교묘한 연구력이 있으므로 기예(技藝)를 익혀서 제 힘으로 살아가도록 한 것이다.

그러나 지혜로운 생각으로 미루어 아는 것도 한계가 있고, 교묘한 연구력으로 깊이 탐구하는 것도 순서가 있다. 그러므로 비록 성인(聖人)이라 하더라도 하루 아침에 모두 아름답게 하지는 못한다. 그렇기 때문에, 기예는 사람이 많이 모이면 더욱 정묘(精妙)하기 마련이고, 세대가 흘러갈수록 더욱 발전하는 바, 이는 형세가 그렇게 되지 않을 수 없는 것이다.

그러므로 시골에 사는 사람들은 읍내에 있는 공장의 솜씨만 못하고, 읍내 사람들은 유명한 성터나 큰 도시에 있는 공장의 솜씨만 못하며, 유명한 성터나 큰 도시의 사람들은 서울에 있는 최신식의 묘한 기계 제작 솜씨만은 못하다.

① 하늘은 스스로 돕는 자를 돕는다
② 제 배 부르니 종의 밥 짓지 말란다
③ 세월은 사람을 기다려주지 않는다
④ 사공이 많으면 배가 산으로 올라간다
⑤ 구두장이 셋이 모이면 제갈량보다 낫다

05 다음 글의 문맥상 ⓐ와 ⓑ의 관계와 가장 유사한 것을 고르면?

철학가들의 문장에 대한 평가는 어떠할까? 우선 아리스토텔레스와 칸트는 문장은 ⓐ뛰어난 편은 아닐지 모르지만 인내심을 가진다면 어느 정도 읽을 만한 글들이라고 본다. 문장이 ⓑ더러운 것으로 알려진 철학가들은 대부분 독일에 있다. 헤겔은 중요한 단어들의 의미를 모두 뒤집어서 사용할 뿐 아니라, 문장들도 무슨 말을 하려고 하는 건지, 난해하기 이를 데 없다. 하이데거는 문장을 멋대로 비틀고 잘라, 거의 난도질에 가깝게 처리하여 읽기가 괴롭다. 문장이 좋은 사람으로는 근대에는 데카르트와 흄, 현대에는 러셀과 라일 정도가 꼽힌다. 그러나 문필에 관한 한 플라톤을 능가하는 철학자는 없다는 데에 거의 이견이 없을 정도로, 플라톤의 문장은 탁월한 것으로 정평이 나 있다. 게다가 몇몇 대화편들은 극적인 구성에 있어서도 뛰어나다고 평가받는다.

① 근심 – 시름 　　　　　② 볼록 – 오목
③ 눈썹 – 얼굴 　　　　　④ 여름 – 겨울
⑤ 식물 – 나무

06 다음 밑줄 친 ㉠~㉤에 해당하는 사례로 적절하지 <u>않은</u> 것을 고르면?

> 문장 오류의 유형으로는 ㉠ <u>첫째, 주어와 서술어가 서로 호응하지 않는 경우</u>, ㉡ <u>둘째, 목적어와 서술어가 서로 호응하지 않는 경우</u>, ㉢ <u>셋째, 부사어와 서술어가 서로 호응하지 않는 경우</u>, ㉣ <u>넷째, 시제의 사용이 어색한 경우</u>, ㉤ <u>다섯째, 모호하거나 중복된 표현을 사용하는 경우</u> 등이 있다.

① ㉠: 현재의 부동산 정책은 앞으로 손질이 불가피할 전망입니다.
② ㉡: 인간은 자연에 순응하면서, 다른 한편으로는 이용하며 살아왔다.
③ ㉢: 비록 사소한 것일지라도 부모님과 상의하는 것이 옳다.
④ ㉣: 그가 탄 열차가 서서히 도착하고 있었다.
⑤ ㉤: 과반수 이상의 국회 의원이 찬성하여 법안이 통과하였다.

07 다음 밑줄 친 부분의 띄어쓰기가 옳지 <u>않은</u> 문장을 고르면?

① 잠이 막 들려던 <u>차</u>에 전화가 왔다.
② 그는 세 번 <u>만</u>에 그 시험에 합격했다.
③ 그는 밥도 못 먹으리 <u>만큼</u> 기운이 없었다.
④ 쌀, 보리, 콩, 조, 기장 <u>들</u>을 오곡(五穀)이라 한다.
⑤ 그녀는 참외를 만 오천 <u>원어치</u> 샀다.

08 다음 상황에서 밑줄 친 ㉠~㉤이 가리키는 대상이 같은 것끼리 짝지어진 것을 고르면?

> (선아, 수옥, 혜원이 대화를 하고 있다.)
> 선아: 수옥아, 못 보던 옷이네? 예쁘다.
> 수옥: 고마워. ㉠ <u>우리</u> 엄마랑 쇼핑하다가 산 거야.
> 혜원: 어머, 너희 엄마 정말 자상하시다. 나도 그런 옷 하나 사고 싶었는데, ㉡ <u>우리</u> 같이 쇼핑갈까?
> 선아: 미안해. 나도 같이 가고 싶은데, 오늘 ㉢ <u>우리</u> 집 제사라서 일찍 들어가야 해.
> 수옥: 그래? 그럼 할 수 없네. ㉣ <u>우리</u>끼리라도 가자.
> 혜원: 그래, 선아야, 다음엔 꼭 ㉤ <u>우리</u> 다 같이 가자.

① ㉠-㉡   ② ㉠-㉣   ③ ㉡-㉤

④ ㉢-㉣   ⑤ ㉢-㉤

09 다음은 시의 일부분이다. 시의 제목으로 가장 적절한 한자어를 고르면?

> 세상에는, 자신이 믿는 것을 위해 목숨을 거는 사람과 그럴 수 없는 사람이 있다.
>
> 세상에는, 하고자 하는 말을 직접 하는 사람과 그렇지 않은 사람이 있다.
>
> 세상에는, 종교를 가진 사람과 그렇지 않은 사람이 있다.
>
> 세상에는, 복권에 희망을 거는 사람과 그렇지 않은 사람이 있다.
>
> 세상에는, 술을 좋아하는 사람과 그렇지 않은 사람이 있다.
>
> 세상에는, 슬플 때 울 수 있는 사람과 그렇지 않은 사람이 있다.
>
> 세상에는, 남을 위해 욕해 줄 수 있는 사람과 그렇지 않은 사람이 있다.
>
> (중략)
>
> 세상에는, 사람들을 두 가지로 나눌 수 있다고 믿는 사람과 그렇지 않은 사람이 있다.

① 아집(我執)　　　　② 개성(個性)　　　　③ 불화(不和)
④ 역설(逆說)　　　　⑤ 편견(偏見)

10 다음 (가)~(마) 중 글 전체의 흐름상 어색한 문장을 고르면?

> 싱크홀의 원인은 단단하지 않은 불안정한 지반입니다. (가) 일례로 플로리다 지역에 싱크홀이 많은 이유는 딸기 경작지에서 모든 물을 끌어다 썼기 때문이었습니다. (나) 이곳은 대부분 거주지이고, 딸기 경작지로 둘러싸여 있는데 사실 토양에서 물이 빠지면 무슨 일이 일어날지는 불 보듯 뻔했습니다. (다) 힐스보로 카운티는 플로리다 주의 겨울철 딸기 90%를 생산하는 주요 생산지로, 플로리다 주 딸기는 맛있기로 유명합니다. (라) 그런데 2010년 겨울, 5일 동안 겨울 한파가 이어지자 농부들은 딸기가 얼지 않도록 수천만 리터에 달하는 물을 대수층에서 끌어다 딸기에 뿌렸습니다. (마) 지하 수면은 78%나 떨어졌고 그 결과 플랜트 시티에선 싱크홀이 130개나 발생했습니다.

① (가)　　　② (나)　　　③ (다)　　　④ (라)　　　⑤ (마)

11 다음 [가]~[마]를 흐름에 따라 순서대로 바르게 나열한 것을 고르면?

> [가] 채소를 제외한 대부분의 음식들이 완벽한 탈수 과정을 거쳐 냉장 상태로 배달되는 규격화 시스템은 놀라운 기술적 진보를 배경으로 하였다.
> [나] 오늘날 패스트푸드의 조리법은 요리책보다 식품 공학, 식품 기술 등의 전문지나 학술지에 등장하면 딱 맞을 내용으로 구성된다.
> [다] 하지만 그 덕분에 축산업과 도축, 가공 과정에서 고임금 직업이었던 정육업은 가난한 이민 노동자들이 종사하는 가장 위험한 직업으로 전락했고, 숱한 산업 재해가 발생하고 있다.
> [라] 미국 성인의 절반 이상, 어린이의 4분의 1정도가 과다 체중 상태에 이르게 된 수치는 시기별로 패스트푸드 산업의 발전, 성장 곡선과 일치하는 것을 통해 알 수 있다.
> [마] 건강 문제에서도 햄버거를 비롯한 패스트푸드는 비만이나 과다 체중의 주범으로서 문제의식이 제기되고 있다.

① [가] - [나] - [다] - [라] - [마]
② [나] - [가] - [다] - [마] - [라]
③ [다] - [라] - [마] - [가] - [나]
④ [라] - [마] - [가] - [나] - [다]
⑤ [마] - [가] - [나] - [라] - [다]

12 다음 밑줄 친 문장의 문맥적 의미로 적절한 것을 고르면?

> 흔히들 국제정치에는 '영원한 적도, 영원한 우방도 없다'고 한다. 국익을 위해서는 악마와의 동맹도 마다하지 않는 것이 냉정한 국제정치 현실이기 때문이다. 히틀러의 침공을 받은 처칠의 절규가 이를 생생히 말해주고 있다. '잔인무도한 독재자 스탈린'과의 동맹을 비난하는 영국 의회에 그가 응수했다. '히틀러가 지옥을 침공한다면 악마와도 기꺼이 동맹을 맺을 것'이라고.

① 세계는 전쟁을 통해 국가 관계를 확립한다.
② 각 국가는 실리보다 윤리를 중요시한다.
③ 전 세계는 무한 경쟁을 하고 있다.
④ 국가들의 관계는 각 국가의 이익에 따라 달라진다.
⑤ 우방국은 적국이 될 수밖에 없다.

13 다음 문맥을 고려할 때, ㉠에 들어갈 말로 가장 적절한 것을 고르면?

사실 수많은 또는 대부분의 발명품은 어떤 개인의 호기심에서 비롯된 경우가 많다. 혹은 이것저것 만지고, 주물럭거리다 발견하게 되는 경우도 많았다. 그러니 제품에 대한 수요를 처음부터 계산하여 발명하는 경우는 드물었고, 일단 제품을 발명하고 난 후에 그 용도를 찾는 것이 일반적이었다고 볼 수 있다. 발명품의 가치 면에서도 소비자가 일정 기간 사용한 후 필요하다고 느끼게 되는 경우도 있었고, 또 어떤 제품은 발명가는 A라는 목적을 가지고 제품을 생산했지만, 추후에 예기치 못했던 다른 용도로 더 많이 쓰이게 되는 경우도 있었다. 아이러니하게도 이렇게 새롭게 발견된 용도는 현대 기술 발전의 혁신에 해당하는 부분들이 대다수 포함되어 있다. 말하자면, (㉠)

① 발명이 필요의 어머니일 때가 더 많았다.
② 발명이 현대 기술 발전을 야기했다고 볼 수 있다.
③ 발명은 필요 간의 상호작용에 기반한 것이다.
④ 발명이 수요에 의해 이뤄지는 건 아니었다.
⑤ 발명의 가치는 발명가가 아닌 소비자에 의한 것이었다.

14 다음 (가)~(마) 문장의 논리적 관계를 분석한 내용으로 옳은 것을 고르면?

(가) 두 가지 언어가 문화적으로 대등한 관계에 놓여 있지 않아서, 한 언어가 다른 언어로부터 여러 가지 어휘를 차용하는 일이 반드시 나쁜 것은 아니다. (나) 국어만으로는 충족될 수 없는 여러 가지 표현을 외래어를 차용하여 사용할 수 있고, 외래어 유입으로 국어의 어휘가 더욱 풍부해질 수 있다. (다) 그런데 일어계 외래어는 모어(母語)인 국어를 쓰지 못하는 상황에서 외국어인 일본어만을 쓰도록 강요당한 결과로 익히게 된 어휘들이다. (라) 우리가 같은 외래어라도 하루바삐 일어계 외래어를 될 수 있는 한 쓰지 않도록 노력해야 한다고 주장하는 근거가 여기에 있다. (마) 일어계 어휘는, 외래어로서가 아니라 외국어로서 너무나도 강하게 우리의 언어 생활에 영향을 끼쳤었다.

① (가)는 글의 주제문이다.
② (나)는 (다)의 근거이다.
③ (다)는 (라)를 뒷받침한다.
④ (라)는 (다)와 (마)의 부연이다.
⑤ (마)는 (가)의 구체화이다.

[15~16] 다음 글을 읽고 질문에 답하시오.

고대 인류는 음식을 보관할 때 차가운 그늘, 땅속, 혹은 얼음 저장고 등에 저장했다. 현대에 들어와서는 각 세대별 냉장고를 이용하여 음식을 보관하게 되었다. 이러한 냉장고 사용으로 인해 상하기 쉬운 어패류, 육류와 같은 신선 제품의 관리가 용이해진 건 사실이다. 하지만 하버드대학교의 연구에 따르면 냉장고 사용으로 인해 전 세계 인구의 비만율이 1993년에는 32%, 1995년은 38%, 1998년은 40%로 점차 증가하는 것을 발견했다. 심지어 냉장고에 오래 보관된 음식을 먹으면 여성의 경우 결장암에 걸릴 확률이 1.5배 높아졌다. 과거 인류는 음식을 오래 보관할 방법이 없어 그때그때 재배한 음식으로 연명했고, 주변 이웃들과도 음식을 공유하며 돈독한 우정을 다졌다. 그러나 현대인들은 풍족한 음식으로 인해 음식을 교류하는 일이 사라졌으며, 무엇보다도 가장 큰 문제는 과도한 냉장고 사용으로 환경이 오염되고 있다는 것이다.

15 주어진 글을 이해한 내용으로 옳지 <u>않은</u> 것을 고르면?

① 하버드대학교의 연구에 의하면 미국의 비만율이 특히 증가했다.
② 인류의 보관법 발전은 비만율의 증가로 이어졌다.
③ 냉장고의 사용으로 생선과 같은 신선 제품의 관리가 수월해졌다.
④ 냉장고는 이웃과의 음식을 교류하는 일을 줄어들게 만들었다.
⑤ 냉장고의 사용은 사람들의 건강과 환경을 악화시키고 있다.

16 주어진 글에 이어질 내용으로 옳은 것을 고르면?

① 냉장고의 사용을 전폭적으로 증가시켜야 한다.
② 냉장고를 사용하는 것은 인류에게 편의성을 부여한다.
③ 인류의 번영을 위해 냉장고를 절대 사용해서는 안된다.
④ 환경과 미래를 위해서라도 냉장고의 사용을 줄여야 한다.
⑤ 냉장고로 인해 빈곤과 기아에 시달리는 사람들이 현저하게 줄었다.

17 다음 글을 통해 알 수 <u>없는</u> 것을 고르면?

　　영장류의 뇌의 크기가 큰 까닭은 무엇일까? 이 질문에 대한 답은 크게 두 가지로 나뉜다. 첫 번째는 영장류가 세상에 적응하기 위한 방법을 알아내고, 문제를 해결하는 과정에서 뇌가 커졌을 것이라는 전통적 이론이다. 두 번째는 영장류 사회가 지닌 복잡성이 뇌의 크기를 키웠을 것이라는 사회적 지능 이론이다.

　　영장류 사회는 다른 동물의 사회와 구분된다. 기후에 따라 이동하는 포유류나 곤충류처럼 무질서하게 군집을 이루는 것과는 차원이 다르다. 집단의 구조가 체계성을 띠고 있어 무단이탈하거나 단독 행동을 할 수 없다. 강력한 유대 관계를 바탕으로 형성되었기 때문이다. 이처럼 인간을 제외한 영장류 집단의 규모, 사회의 복잡성 등이 의식적 사고를 담당하는 뇌피질의 하나인 대뇌 신피질의 상대적 크기 사이와 밀접한 상관성을 가졌다는 것이 사회적 지능 이론을 뒷받침해 준다.

　　진화론에서 볼 때, 집단의 규모와 대뇌 신피질의 상관관계는 영장류로 하여금 집단의 규모를 더 늘리는 방향으로 발전했을 가능성을 내포한다. 집단의 크기도 가장 크고 신피질의 크기가 가장 큰 영장류인 개코원숭이, 침팬지 등을 예로 들면, 이들은 대초원이나 숲의 가장자리처럼 비교적 개방된 곳을 서식지로 삼는다. 그들이 개방된 곳을 차지할 수 있는 것은, 무리를 이룸으로써 포식자로부터의 방어의 기능 외에 여러 가지 이점이 있기 때문이다.

① 영장류 중 집단과 신피질의 크기가 크다면, 개방된 공간을 서식지로 삼을 수 있다.
② 사회적 지능 이론에서는 사회의 복잡성이 뇌 진화의 원동력이 되었다고 보고 있다.
③ 영장류 집단은 고도로 구조화된 집단으로 무리의 결속력이 다른 동물에 비해 강하다.
④ 전통적 이론에서는 문제를 해결하는 과정이 뇌의 크기에 영향을 줄 수 있다고 본다.
⑤ 인간의 대뇌 신피질의 크기가 다른 동물에 비해 큰 것은 사회 구조가 크기 때문이다.

18 다음 글의 내용을 이해하지 <u>못한</u> 사람을 고르면?

우리 신문이 한문은 아니쓰고 다만 국문으로만 쓰는거슨 샹하귀쳔이 다보게 홈이라. 쏘 국문을 이러케 귀졀을 쎄여 쓴즉 아모라도 이신문 보기가 쉽고 신문속에 잇는말을 자세이알어 보게 홈이라. 각국에셔는 사름들이 남녀 무론ᄒ고 본국 국문을 몬저 빅화 능통ᄒ 후에야 외국 글을 빅오는 법인듸 죠션셔는 죠션 국문은 아니 비오드리도 한문만 공부 ᄒ는까둙에 국문을 잘아는 사름이 드물미라.

죠션 국문ᄒ고 한문ᄒ고 비교ᄒ여 보면 죠션 국문이 한문 보다 얼마가 나흔거시 무어신고 ᄒ니 첫지는 비호기가 쉬흔이 됴흔 글이요, 둘지는 이글이 죠션글이니 죠션 인민 들이 알어셔 빅스을 한문딘신 국문으로 써야 샹하 귀쳔이 모도보고 알어보기가 쉬흘터이라. 한문만 늘써 버릇ᄒ고 국문은 폐흔 까둙에 국문만쓴 글을 죠션 인민이 도로혀 잘 아러보지 못ᄒ고 한문을 잘알아보니 그게 엇지 한심치 아니ᄒ리요. 쏘 국문을 알아보기가 어려운건 다름이 아니라 첫지는 말마듸을 쎄이지 아니ᄒ고 그져 줄줄뉘려 쓰는 까둙에 글즈가 우희부터는지 아릭 부터는지 몰나셔 몃번 일거 본후에야 글즈가 어듸 부터는지 비로소 알고 일그니 국문으로 쓴편지 흔쟝을 보자ᄒ면 한문으로 쓴것보다 더듸 보고 쏘 그나마 국문을 자조 아니 쓰는 고로 셔툴너셔 잘못봄이라. 그런고로 졍부에셔 니리는 명녕과 국가 문젹을 한문으로만 쓴즉 한문못ᄒ는 인민은 나모 말만 듯고 무슴 명녕인줄 알고 이편이 친이 그 글을 못 보니 그사름은 무단이 병신이 됨이라.

한문 못 ᄒ다고 그사름이 무식흔사름이 아니라 국문만 잘ᄒ고 다른 물졍과 학문이 잇스면 그사름은 한문만ᄒ고 다른 물졍과 학문이 업는 사름 보다 유식ᄒ고 놉흔 사름이 되는 법이라 죠션 부인네도 국문을 잘ᄒ고 각식 물졍과 학문을 빅화 소견이 놉고 힝실이 졍직 ᄒ면 무론 빈부 귀쳔 간에 그부인이 한문은 잘ᄒ고도 다른것 몰으는 귀죡 남즈 보다 놉흔사름이 되는 법이라.

우리 신문은 빈부 귀쳔을 다름업시 이신문을 보고 외국 물졍과 닉지 스졍을 알게 ᄒ랴는 쯧시니 남녀 노소 샹하 귀쳔 간에 우리 신문을 ᄒ로 걸너 몃둘간 보면 새지각과 새학문이 싱길걸 미리 아노라.

— 독립신문 서문

① 준수: 모든 사람이 이 신문을 보도록 하기 위해 한문이 아닌 국문으로 썼다고 하고 있네.

② 승엽: 다양한 언어를 사용하는 것이 좋으니 한문과 국문 모두 익히는 것을 권장하고 있어.

③ 경용: 그동안 국문을 알아보기 어려운 이유가 띄어쓰기 않고 줄줄 내려쓰기 때문이라고 보고 있어.

④ 국재: 국문을 잘하고 세상 물정에 밝은 사람이, 한문만 하고 세상 물정 모르는 사람보다 유식하다고 하고 있네.

⑤ 창수: 다른 나라는 자국어를 먼저 배운 후에 외국어를 배우는데, 조선은 국문보다 한문을 먼저 배워 국문을 잘 아는 이가 적다고 하네.

19 갑 원사는 다음 주 당직 근무표를 작성해야 한다. [보기]와 같은 상황을 고려한다고 할 때, 갑 원사가 작성한 당직 근무표로 옳은 것을 고르면?

┤ 보기 ├

• 갑 원사는 월~수요일 출장 예정이다.
• 을 상사, 정 중사는 특별한 요청 사항이 없었다.
• 병 상사는 화요일 근무를 요청한 상태이다.
• 무 중사는 병원 진료로 월, 수, 금 당직근무가 불가하다.
• 중사끼리는 연속 당직근무가 불가하다.

①

요일	월	화	수	목	금
근무자	을 상사	병 상사	정 중사	무 중사	갑 원사

②

요일	월	화	수	목	금
근무자	정 중사	병 상사	을 상사	무 중사	갑 원사

③

요일	월	화	수	목	금
근무자	정 중사	병 상사	갑 원사	무 중사	을 상사

④

요일	월	화	수	목	금
근무자	정 중사	병 상사	무 중사	갑 원사	을 상사

⑤

요일	월	화	수	목	금
근무자	을 상사	병 상사	정 중사	갑 원사	무 중사

20 다음 명제가 모두 참일 때, 반드시 참인 것을 고르면?

- 직장에 다니는 사람은 적금에 가입한다.
- 자기관리를 잘하는 사람은 직장에 다닌다.
- 적금에 가입한 사람은 투자에 관심이 많다.

---

① 적금에 가입한 사람은 직장에 다니고 있다.
② 투자에 관심이 많은 사람은 적금에 가입한다.
③ 직장에 다니지 않는 사람은 적금에 가입하지 않는다.
④ 투자에 관심이 없는 사람은 직장에 다니고 있지 않다.
⑤ 자기관리를 잘하지 않는 사람은 적금에 가입하지 않는다.

21 다음 글의 '소유효과'를 활용한 광고 문구로 가장 적절한 것을 고르면?

　사람들은 물건이건 사회적 지위이건 일단 무엇인가를 소유하고 나면 갖고 있지 않을 때보다 그것을 더 높이 평가하는 성향이 있다. 자신도 모르게 애착을 느끼게 되는 것이다. 행동경제학자 탈러(R. Thaler)는 이러한 효과를 '소유효과'라고 명명했다.
　소유효과는 인간의 손실회피 성향에 기인한다. 자기공명영상으로 뇌를 촬영해 보면, 자신의 물건을 판매할 때 불안과 고통을 일으키는 뇌 영역이 활성화되는 것을 관찰할 수 있다. 한 연구 결과에 따르면 사람의 인지는 잠재적으로 얻을 수 있는 이익보다 잃을 수 있는 손실을 두 배 이상 크게 판단하는 경향을 가지고 있음이 드러났다. 사람은 소유하고 있는 물건을 내놓은 것은 손실로, 그것을 팔아서 얻는 것은 이익으로 여기는데, 이익보다 손실을 훨씬 크게 평가하기 때문에 소유물을 파는 것을 기피하게 되는 것이다.

---

① 한 달간 무료 체험을 해 보세요.
② 아직도 ○○을 모르십니까?
③ 침대는 가구가 아니다. 침대는 과학이다.
④ 또 다른 세상을 만날 땐 잠시 꺼두셔도 좋습니다.
⑤ 먹지 마세요, 피부에 양보하세요.

22 다음 글을 쓴 필자가 가장 공감할 작품을 고르면?

아프리카 남동쪽 인도양에 있는 섬나라 마다가스카르는 자연의 보고다. 수천만 년 동안 사람의 손길이 미치지 않은 채 고립돼 있었던 만큼 다른 곳에서 보지 못하는 동·식물을 다수 발견할 수 있다. 과학자들은 전 세계 생물 약 20만 종 중 75%가 이곳에 살고 있으며, 90%는 다른 곳에서 볼 수 없는 모습을 지니고 있는 것으로 추정하고 있다. 그중에는 마다가스카르에만 살고 있는 여우원숭이를 비롯 색다른 모습의 파충류, 양서류가 다수 포함돼 있다.

그러나 지구 역사와 함께 오랫동안 보존돼왔던 이 자연의 보고가 최근 위협을 받고 있다.

환경전문 뉴스 웹사이트 '몽가베이(mongabay)'는 주민들의 산림 훼손, 환경오염, 야생동물 밀매 등으로 인해 생물다양성이 심각하게 훼손되고 있다고 전했다. 지난 2018년 한 해 동안 열대우림의 2%가 상실되었고, 남아 있는 열대우림 역시 심각한 위협에 처해 있는 것으로 나타났다. 올해는 더욱 심각한 상황이 전개되고 있다.

마다가스카르의 인구 중 전기를 사용하고 있는 비율은 20%도 채 안 되는 상황이다. 이로 인해 농촌 등 도시 외곽에 거주하고 있는 사람들은 수풀에 접근해 그곳에서 땔감, 혹은 석탄을 조달해야 한다. 최근 들어 급격히 상승한 인구 증가율은 원시림 파괴를 가속화시키는 근본적인 요인이 되었다. 연료를 확보하려는 인구가 급증하면서 마다가스카르의 자연이 큰 위협을 받고 있다는 결론에 도달하고 있다.

① 돌담에 속삭이는 햇발같이 / 풀아래 웃음짓는 샘물같이 / 내 마음 고요히 고운 봄 길 위에 / 오늘 하루 하늘을 우러르고 싶다. — 김영랑, 〈돌담에 속삭이는 햇발〉

② 산모퉁이를 돌아 논가 외딴 우물을 홀로 찾아가선 가만히 들여다봅니다. (중략)
그리고 한 사나이가 있습니다. / 어쩐지 그 사나이가 미워져 돌아갑니다. — 윤동주, 〈자화상〉

③ 저 지붕 아래 제비집 너무나 작아 / 갓 태어난 새끼들만으로 가득 차고 / 어미는 둥지를 날개로 덮은 채 간신히 잠들었습니다. / 바로 그 옆에 누가 박아 놓았을까요, 못 하나. — 나희덕, 〈못 위의 잠〉

④ 성북동 산에 번지가 새로 생기면서 / 본래 살던 성북동 비둘기만이 번지가 없어졌다. / 새벽부터 돌 깨는 산울림에 떨다가 / 가슴에 금이 갔다. — 김광섭, 〈성북동 비둘기〉

⑤ 날이 흐리고 풀이 눕는다 / 발목까지 / 발밑까지 눕는다. / 바람보다 늦게 누워도 / 바람보다 먼저 일어나고 / 바람보다 늦게 울어도 / 바람보다 먼저 웃는다 / 날이 흐리고 풀뿌리가 눕는다. — 김수영, 〈풀〉

23 다음 글에서 주로 사용하고 있는 설명 방식을 고르면?

> 도로 신호는 교차로와 보행통로에서 도로 위를 달리는 자동차와 횡단보도를 건너는 사람의 안전을 위하여 최소한의 신호체계로만 구성되어 있다. 따라서 자동차와의 충돌이 예상될 경우 운전자나 보행자가 스스로 판단하여 멈추어야 한다. 그러나 철도 신호의 경우 차량과 차량, 차량과 사람의 안전을 확보하기 위해 신호설비(신호기, 선로전환기, 연동장치, 궤도회로, 건널목 장치, 안전설비)들이 상호 시스템으로 연결되어 있고, 이 모든 신호 설비가 정상적으로 동작했을 때만 열차가 달릴 수 있도록 설계되어 있다. 만약 여러 가지 신호 설비 중에서 단 하나라도 고장이 나면 신호등은 정지신호를 현시하여 열차가 정지한다.
> 안전 측면에서도 도로 신호와 철도 신호는 크게 다르다. 자동차는 운전자가 마음대로 속도를 높이거나 낮출 수 있기에 앞차와의 거리를 운전자 스스로 유지해야 한다. 만약, 앞차와의 간격을 너무 좁게 하여 운전한다면 앞차가 급제동을 걸었을 경우 추돌을 피할 수 없게 된다. 그러나 철도 신호 체계는 기관사가 마음대로 정해진 속도 이상을 달리지 못한다. 철도 신호는 앞 열차와의 간격에 따라서 제한적인 속도의 신호를 현시하는데, 기관사가 이를 어겨서 과속한다면 자동으로 제동장치가 동작하여 안전을 확보하는 시스템으로 구성되어 있다.

① 비유   ② 예시   ③ 비교
④ 대조   ⑤ 분석

24 다음 빈칸 ㉠~㉤에 들어갈 말을 순서대로 바르게 나열한 것을 고르면?

> 전셋집 마련도 쉽지 않았다. 도시 근로자가 (㉠) 모아 서울 25평형 전셋집을 (㉡) 필요한 (㉢)은 총 3년으로 연초 대비 3개월이 (㉣), 32평은 4년 5개월로 6개월 (㉤).

① 월급을 – 준비하는데 – 시간 – 길어졌고 – 짧아졌다
② 임금을 – 마련하는데 – 기간 – 늘어났고 – 짧아졌다
③ 월급을 – 마련하는데 – 시간 – 길어졌고 – 늘었다
④ 월급을 – 마련하는데 – 기간 – 길어졌고 – 늘었다
⑤ 임금을 – 마련하는데 – 기한 – 길어졌고 – 늘어났다

25 다음 주장에 대한 비판으로 적절하지 <u>않은</u> 것을 고르면?

신이 삼가 생각하옵건대, 인재를 얻기 어렵게 된 지가 오래되었습니다. 온 나라의 인재들 가운데 발탁해도 오히려 부족함이 있겠거늘, 하물며 인재의 8~9할을 버리고서야 어찌 인재를 얻겠습니까?

신분인 낮다 하여 등용하지 않고, 관서, 관북 지방 사람들이라 하여 등용하지 않고, 해서, 개성, 강화도 사람이라 하여 등용하지 않고, 관동, 호남 사람의 반을 등용하지 않고, 서얼이라 하여 등용하지 않으니, 등용할 수 있는 자는 오직 수십 가구의 좋은 가문 자들이온데, 이 가운데서도 어떠한 사건에 연루되지 않아야만 등용할 수 있습니다.

이렇게 버림받은 자들은 모두가 자포자기하여 문학이나 정치, 경제, 군사 등의 문제에 관심을 두려 하지 않고 오직 비분강개(悲憤慷慨)하여 술이나 마시며 방탕한 생활을 하고 있는 것입니다. 인재가 나타나지 않는 것이 이 까닭이온데, 사람들은 인재가 나타나지 못하는 것을 보고서 "그런 사람들은 마땅히 등용하지 말아야 한다."고 하옵니다. 아아, 그것이 어찌 이치에 합당한 말이라 하겠습니까? 어찌 천지가 정신을 키우고 산천이 좋은 기운을 줄 적에 수십 집의 사람들에게만 정신과 좋은 기운을 모아주고, 나머지 사람들에게는 더럽고 탁한 기를 심어준다고 생각하여, 출생지에 따라 인재를 버릴 수 있겠습니까? (중략)

가히 실행할 만한 한 가지 방법이 있습니다. 매 10년 마다 한 번씩 '무재이능과(茂才異能科)'를 설치하여 관서, 관북, 개성, 강화도의 사람들과 중인, 서자에서 천한 범인에 이르기까지 무릇 경전에 밝고 행실이 좋으며 문학, 정치에 뛰어난 자가 있으면 의정부(議政府), 홍문관(弘文館), 예문관(藝文館), 사헌부(司憲府), 사간원(司諫院)의 신하들로 하여금 추천하도록 하고, 또 지방 수령들도 하여금 재능 있는 사람들을 아는 대로 추천하도록 하여 대략 100명 정도가 되면, 이들을 서울에 모이게 하여 경학(經學)과 시부(詩賦) 그리고 논책(論策)을 시험하되, 옛날의 나라가 흥하고 망한 자취를 묻고, 지금 나라를 위해 할 일을 물어서 10명을 뽑습니다. 여기에 뽑힌 사람은 아래로는 사헌부, 사간원, 홍문관, 예문관으로부터 위로는 의정부와 이부에 이르기까지 구애받지 않고 관리로 임명하되, 나라에 공이 많은 집안과 같이 대우하고 그 자손들도 대대로 벼슬을 할 수 있게 해주옵소서, 그렇게만 한다면 나라의 풍속을 바꾸지 않고도 오랫동안 막히고 쌓인 폐단(弊端)을 제거할 수 있을 것이고, 숨어 있는 인재들을 뽑을 수 있을 것입니다.

— 정약용, 「통색의(通塞議)」

① 과거 시험을 보는 일반 사람들과의 형평성 논란이 있을 것이다.
② '무재이능과'를 10년 마다 설치한다면, 필요한 인재를 제때 뽑기 힘들 것이다.
③ 추천을 하는 과정에서 폐단이 생긴다면, 좋은 인재를 발굴할 수 없을 것이다.
④ 낮은 신분의 자들은 배움이 부족하여 주어진 시험에 합격할 수 없을 것이다.
⑤ 추천 대상 지역 이외의 지역 사람들이 관리 등용에 소외될 수 있을 것이다.

1교시 지적능력평가 [자료해석]

20문항/25분

정답과 해설 P. 75

01 방문 고객을 대인과 소인의 두 분류로 구분하여 기록하는 매장이 있다. 지난주에 대인과 소인을 모두 합하여 1,000명이 방문하였다. 이번 주에는 지난주에 비해 방문한 대인은 5% 감소하였고 소인은 10% 증가하여 전체적으로 4% 증가하였을 때, 이번 주에 방문한 대인은 몇 명인지 고르면?

① 320명　　　　　② 380명　　　　　③ 420명　　　　　④ 550명

02 경수와 광현이가 가위바위보를 해서 이기는 사람이 계단을 한 칸씩 올라가기로 하였다. 현재 광현이가 2칸 앞서 있다면 4번의 가위바위보를 했을 때, 경수가 더 높은 곳에 위치할 확률을 고르면?

① $\dfrac{1}{81}$　　　　　② $\dfrac{5}{13}$　　　　　③ $\dfrac{1}{27}$　　　　　④ $\dfrac{5}{81}$

03 다음 [표]는 시간 구간별 TV 시청 건수를 나타낸 것이다. 평균 TV 시청 시간이 70분이라고 할 때, A의 값을 고르면?

[표] 시간 구간별 TV 시청 건수

구분	TV 시청 건수(건)
0분 이상 ~ 20분 미만	A
20분 이상 ~ 40분 미만	23
40분 이상 ~ 60분 미만	22
60분 이상 ~ 80분 미만	B
80분 이상 ~ 100분 미만	62
100분 이상 ~ 120분 미만	33
합계	200

① 17　　　　　② 18　　　　　③ 19　　　　　④ 20

04 다음 [표]는 우리나라의 지역별 수출입 현황에 관한 자료이다. 2019년 대(對)북미 흑자 규모를 고르면?

[표] 우리나라 지역별 수출입 현황   (단위: 백만 달러)

구분	수출액		수입액	
	2019년	2020년	2019년	2020년
중국	89,321.80	120,324.50	52,349.90	69,283.10
남미	24,231.20	30,613.10	13,069.40	16,417.00
기타	38,624.90	53,393.00	39,472.50	54,509.90
EU	49,629.10	54,194.00	32,286.20	39,252.10
일본	23,030.00	28,926.20	47,943.70	62,665.50
중동	24,763.50	27,524.10	61,241.50	79,569.30
북미	68,859.90	95,514.00	44,686.10	59,492.10
영국	39,693.30	53,771.10	29,274.50	41,194.20
합계	358,189.70	464,260.00	320,323.80	422,383.20

① 24,073.80백만 달러   ② 24,173.80백만 달러
③ 24,273.80백만 달러   ④ 24,373.80백만 달러

05 다음 [표]는 2011~2013년 개인정보 분쟁조정위원회에 접수된 개인정보에 대한 분쟁사건 조정결정 현황에 관한 자료이다. 이에 대한 설명으로 옳은 것을 고르면?

[표] 개인정보에 대한 분쟁사건 조정결정 현황   (단위: 건)

구분			2011년	2012년	2013년
조정 전 합의			21	32	40
위원회 분쟁조정	인용결정	조정성립	30	29	14
		조정불성립	19	15	10
	기각결정		55	20	8
	각하결정		1	47	101
합계			126	143	173

※ 조정결정은 접수된 분쟁사건만을 대상으로 하며, 접수된 모든 분쟁사건은 당해년도에 조정결정이 이루어짐.

① 위원회 분쟁조정 건수 대비 인용결정 건수의 비율은 매년 하락하였다.
② 인용결정 건수 대비 조정불성립 건수의 비율은 매년 상승한다.
③ 기각결정 건수가 전체 분쟁사건 조정결정에서 차지하는 비율은 매년 상승한다.
④ 각하결정이 내려지지 않은 것은 모두 인용결정이 내려졌음을 알 수 있다.

[06~07] 다음 [그래프]는 박사학위 취득자의 성별, 전공계열별 고용률 현황에 관한 자료이다. 이를 바탕으로 질문에 답하시오.

[그래프] 박사학위 취득자의 성별, 전공계열별 고용률 현황 (단위: %)

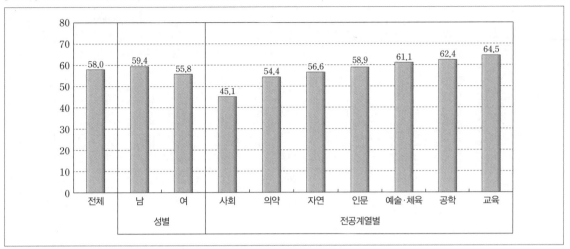

06 박사학위 취득자 중 전공계열이 의약인 사람들의 고용률은 전공계열이 사회인 사람들에 비해 몇 %p 더 높은지 고르면?

① 7.8%p   ② 8.3%p   ③ 8.8%p   ④ 9.3%p

07 여성 박사학위 전체 취득자가 1,000명이라고 한다. 취업자의 고용 형태를 살펴 보았을 때, 여성 취업자 중 비정규직 비율이 50%라 한다면 박사학위를 취득한 여성 중, 비정규직 인원은 몇 명인지 고르면?

① 142명   ② 279명   ③ 451명   ④ 558명

08 다음 [표]는 2006년 인구 상위 10개국과 2056년 예상 인구 상위 10개국에 관한 자료이다. 이에 대한 설명으로 옳은 것을 [보기]에서 고르면?

[표] 2006년과 2056년 순위별 인구 (단위: 백만 명)

구분	2006년		2056년(예상)	
	국가	인구	국가	인구
1	중국	1,311	인도	1,628
2	인도	1,122	중국	1,437
3	미국	299	미국	420
4	인도네시아	225	나이지리아	299
5	브라질	187	파키스탄	295
6	파키스탄	166	인도네시아	285
7	방글라데시	147	러시아	260
8	러시아	146	방글라데시	231
9	나이지리아	135	콩고	196
10	일본	128	에티오피아	172

┤ 보기 ├

㉠ 2006년 대비 2056년 에티오피아의 인구는 30% 이상 증가할 것으로 예상할 수 있다.

㉡ 2006년 대비 2056년 파키스탄의 인구는 감소할 것으로 예상된다.

㉢ 2006년 대비 2056년 미국의 인구는 러시아의 인구보다 증가율이 낮을 것으로 예상된다.

㉣ 2006년 대비 2056년 인도의 인구는 나이지리아의 인구보다 증가율이 높을 것으로 예상된다.

㉤ 2006년 대비 2056년 방글라데시의 인구는 두 배 이상이 될 것으로 예상된다.

① ㉠, ㉡   ② ㉠, ㉣   ③ ㉡, ㉤   ④ ㉣, ㉤

[09~10] 다음 [표]는 서울 및 수도권 지역의 가구를 대상으로 난방연료 사용 현황에 관한 자료이다. 이를 바탕으로 질문에 답하시오.

[표] 난방연료 사용현황 (단위: %)

구분	서울	인천	경기남부	경기북부	전국
도시가스	84.5	91.8	33.5	66.1	69.5
LPG	0.1	0.1	0.4	3.2	1.4
등유	2.4	0.4	0.8	3.0	2.2
열병합	12.6	7.4	64.3	27.1	26.6
기타	0.4	0.3	1.0	0.6	0.3

09 주어진 [표]에서 서울에서 난방연료로 '등유'를 사용하는 사용하는 가구 수가 84,240가구였다고 할 때, '기타' 연료를 사용하는 가구 수를 고르면?

① 14,040가구　　　② 44,226가구　　　③ 180,220가구　　　④ 351,000가구

10 주어진 [표]에 대한 설명으로 옳지 <u>않은</u> 것을 고르면?

① 서울에서 열병합을 이용하는 가구는 절반이 되지 않는다.
② 서울보다는 인천이 도시가스를 사용하는 가구 수가 더 많다.
③ 경기남부 지역은 타 지역에 비해 도시가스의 사용 비율이 낮다.
④ 경기북부 지역의 경우, 도시가스를 사용하는 가구 수가 등유를 사용하는 가구 수의 20배 이상이다.

11 다음 [표]는 건강행태 위험요인별 질병비용에 관한 자료이다. 이에 대한 설명으로 옳지 <u>않은</u> 것을 고르면?

[표] 건강행태 위험요인별 질병비용

(단위: 억 원)

구분	2007년	2008년	2009년	2010년
흡연	87	92	114	131
음주	73	77	98	124
과체중	65	72	90	117
운동부족	52	56	87	111
고혈압	51	62	84	101
영양부족	19	35	42	67
고콜레스테롤	12	25	39	64
합계	359	419	554	715

※ 질병비용이 클수록 순위가 높음.

① 질병비용의 총합은 매년 증가한다.

② 2007~2010년의 연도별 질병비용에서 '음주' 위험요인이 차지하는 비율은 매년 증가한다.

③ 2007~2010년의 연도별 질병비용에서 '고콜레스테롤' 위험요인이 차지하는 비율은 매년 증가한다.

④ '흡연' 위험요인의 경우 2008년부터 2010년까지 질병비용의 전년 대비 증가율이 가장 큰 해는 2009년이다.

12 두 가지 메뉴 A, B를 판매하는 어느 카페에서 지난주에 A, B메뉴를 합하여 5,000명분을 팔았다. 이번 주에는 지난주에 비하여 A메뉴 판매량은 8% 증가하고, B메뉴 판매량은 12% 감소하여 전체적으로 4% 증가하였다. 지난주에 비해 증가한 A메뉴 판매량은 몇 명분인지 고르면?

① 300명   ② 310명   ③ 320명   ④ 330명

13 다음 그림은 경석이의 인스타그램의 일일 '좋아요' 수를 30일 동안 조사하여 나타낸 도수분포다각형인데, 일부가 훼손되었다. '좋아요' 수가 20명 이상 28명 미만인 날의 수를 고르면?

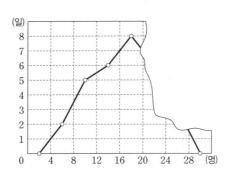

① 7일   ② 8일   ③ 9일   ④ 10일

[14~15] 다음 [표]는 A, B, C, D 4대의 자동차별 속성과 연료 종류별 가격에 관한 자료이다. 이를 바탕으로 질문에 답하시오.

[표1] 자동차별 속성

자동차 \ 특성	사용연료	최고시속(km/h)	연비(km/ℓ)	연료탱크 용량(ℓ)	신차 구입가격 (만 원)
A	휘발유	200	10	60	2,000
B	LPG	160	8	60	1,800
C	경유	150	12	50	2,500
D	휘발유	180	20	45	3,500

[표2] 연료 종류별 가격

연료 종류	리터당 가격(원/ℓ)
휘발유	1,700
LPG	1,000
경유	1,500

※ A~D자동차가 1년 동안 주행한 총거리는 20,000km임.
※ 필요경비＝신차 구입가격＋연료비
※ 연료비＝$\dfrac{주행거리}{연비}$×리터당 가격
※ 이자율은 0%로 가정하고, 신차 구입은 일시불로 함.

14 주어진 [표]에 대한 설명으로 옳지 <u>않은</u> 것을 고르면?

① 10년 동안 운행했을 때 A자동차의 필요경비는 D자동차의 필요경비보다 200만 원이 더 많다.
② B자동차의 연료탱크를 완전히 채웠을 때 480km 주행이 가능하다.
③ 연료탱크를 완전히 채웠을 때 편도 400km 구간의 왕복이 가능한 것은 D자동차이다.
④ 연비가 낮은 차량일수록 신차 구입가격은 비싼 편이다.

15 신차로 구입한 B자동차의 6년간 필요경비는 얼마인지 고르면?(단, B자동차는 매년 동일한 거리를 주행한다.)

① 2,700만 원   ② 2,900만 원   ③ 3,100만 원   ④ 3,300만 원

16 다음 [그래프]는 어느 대학의 A~G 전공분야별 과목 수와 영어강의 과목 비율에 관한 자료이다. 이에 대한 설명으로 옳은 것을 [보기]에서 고르면?

[그래프1] 전공분야별 과목 수 (단위: 개)

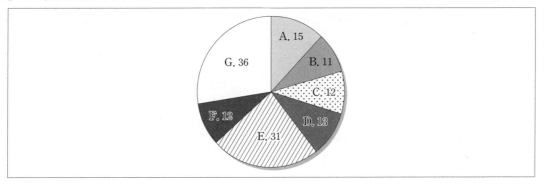

[그래프2] 전공분야별 영어강의 과목 비율

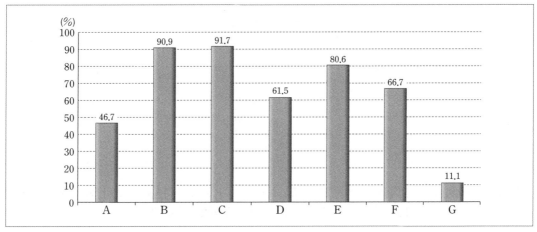

※ 영어강의 과목은 전공분야 과목 중 영어로 진행되는 과목임.

$$\text{영어강의 과목 비율(\%)} = \frac{\text{전공분야별 영어강의 과목 수}}{\text{전공분야별 과목 수}} \times 100$$

※ 영어강의 과목 비율은 소수점 아래 둘째 자리에서 반올림 함.
※ 이 대학에 A~G 전공분야 과목 이외의 과목은 없음.

┌─ 보기 ├─
ㄱ. A 전공분야의 과목 수는 이 대학 전체 과목 수의 10% 이상이다.
ㄴ. 영어강의 과목 수가 가장 많은 전공분야는 E이다.
ㄷ. B 전공분야의 영어강의 과목 수는 A 전공분야 영어강의 과목 수의 2배 이상이다.
ㄹ. 전공분야별 영어강의 과목 비율이 80% 이상인 전공분야의 영어강의 과목 수는 이 대학 전체 과목 수의 30% 미만이다.

① ㄱ, ㄴ   ② ㄱ, ㄹ   ③ ㄴ, ㄹ   ④ ㄷ, ㄹ

17 다음 [표]는 경석이의 2021년 2학기 지필고사 점수를 과목별로 정리한 것이다. [표]와 [조건]을 이용하여 수학과 한국사의 점수가 바르게 짝지어진 것을 고르면?

[표] 과목별 지필고사 점수 (단위: 점)

과목	국어	수학	영어	생물	지구과학	한국사	평균
점수	95	( )	( )	( )	75	( )	85

┤ 조건 ├
- 국어와 생물의 점수는 동일하다.
- 영어와 수학의 점수는 동일하다.
- 한국사는 영어보다 25점이 부족하다.

	수학	한국사
①	80	65
②	90	65
③	90	70
④	95	75

18 체육대회에 참여한 학생들을 학년별로 조사하였더니 그 결과가 다음과 같았다. 체육대회에 참여한 학생들 중 임의로 한 명을 택했을 때, 그 학생이 고등학생일 확률을 고르면?

학년	인원수(명)
중학교 1학년	175
중학교 2학년	200
중학교 3학년	250
고등학교 1학년	150
고등학교 2학년	125
합계	900

① $\dfrac{2}{9}$ ② $\dfrac{1}{4}$ ③ $\dfrac{5}{18}$ ④ $\dfrac{11}{36}$

19 다음 [표]는 공간능력, 언어능력, 자료해석, 지각속도의 4개 항목에 대한 갑과 을의 성적에 관한 자료이다. 이들의 합산 성적은 언어능력과 자료해석 시험성적에 각각 30%의 가중치를 적용하고, 공간능력과 지각속도 시험성적에 각각 a%와 b%의 가중치를 적용하여 가중평균으로 산출한다고 할 때, $a-b$의 값을 고르면?(단, a, b는 상수이다.)

[표] 갑과 을의 합산 성적

구분	공간능력	언어능력	자료해석	지각속도	합산 성적
가중치	a%	30%	30%	b%	
갑 성적	80점	100점	90점	80점	89점
을 성적	70점	90점	80점	90점	84점

① −15   ② −12   ③ −10   ④ 0

20 다음 [그래프]와 [표]는 전산장비(A~F) 연간유지비와 전산장비 가격 대비 연간유지비 비율에 관한 자료이다. 이에 대한 설명으로 옳은 것을 고르면?(단, 만 원 단위 미만은 절삭한다.)

[그래프] 전산장비 연간유지비

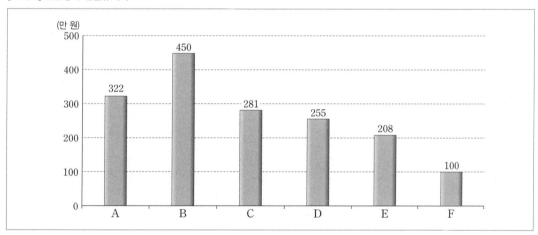

[표] 전산장비 가격 대비 연간유지비 비율   (단위: %)

전산장비	A	B	C	D	E	F
비율	8.0	7.5	7.0	5.0	4.0	3.0

① A의 연간유지비가 E의 연간유지비의 2배 이상이다.
② 가격이 가장 높은 전산장비는 E이다.
③ 가격이 가장 낮은 전산장비는 C이다.
④ D의 전산장비 가격은 A의 전산장비 가격보다 높다.

육군부사관

실전 모의고사

육군부사관
실전 모의고사

| 4회 |

시험 구성 및 유의사항

구분		문항 수	시간	비고
1교시 지적능력평가	공간능력	18문항	10분	객관식 사지선다형
	지각속도	30문항	3분	객관식 양자택일/사지선다형
	언어논리	25문항	20분	객관식 오지선다형
	자료해석	20문항	25분	객관식 사지선다형

- 시험 시간은 OMR카드 마킹 시간을 포함한 시간입니다.
- 시험지는 반드시 과목별 순서대로 풀이하시기 바랍니다.

모바일
OMR 채점 서비스

정답만 입력하면
채점에서 성적분석까지 한번에 쫙!

필기평가

문항	답안입력
01	① ② ❸ ④ ⑤
02	① ② ③ ④ ⑤
03	① ② ③ ④ ❺
04	① ❷ ③ ④ ⑤
05	❶ ② ③ ④ ⑤
06	① ② ③ ④ ⑤
07	

필기평가 성적분석

☑ [QR 코드 인식 ▶ 모바일 OMR]에 정답 입력

☑ [eduwill.kr/OQYF ▶ 모바일 OMR]에 정답 입력

☑ 실시간 정답 및 영역별 백분율 점수 위치 확인

☑ 취약 영역 및 유형 심층 분석

※ 유효기간: 2023년 2월 28일

▶ 모바일 OMR 바로가기

1교시 지적능력평가 [공간능력]

18문항/10분

정답과 해설 P. 82

[01~05] 다음 [조건]을 참고하여 제시된 입체 도형의 전개도에 해당하는 것을 고르시오.

┤ 조건 ├

※ 전개도를 접었을 때 전개도상의 그림, 기호, 문자가 입체 도형의 겉면에 표시되는 방향으로 접음.

※ 입체 도형을 전개하여 전개도를 만들 때, 전개도에 표시된 그림(예: ▊, ◢ 등)은 회전의 효과를 반영함. 즉, 본 문제의 풀이과정에서 보기의 전개도상에 표시된 '▊'와 '▬'은 서로 다른 것으로 취급함.

※ 단, 기호 및 문자(예: ☎, ♤, ♨, K, H)의 회전에 의한 효과는 본 문제의 풀이과정에 반영하지 않음. 즉, 입체 도형을 펼쳐 전개도를 만들었을 때에 '☏'의 방향으로 나타나는 기호 및 문자도 보기에서는 '☎' 방향으로 표시하며 동일한 것으로 취급함.

01

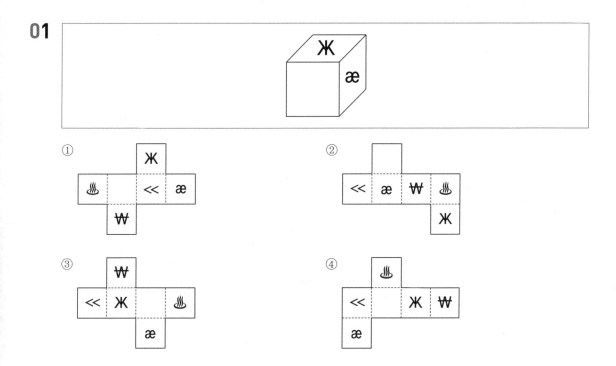

02

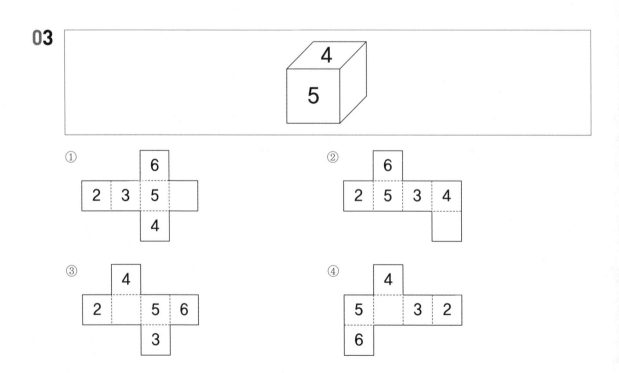

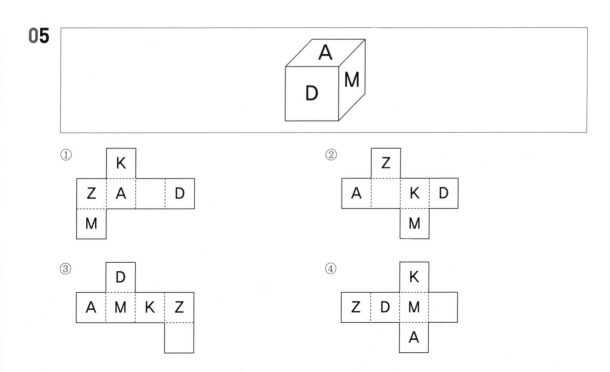

04

05

┤ 조건 ├

※ 전개도를 접을 때 전개도상의 그림, 기호, 문자가 입체 도형의 겉면에 표시되는 방향으로 접음.

※ 전개도를 접어 입체 도형을 만들 때, 전개도에 표시된 그림(예: ▮, ◿ 등)은 회전의 효과를 반영함. 즉, 본 문제의 풀이과정에서 보기의 전개도상에 표시된 '▮'와 '▬'은 서로 다른 것으로 취급함.

※ 단, 기호 및 문자(예: ☎, ♤, ♨, K, H)의 회전에 의한 효과는 본 문제의 풀이과정에 반영하지 않음. 즉, 전개도를 접어 입체 도형을 만들었을 때에 '☏'의 방향으로 나타나는 기호 및 문자도 보기에서는 '☎' 방향으로 표시하며 동일한 것으로 취급함.

06

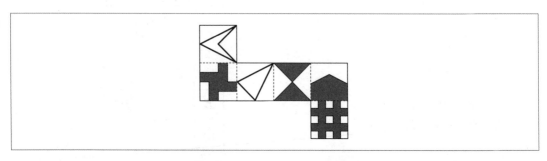

①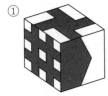

②

③

④

07

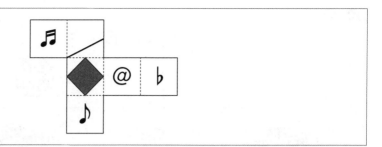

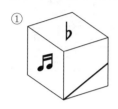 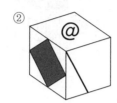  

08

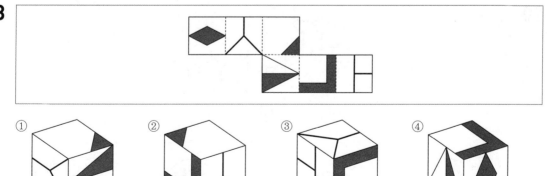

09

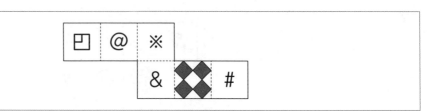

① 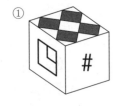　② 　③ 　④

10

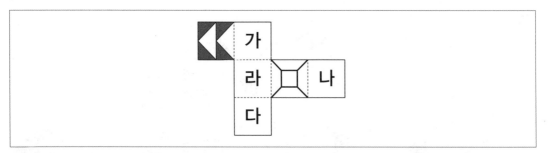

① 　② 　③ 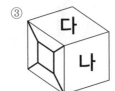　④

[11~14] 다음 그림과 같이 쌓기 위해 필요한 블록의 개수를 고르시오.(단, 보이지 않는 뒤의 블록은 없다고 생각한다.)

11

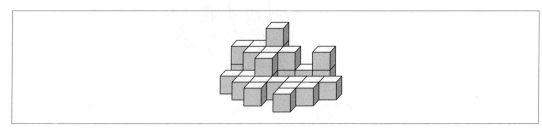

① 28개　　　　② 29개　　　　③ 30개　　　　④ 31개

12

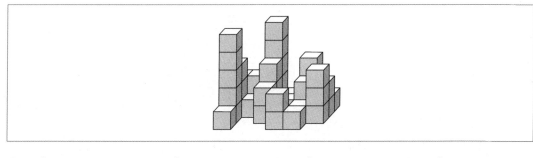

① 39개　　　　② 40개　　　　③ 41개　　　　④ 42개

13

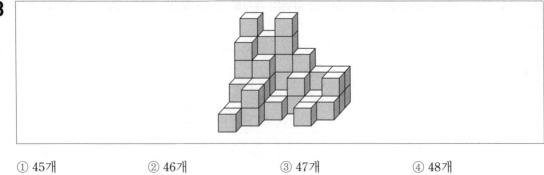

① 45개   ② 46개   ③ 47개   ④ 48개

14

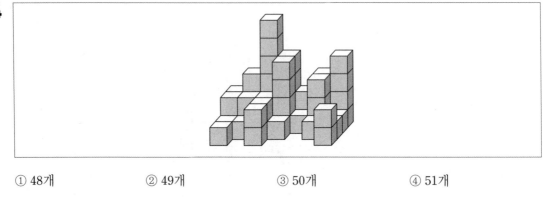

① 48개   ② 49개   ③ 50개   ④ 51개

[15~18] 다음 블록을 화살표 방향에서 바라볼 때의 모양을 고르시오.(단, 보이지 않는 뒤의 블록은 없다고 생각한다.)

15

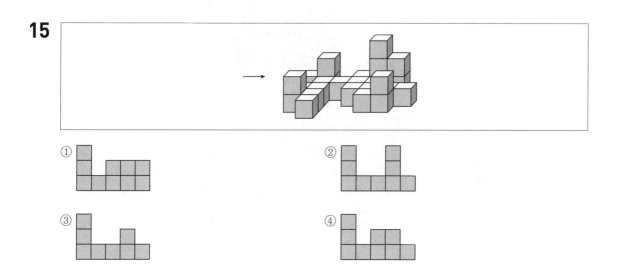

① ② ③ ④

16

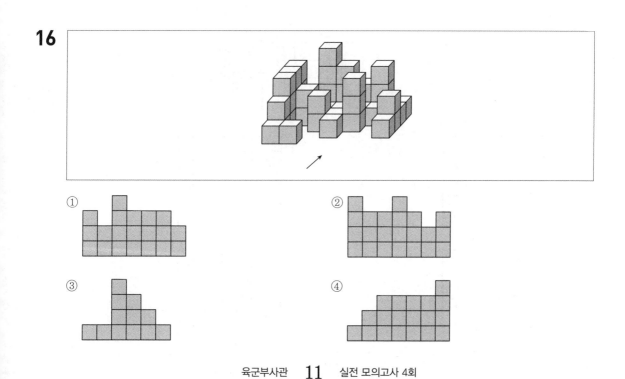

① ② ③ ④

17

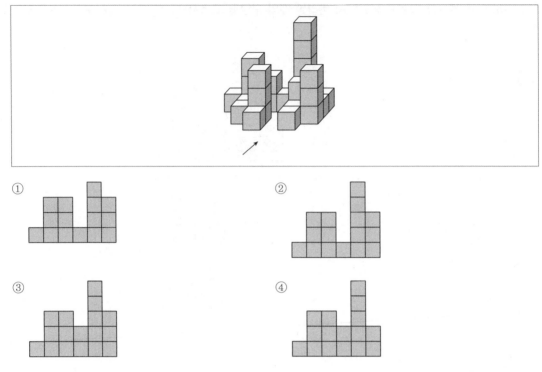

① ② ③ ④

18

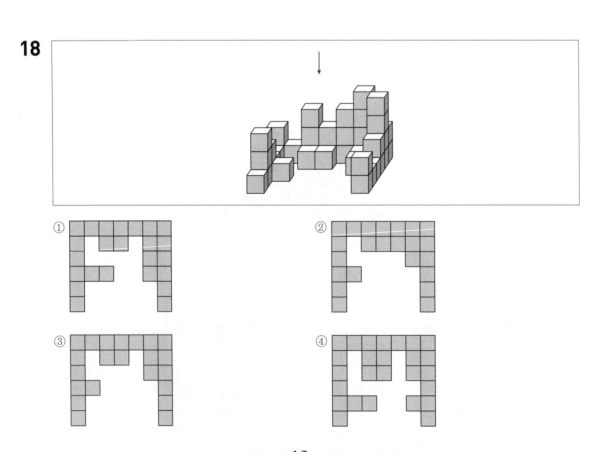

① ② ③ ④

1교시 지적능력평가 [지각속도]

30문항/3분

정답과 해설 P. 87

[01~05] 다음 [보기]를 바탕으로 제시된 문자가 바르게 치환되었는지 판단하시오.

┤ 보기 ├

SKY = ○	LAND = △	STAR = ▽	SEA = ◎
SPACE = ⊗	CLOUD = ▢	MT = ◇	LAKE = ◗

01

CLOUD MT LAKE SEA – ▢ ◇ ◗ ◎

① 맞음　　　　　　　　　　② 틀림

02

SPACE LAND STAR CLOUD – ⊗ △ ◎ ▢

① 맞음　　　　　　　　　　② 틀림

03

SKY SEA LAKE MT – ○ ◎ ◗ ◇

① 맞음　　　　　　　　　　② 틀림

04

STAR LAKE SPACE SKY – ▽ ◎ ⊗ ○

① 맞음　　　　　　　　　　② 틀림

05

MT LAND CLOUD STAR – ○ △ ▢ ▽

① 맞음　　　　　　　　　　② 틀림

[06~10] 다음 [보기]를 바탕으로 제시된 문자가 바르게 치환되었는지 판단하시오.

| 보기 |

az = ⤬⤬   ax = ⤬⤬   av = ⫽⫽   ab = ⟹⟹   an = ⇑⇑
am = ⤬⤬   as = ⤬⤬   ad = ⟍⟍   af = ⟸⟸   ag = ⇓⇓

06

as af an ag − ⤬⤬ ⟹⟹ ⇑⇑ ⇓⇓

① 맞음　　　　　　　　　② 틀림

07

az ab ax av − ⤬⤬ ⟹⟹ ⤬⤬ ⫽⫽

① 맞음　　　　　　　　　② 틀림

08

ab an am ad − ⟹⟹ ⇑⇑ ⤬⤬ ⟍⟍

① 맞음　　　　　　　　　② 틀림

09

af ag av an − ⟸⟸ ⟍⟍ ⫽⫽ ⇑⇑

① 맞음　　　　　　　　　② 틀림

10

ax as af am − ⤬⤬ ⤬⤬ ⟸⟸ ⤬⤬

① 맞음　　　　　　　　　② 틀림

[11~15] 다음 [보기]를 바탕으로 제시된 문자가 바르게 치환되었는지 판단하시오.

---| 보기 |---

$$P\Sigma = \boxtimes\boxtimes \quad TY = \boxtimes\boxtimes \quad \Phi X = \boxtimes\boxtimes \quad \Psi\Omega = \boxtimes\boxtimes$$
$$\alpha\beta = \boxtimes\boxtimes \quad \gamma\delta = \boxtimes\boxtimes \quad \delta\varepsilon = \boxtimes\boxtimes \quad \zeta\eta = \boxtimes\boxtimes$$

11

$$P\Sigma \ \gamma\delta \ \Phi X \ \zeta\eta \ - \ \boxtimes\boxtimes \ \boxtimes\boxtimes \ \boxtimes\boxtimes \ \boxtimes\boxtimes$$

① 맞음 ② 틀림

12

$$\gamma\delta \ \delta\varepsilon \ \Phi X \ TY \ - \ \boxtimes\boxtimes \ \boxtimes\boxtimes \ \boxtimes\boxtimes \ \boxtimes\boxtimes$$

① 맞음 ② 틀림

13

$$\alpha\beta \ \zeta\eta \ \Psi\Omega \ P\Sigma \ - \ \boxtimes\boxtimes \ \boxtimes\boxtimes \ \boxtimes\boxtimes \ \boxtimes\boxtimes$$

① 맞음 ② 틀림

14

$$TY \ \alpha\beta \ \zeta\eta \ \Phi X \ - \ \boxtimes\boxtimes \ \boxtimes\boxtimes \ \boxtimes\boxtimes \ \boxtimes\boxtimes$$

① 맞음 ② 틀림

15

$$\gamma\delta \ \Psi\Omega \ TY \ \alpha\beta \ - \ \boxtimes\boxtimes \ \boxtimes\boxtimes \ \boxtimes\boxtimes \ \boxtimes\boxtimes$$

① 맞음 ② 틀림

[16~20] 다음 [보기]를 바탕으로 제시된 문자가 바르게 치환되었는지 판단하시오.

| 보기 |

lend = ㅄㅈ   late = ㅂㅌ   life = ㅄㅉ   love = ㄹㄷ

lion = ㄹㅅ   leg = ㅄㄸ   land = ㄹㅆ   legal = ㄹㅈ

16

leg land love late — ㅄㄸ ㄹㅆ ㄹㄷ ㅂㅌ

① 맞음   ② 틀림

17

life lend legal lion — ㅄㅉ ㄹㅆ ㄹㅈ ㄹㅅ

① 맞음   ② 틀림

18

love life late lend — ㄹㄷ ㅄㅉ ㅂㅌ ㅄㅈ

① 맞음   ② 틀림

19

land leg love lend — ㄹㅆ ㅄㄸ ㄹㄷ ㄹㅈ

① 맞음   ② 틀림

20

legal lion late life — ㄹㅈ ㄹㅅ ㅂㅌ ㅄㅉ

① 맞음   ② 틀림

[21~25] 다음 [보기]를 바탕으로 제시된 문자가 바르게 치환되었는지 판단하시오.

보기

☰☰ = ♩ ♯　　☰☰ = ♩ ♭　　☰☰ = ♩ ♪　　☰☰ = ♩ 𝄢　　☰☰ = ♩ ∥
☰☰ = ♩ ♮　　☰☰ = ♩ 𝄞　　☰☰ = ♩ ♫　　☰☰ = ♩ ⌢　　☰☰ = ♩ ♯

21

☰☰ ☰☰ ☰☰ ☰☰ － ♩ ♯ ♩ ♭ ♩ 𝄞 ♩ ♮

① 맞음　　　　　　　　　② 틀림

22

☰☰ ☰☰ ☰☰ ☰☰ － ♩ ♪ ♩ ♯ ♩ ♫ ♩ 𝄢

① 맞음　　　　　　　　　② 틀림

23

☰☰ ☰☰ ☰☰ ☰☰ － ♩ ∥ ♩ ⌢ ♩ ♭ ♩ ♯

① 맞음　　　　　　　　　② 틀림

24

☰☰ ☰☰ ☰☰ ☰☰ － ♩ ♮ ♩ ♭ ♩ 𝄞 ♩ ∥

① 맞음　　　　　　　　　② 틀림

25

☰☰ ☰☰ ☰☰ ☰☰ － ♩ ♫ ♩ ⌢ ♩ 𝄞 ♩ ♭

① 맞음　　　　　　　　　② 틀림

26

O

LPOEIHNSOQVSJKQFKVOLEJQTROPLWSQMCNCBWJRISLODJFGN
OBGQJHJEJOSBHFDQJFHSOKQ

① 5   ② 6   ③ 7   ④ 8

27

ɋ

dzɋdzɋʥdztʃfɲtɕlzɋwˈʒzzʃˈtsɋdzʥdztsʥdzɋɋ

① 4   ② 5   ③ 6   ④ 7

28

ㄹ

군인은 국군의 이념과 사명을 자각하여 정치적 중립을 엄정히 지키며 맡은 바 임무를
완수하여 국가와 국민에게 충성을 다하여야 한다.

① 4   ② 5   ③ 6   ④ 7

29

e

Great hopes make great men.

① 4   ② 5   ③ 6   ④ 7

30

▨

① 5   ② 6   ③ 7   ④ 8

1교시 지적능력평가 [언어논리]

25문항/20분

정답과 해설 P. 91

01 차별적 언어에 해당하지 <u>않은</u> 것을 고르면?

① 여의사
② 학부형
③ 간호사
④ 문둥이
⑤ 탈북자

02 다음 밑줄 친 부분과 바꿔 쓰기에 가장 적절한 것을 고르면?

> 킬트의 독특한 체크무늬가 각 씨족의 상징으로 자리 잡은 것은 1822년 영국 왕이 방문했을 때 성대한 환영 행사를 마련하면서 각 씨족장들에게 다른 무늬의 킬트를 입도록 종용하면서부터이다. 이때 채택된 독특한 체크무늬가 각 씨족을 대표하는 의상으로 <u>자리를 잡게 되었다.</u>

① 정의(定義)되었다
② 정제(精製)되었다
③ 정립(定立)되었다
④ 정착(定着)되었다
⑤ 정비(整備)되었다

03 다음 빈칸에 들어갈 사자성어로 가장 적절한 것을 고르면?

> 도널드 트럼프 전 미국 대통령이 상원 탄핵 심판에 대응하기 위해 최근 꾸렸던 변호인단이 모두 사임했다. 탄핵 심판 시작이 열흘 남짓 남은 상황에서 법률팀 구성에 어려움을 겪으면서 트럼프 전 대통령은 더욱 (   )에 빠져들고 있다. 탄핵 심판이 본격 시작하는 상황에서 변호인단이 모두 떠나면서 트럼프 전 대통령은 더욱 궁지에 몰리게 됐다.

① 수어지교(水魚之交)
② 삼고초려(三顧草廬)
③ 당랑거철(螳螂拒轍)
④ 고립무원(孤立無援)
⑤ 인산인해(人山人海)

04 관용 표현의 사용이 적절하지 <u>않은</u> 것을 고르면?

① 난 왠지 어른들 앞에만 가면 무섭더라. 그런데 철이는 장난까지 하며 자연스럽게 얘기하는 걸 보니 정말 간이 크긴 큰 것 같아.

② 내일이 시험이라 책상에 앉아 있었지만 엉덩이가 근질근질해서 공부에 집중할 수가 없었다.

③ 내가 잠시 자리를 비운 사이에 분명히 철수가 내 과자를 먹은 것 같은데, 글쎄 자기는 과자를 본 적도 없다며 시치미를 떼는 거야.

④ 우리 할머니는 고모만 보면 언제 국수 먹게 해 줄 거냐고 묻곤 하셨어.

⑤ 휴일이라 편하게 쉬고 있으니 나도 모르게 손에 땀을 쥐었다.

05 외래어 표기가 옳은 것을 고르면?

① 케이크　　　② 플레쉬　　　③ 비젼　　　④ 앙케이트　　　⑤ 밀크쉐이크

06 맞춤법이 옳은 것을 고르면?

① 강남콩　　　② 수캉아지　　　③ 수닭　　　④ 시골나기　　　⑤ 상치

07 다음 밑줄 친 단어의 쓰임이 적절하지 <u>않은</u> 것을 고르면?

① 과일은 껍질<u>째</u> 먹는 것이 좋다.
　책상에 엎드린 <u>채</u>로 잠들어 버렸다.

② 그는 그녀에게 운전을 <u>가르친다</u>.
　그는 손가락으로 북쪽을 <u>가리켰다</u>.

③ 차로를 함부로 <u>건너서는</u> 안 된다.
　그는 아내에게 월급봉투를 <u>건넸다</u>.

④ 고향에 계신 부모님이 <u>그립다</u>.
　그는 오래전에 상처했으나 아직도 옛날 부인을 <u>그리고</u> 있다.

⑤ 적은 월급에 다섯 식구가 <u>목메고</u> 살고 있다.
　30년 만에 어머니를 만난 아들은 <u>목맨</u> 소리로 어머니를 불렀다.

08 다음 밑줄 친 부분의 의미로 적절한 것을 고르면?

> 새로 입고된 물건들은 <u>잘 나가는데</u> 창고에 남은 재고들 때문에 아직은 적자입니다.

① 망가지다   ② 팔리다   ③ 더럽다

④ 깨지다   ⑤ 쌓여있다

09 다음 밑줄 친 단어 중 장음이 <u>아닌</u> 것을 고르면?

① 크리스마스엔 <u>눈</u>이 내리면 좋겠다.
② 벌에 쏘인 자리가 <u>부어</u>올라 아팠다.
③ 어느새 <u>밤</u>이 여물어 먹을 때가 되었다.
④ 공직자는 언제나 <u>공</u>과 사는 구분해야 한다.
⑤ 그의 단점은 <u>말</u>이 거칠다는 것이다.

10 다음 글에 대한 반박 의견으로 가장 적절하지 <u>않은</u> 것을 고르면?

> 매년 영어를 잘하기 위한 교육 정책이 설계되고, 투자되는 교육비는 상상을 초월한다. 유학을 가는 이유 역시 영어를 잘하기 위함이 크다. 이러한 상황을 해결하기 위한 방안으로 '영어 공용화론'이 있다. '영어 공용화론'은 국제어인 영어를 전 국민이 효과적으로 습득하고 구사하기 위해 영어를 모국어와 함께 일상생활에서 의무적으로 사용하자는 주장이다. 실제로 영어 공용화를 시행하게 되면 국민들의 영어 실력이 향상될 것이고, 높아진 영어 실력만큼 국제 경쟁력도 높아질 것이다. 특히 영어를 잘하면 외교에도 큰 도움이 될 것이다.

① 국민들의 토플 성적이 세계 상위권을 다투는 네덜란드와 덴마크가 영어를 공용어로 쓰고 있지 않다.
② 영어는 외교를 잘하기 위한 필요조건이지 충분조건이 아니다. 외교에서 중요한 것은 영어의 구사 능력보다는 상대국의 역사나 문화에 대한 이해이다.
③ 영어가 공용어가 되면 영어를 잘하는 사람과 그렇지 않은 사람 사이의 차별이 나타나게 될 것이다. 이는 국민적 갈등을 일으킬 수 있는 문제가 될 수 있다.
④ 국민들이 영어를 잘하도록 교육적 차원에서 지원하고 투자해 주는 것이 좀 더 효과적인 방법이 될 수 있다.
⑤ 영어 공용화가 국력 신장으로 이어지기까지는 꽤 오랜 시간이 걸릴 것이고, 오히려 영어권 나라에 대한 문화적 사대주의가 극심해질 수 있다.

11 다음 빈칸에 들어갈 접속어로 가장 적절한 것을 고르면?

태아는 엄마 뱃속에 있을 때 엄마의 뱃속이라는 세상밖에 모릅니다. 하지만 아이가 태어나고 맞이한 새로운 세상에는 신기하고 낯선 것들이 많습니다. 아이는 호기심을 가지고, 낯선 것들을 보고, 듣고, 만지고, 맛을 느끼는 경험을 하게 됩니다. 이러한 과정에서 아이는 필연적으로 낯선 세상에 대한 겁을 먹고 엄마를 찾게 됩니다. 이때 엄마는 아이에게 환한 미소를 보여 주며 새로운 세상에 대해 다가갈 수 있도록 도움을 줍니다. 아이는 엄마의 존재를 의식하며 안심하고 엄마에 대한 신뢰를 쌓을 수 있게 됩니다. (　　　) 이후에 아이는 엄마가 자리를 비우더라도 안심하고 씩씩하게 낯선 장소들을 탐험합니다.

① 또는　　　　　　　② 혹은　　　　　　　③ 그러나
④ 그런데　　　　　　⑤ 그래서

12 다음 글을 바탕으로 할 때, 의견이 <u>다른</u> 하나를 고르면?

2006년 ILO(국제노동기구)에 따르면 전 세계 아동 노동인구는 약 2억 2,100만 명이고, 그중에서도 노동착취를 당하는 아이들은 약 절반에 해당하는 1억 1,800만 명 정도이다. 이 중 70% 아이들은 농업과 어업, 즉 카카오 농장에서 일하거나 원양어선에서 일한다. 20%의 아이들은 음식점이나 주류점에서 서비스직으로 일한다. 중공업과 공업 일을 하는 아이들은 10% 정도이다. 이 아이들은 가정을 지키기 위해서 어린 나이부터 일을 하는 것이고, 노동을 하는 도중에 학대당하는 아이들도 다수 존재한다.

① 어린 아이들이 노동을 하게 해서는 안돼.
② 어린 아이들이 학대를 당하면서 노동을 하면 안돼.
③ 어린 아이들에게 필요한 것은 노동이 아니라 교육이야.
④ 어린 나이부터 일을 하면 성인이 돼서도 일을 더 잘 할거야.
⑤ 어린 나이에 일을 할 수밖에 없는 문제를 찾아 해결해야 해.

13 다음 글을 읽고 ㉠~㉤을 글의 흐름에 따라 순서대로 바르게 나열한 것을 고르면?

잎으로 곤충 따위의 작은 동물을 잡아서 소화 흡수하여 양분을 취하는 식물을 통틀어 식충 식물이라 한다. 대표적인 식충 식물로는 파리지옥풀이 있는데, 주로 북아메리카에 번식한다. 축축하고 이끼가 낀 곳에서 곤충을 잡아먹으며 사는 여러해살이 식물이다. 길이가 20~30센티미터인 줄기 끝에 흰색의 작은 꽃이 둥글게 무리지어 핀다. 길이가 8~15센티미터인 잎은 두 개가 중심선에 경첩 모양으로 달려 있어 거의 원형에 가까운 모양이 된다.

㉠ 두 개의 잎에는 각각 세 개씩의 긴 털, 곧 감각모가 있다.
㉡ 낮에 파리 같은 먹이가 파리지옥의 이파리에 앉으면 0.1초 만에 닫힌다.
㉢ 중심선에 경첩 모양으로 달린 두 개의 잎 가장자리에는 가시 같은 톱니가 나 있다.
㉣ 약 10일 동안 곤충을 소화하고 나면 잎이 다시 열린다.
㉤ 이 감각모에 파리 따위가 닿으면 양쪽으로 벌어져 있던 잎이 순식간에 서로 포개지면서 닫힌다.

파리지옥의 잎 표면에 있는 샘에서 곤충을 소화하는 붉은 수액이 분비되므로 잎 전체가 마치 붉은색의 꽃처럼 보인다. 파리지옥의 잎이 파리가 앉자마자 0.1초 만에 닫힐 수 있는 것은, 감각모가 받는 물리적 자극에 의해 수액이 한꺼번에 몰리면서 잎의 모양이 바뀌기 때문이라고 알려졌다.

① ㉠-㉢-㉤-㉣-㉡
② ㉠-㉢-㉣-㉡-㉤
③ ㉠-㉤-㉢-㉡-㉣
④ ㉢-㉠-㉤-㉡-㉣
⑤ ㉢-㉤-㉠-㉣-㉡

14 다음 글의 구조도로 가장 적절한 것을 고르면?

[가] 일정 수 이상의 사람이 모여 집단을 이루게 되면, 그 집단은 무질서한 상태를 유지하기보다는 역할을 부여함으로써 안정을 찾게 된다. 처음 만나는 어린아이들도 몇 번의 만남을 가지게 된 후로는 자리부터 가지고 노는 장난감, 활동하는 순서에 이르기까지 행동의 패턴이 생겨나고, 집단의 규칙이 성립된다. 이러한 일종의 패턴을 집단의 사회적 구조라고 이르는데, 그것을 구성하는 주요 요소로는 규범, 역할, 지위를 들 수 있다.

[나] 규범은 집단의 모든 구성원들의 행동에 관한 규칙과 그에 대한 기대를 이른다. 이것은 공식적인 집단에서는 토론이나 토의 같은 집단적 의사소통을 통해 공식화되고, 친구들 같은 비공식적 집단에서는 관행을 통해 불문율처럼 형성되기도 한다.

[다] 사이먼(R. Simon)은 여중생 집단에서 연애에 관한 규범이 어떻게 형성되는지를 연구하였다. 그 결과에 의하면, 그들은 연애는 중요한 것이지만, 인생을 전부 바쳐서는 안 된다는 보이지 않는 규범을 자연스럽게 형성하고 있었다고 한다.

[라] 역할은 집단 내에서 각자가 마땅히 맡아야 할 직책이나 임무에 관한 규칙과 그에 대한 기대를 이른다. 규범이 집단 내 모든 구성원의 행동에 적용된다면, 역할은 해당 직책이나 임무를 맡은 자에게만 적용된다. 역할은 집단의 특성에 따라 계약서와 같은 공식적 문서로 정해지기도 하고, 어떤 집단에서는 명시적으로 규정하지 않아 다소 애매한 경우도 존재한다.

[마] 지위는 집단 구성원의 사회적 위치를 이르는데, 집단 내에서 각각의 지위에 부여되는 권위는 서로 동일하지 않다. 예컨대, 회사의 대표는 가장 높은 지위를 가지고 회사의 주요 사안을 결정하며, 그렇기에 가장 많은 월급을 받는다. 반면에 이사는 대표에 비해 낮은 지위와 그에 대한 권한을 지닌다고 볼 수 있다.

① [가] — [나] — [다] — [라] — [마]

② [가] ┬ [나] — [다]
　　　├ [라]
　　　└ [마]

③ [가] ┬ [나] — [다]
　　　└ [라] — [마]

④ [가] — [나] ┬ [다]
　　　　　├ [라]
　　　　　└ [마]

⑤ [가] ┬ [나]
　　　├ [다]
　　　├ [라]
　　　└ [마]

15 다음 글의 뒤에 이어질 내용으로 적절하지 <u>않은</u> 것을 고르면?

> 유명한 과학자나 예술가들의 전기를 읽어보면 꿈속에서의 착상이 창조적인 업적의 결정적 계기를 만들어 준 예들을 접할 수 있다.

① 뇌 속의 신경 전달 물질의 일종인 아세틸코린의 기능을 밝혀 낸 뢰이는 꿈에서 영감을 얻었다.
② 시인 코올리지는 꿈에서 착상했던 사물을 잠에서 깨어 나와 그대로 옮겨 써서 〈쿠빌라이칸〉을 발표하였다.
③ 재봉틀을 발명한 하우어는 꿈에서 외계인들로부터 "재봉틀을 만들어 주지 않으면 죽인다"고 위협을 받았다고 한다.
④ 프로이트는 〈꿈의 해석〉에서 꿈속에 숨어있는 욕망이나 불안을 자유연상의 방법으로 기술하는 것과 이에 관한 이론을 전개하였다.
⑤ 화학자 케큘레는 벤젠의 문자구조를 그리는 법을 고민하던 중, 꿈에서 원자들이 뱀으로 변해 입으로 자기의 꼬리를 물고 있는 것을 보고 이를 본 떠 벤젠 구조식을 그려내었다.

16 다음 (가)~(마) 중 글의 통일성을 유지하기 위해 삭제해야 하는 문장을 고르면?

> (가) 난 우리나라에서 가장 힙합 댄스를 잘 추고 랩을 잘 하는 게 꿈이야. (나) 헐렁한 바지를 입고 음악에 맞춰 몸을 움직일 때 내가 정말 살아있다는 느낌이 들어. (다) 기회가 되면 여러 사람들 앞에서 내가 춤추는 모습을 보여 주고 싶어. (라) 그런 나의 모습을 보면서 내가 얼마나 춤을 사랑하고 춤을 추며 행복해 하는지 말해 줬으면 좋겠어. (마) 힙합 댄스는 누가 뭐래도 해밀리의 장군이 최고야. 그는 1990년도의 유명한 힙합그룹 출신인데 지금은 후배들을 키우고 있고 경제적으로도 성공했어.

① (가) 　　② (나) 　　③ (다) 　　④ (라) 　　⑤ (마)

17 다음 빈칸 ㉠에 들어갈 문장으로 가장 적절한 것을 고르면?

사이버 공간에서 한 통신망에서 다른 통신망으로의 순환은 다소간 고도의 정보처리능력, 아니면 적어도 길고 고통스러운 학습이 오랫동안 요구되었다. (㉠) 새로운 세대의 소프트웨어 도구와 자동 검색 서비스는 난해한 코드 조작에서 벗어나게 하고 정보 탐색에서 오래된 학습을 피하도록 한다. 인간과 컴퓨터 간의 관계가 더 공생적이 되고, 소프트웨어와 서로 다른 어플리케이션 사이 작업 공간의 경계가 사라지고 있다. 컴퓨터와 프린트 그리고 스캐너, 이미지와 소리의 캡처와 재생 장치와의 연결이 용이해지면서, 인터페이스의 발전은 오늘날 사이버 공간의 불투명성에 도전한다.

① 이러한 상황은 보편적인 현상이다.
② 이러한 상황은 이제 끝나가고 있다.
③ 이러한 상황은 한동안 지속될 것이다.
④ 이러한 상황은 새로운 패러다임을 만들고 있다.
⑤ 이러한 상황은 사이버 공간에서만 일어나는 일이 아니다.

18 다음 밑줄 친 ㉠~㉤ 중 문맥적 의미가 <u>다른</u> 하나를 고르면?

이 강퍅한 난장에서 모질고 독해지는 것은 언어다. 말에 완곡함이 사라지고 글에서 ㉠ 행간이 증발한다. 말하는 본새와 글 쓰는 품새에 간을 맞추지 않으니 곱씹을 맛도 없다. ㉡ 음미와 상상이 봉쇄된 말글에서 목도하는 것은 파시즘적 광증이다. 불문곡직하는 직설은 사람을 찌른다. 깜짝 놀라게 해서 제압하는 방식이다. 그에 비해 완곡함은 뜸을 들이면서 에두른다. 듣고 읽는 이가 비켜갈 ㉢ 틈을 준다. 그렇다고 완곡함이 곡필인 것도 아니다. 잘못된 길로 접어들도록 하는 게 아니라 화자와 독자의 교행이 이루어지는 공간을 준다. 곱씹어볼 말이 사라지고 상상의 ㉣ 여지를 박탈하는 글이 군림하는 세상은 살풍경하다. 말과 글이 세상을 따라갈진대 세상을 갈아엎지 않고 말과 글이 세상과 함께 아름답기는 난망한 일인가. 아마 아닐 것이다. 막힐수록 옛것을 더듬으라고 했다. 물태와 인정이 극으로 나뉘는 ㉤ 세상에서 다산 정약용은 선인들이 왜 산을 바라보면 즐기되 그 흥취의 반을 항상 남겨두는지 궁금했다. 그는 미인을 만났던 사람이 적어놓은 글에서 그 까닭을 발견했다. 그가 본 글은 이러했다. "얼굴은 아름다웠으나 그 자태는 기록하지 않는다."

① ㉠   ② ㉡   ③ ㉢   ④ ㉣   ⑤ ㉤

19 다음 밑줄 친 ㉠에서 발견할 수 있는 오류에 해당하는 것을 고르면?

> 인간이라면 누구든지 만 세 살 정도밖에 안 되는 몽매(蒙昧)한 나이에 전화까지 받을 수 있을 정도로 모어(母語)에 유창해진다. 나이가 든 뒤에 외국어를 배우기 위해서 쩔쩔맨 경험을 생각해 본다면, 어린이의 언어 습득 능력이 얼마나 신비한 능력인지를 알 수 있을 것이다. 이런 점에서, ㉠인간의 두뇌 속에는 아주 어린 나이에도 언어를 습득할 수 있는 특별한 장치가 있는 것이 아닌가 하는 가설(假說)이 제기되기도 하였다. 이는 아직 구체적으로 증명된 것은 아니지만, 그러한 장치가 없다고 한다면 그처럼 완벽하게 이루어지는 언어의 습득 과정을 합리적으로 설명하기가 매우 어렵다.

① 귀신은 분명히 존재한다. 아직까지 귀신이 없다는 것을 증명한 사람이 없기 때문이다.

② 그는 시립 도서관 옆에 산다. 그러니 그는 책과 가까이 지내는 사람이다. 따라서 그는 학식이 매우 풍부할 것이다.

③ 그 영화는 명작임이 틀림없어. 벌써 10만 명이나 관람했고, 표를 구하기도 어렵잖아.

④ 법 앞에 모두 평등해야 한다는 그의 말은 주의해야 할 필요가 있어. 그는 부인과 사이가 좋지 않기로 유명하니깐.

⑤ 고양이가 내 앞을 앞질러 지나갔는데, 5분 후에 난 교통사고를 당했어. 내가 교통사고를 당한 이유는 아마 고양이 때문일 거야.

20 다음과 같은 글을 읽을 때 유의할 점이 아닌 것을 고르면?

> 동물의 감정은 1차 감정과 2차 감정으로 나뉜다. 1차 감정이 본능적인 것이라면 2차 감정은 다소간 의식적인 정보 처리가 요구되는 것이다. 대표적인 1차 감정은 공포감이다. 공포감은 생존 기회를 증대시키므로 모든 동물이 타고난다. 예컨대 거위는 포식자에게 한 번도 노출된 적이 없는 새끼일지라도 머리 위로 독수리를 닮은 모양새만 지나가도 질겁하고 도망친다. 한편 2차 감정은 기쁨, 슬픔, 사랑처럼 일종의 의식적인 사고가 개입되는 감정이다. 동물이 사람처럼 감정을 가지고 있는지에 대해 논란이 되는 대상이 바로 2차 감정이다. 그러므로 동물도 감정을 가지고 있다고 할 때의 감정은 2차 감정을 의미한다.

① 주요 내용과 부수적 내용을 구분하여 읽는다.

② 새롭게 알게 된 사실이 무엇인지 정리하며 읽는다.

③ 각 문단의 주요 내용과 문단 간의 연결 관계를 파악하며 읽는다.

④ 주요 사건과 관련된 자신의 경험을 떠올려보고 공감하며 읽는다.

⑤ 특정 단어의 사전적 의미 및 문맥적 의미를 정확하게 파악하며 읽는다.

사람들은 상호의존적인 성격을 가지고 있어 어떤 사람의 소비가 다른 사람의 소비에 영향을 받는 경우를 종종 볼 수 있다. 예를 들어 친구들이 어떤 게임기를 사자 자신도 그 게임기를 사겠다고 결심하는 경우가 그것이다. 이와 같이 어떤 사람의 소비가 다른 사람의 소비에 의해 영향을 받을 때 '네트워크 효과'가 있다고 말한다. 그 상품을 쓰는 사람들이 일종의 네트워크를 형성해 다른 사람의 소비에 영향을 준다는 뜻에서 이런 이름이 붙었다. 이 네트워크 효과의 대표적인 것으로 '유행효과'와 '속물효과'가 있다.

어떤 사람들이 특정 옷을 입으면 마치 유행처럼 주변 사람들도 이 옷을 따라 입는 경우가 있다. 이처럼 다른 사람의 영향을 받아 상품을 사는 것을 '유행효과'라고 부른다. 유행효과는 일반적으로 특정 상품에 대한 수요가 예측보다 더 늘어나는 현상을 설명해 준다. 예를 들어 옷의 가격이 4만 원일 때 5천 벌의 수요가 있고, 3만 원일 때 6천 벌의 수요가 있다고 하자. 그런데 유행효과가 있으면 늘어난 소비자의 수에 영향을 받아 새로운 소비가 창출되게 된다. 그래서 가격이 3만 원으로 떨어지면 수요가 6천 벌이 되어야 하지만 실제로는 8천 벌로 늘어나게 된다.

반면에, 특정 상품을 다른 사람들이 소비하면 어떤 사람들은 그 상품의 소비를 중단하는 경우가 있다. 자신들만이 그 상품을 소비할 수 있다는 심리적 만족감을 채울 수 없기 때문이다. 이처럼 어떤 상품을 소비하는 사람의 수가 증가함에 따라 그 상품을 사지 않는 것을 '속물효과'라고 부른다. 속물효과는 일반적으로 특정 상품에 대한 수요가 예측과는 달리 줄어드는 현상을 설명해 준다. 예를 들어 옷의 가격이 비싸 많은 사람들이 그 옷을 사지 못하는 상황에서, 가격이 떨어지면 수요가 늘어나야 한다. 그런데 속물효과가 발생하면 가격이 떨어져도 소비가 예측보다 적게 늘어난다. 가격이 떨어지면서 소비하는 사람의 수가 늘어남에 따라 이에 심리적 영향을 받은 사람들이 소비를 중단하기 때문이다.

우리는 보통 다른 사람의 영향을 받지 않고 자신의 기호와 소득을 고려하여 합리적으로 소비를 결정한다고 생각한다. 그러나 현실 세계에서는 이런 생각이 빗나갈 때가 많다. 실제로는 어떤 사람의 소비가 다른 사람에 의해 영향을 받을 때가 많기 때문이다. 미국의 하비 라이벤스타인(Harvey Leibenstein)이 이론적인 기초를 세운 네트워크 효과는 이런 실제 경제 현상에 대한 우리의 이해를 돕는다는 점에서 그 의의가 있다.

21 주어진 글의 제목으로 가장 적절한 것을 고르면?

① 네트워크 효과란 무엇인가?
② 상품의 희귀성에 따른 소비 변화
③ 유행효과와 속물효과란 무엇인가?
④ 합리적인 소비가 어려운 까닭은?
⑤ 실제 경제학에서의 네트워크 효과의 기능

22 주어진 글을 읽고 '유행효과'의 사례로 적절한 것을 고르면?

① 지호는 자신이 차고 있던 시계를 디자인이 더 예쁜 다른 시계로 바꿨다.
② 채아는 자신이 타고 다니던 자동차보다 성능이 더 좋은 자동차로 바꿨다.
③ 민호는 주위 친구들이 유명한 운동화를 신자 자신도 그 운동화로 바꿨다.
④ 명원은 명품 가방을 애용해왔지만 가격이 저렴한 다른 가방으로 바꿨다.
⑤ 민지는 값을 내린 단골 고급 식당에 손님이 몰리자 다른 고급 식당으로 바꿨다.

23 다음 밑줄 친 ㉠의 직접적 논거에 해당하는 것을 고르면?

> 키케로가 이미 갈파했듯이 ㉠ 철학자의 책 속에서 찾을 수 있는 것은 오직 어리석음뿐이다. 확실히 철학자들은 상식을 거부하고 온갖 지혜를 추구한다. 그리고 대부분의 철학적 비상(飛翔)은 희박한 공기의 상승력에 의존하고 있다. 그래서 과학은 항상 진보하고 있는 것처럼 보이는 반면에, 철학은 언제나 근거를 잃고 있는 것처럼 보인다. 그러나 이와 같이 보이는 것은 철학이 과학적 방법으로는 해결하지 못하는 선과 악, 아름다움과 추함, 질서와 자유, 삶과 죽음 등과 같은 어렵고 위험한 문제들을 다루고 있기 때문이다.

① 철학자들은 과학의 무가치함을 안다.
② 철학자들은 상식과 지혜를 혼동한다.
③ 철학자들은 기술의 의존도를 낮추려 한다.
④ 철학자들은 기존의 지식을 추구하지 않는다.
⑤ 철학자들은 자신의 생각만이 진리라 여긴다.

24 다음 글을 이해한 내용으로 적절한 것을 고르면?

비극은 고대 그리스 시대부터 발전해 온 대표적인 극 양식이다. 비극은 고양된 주제를 묘사하며, 불행한 결말을 맺게 하는 것이 일반적이다. 그러나 비극의 개념은 시대와 역사에 따라 변모하고 있다. 그리스 시대의 비극이 운명적으로 비극적 결함을 가진 인간이 파멸하는 모습을 그려 냈다면, 근대의 비극은 인물의 성격이나 상황의 문제로 인하여 패배하는 인간의 모습을 주로 그려 낸다.

비극의 그 본질적 속성을 살펴보면 역사적이라기보다 오히려 철학적이다. 비극의 주인공은 일상적인 주변 인간들보다 고귀하고 비범한 인물로 그려진다. 그런데 이 주인공은 이른바 비극적 결함이라고 하는 운명적 특징을 지니고 있다. 비극의 관객들은 이 주인공의 비극적 운명에 대한 공포와 비애를 간접 체험하면서 카타르시스에 이르게 된다. 아리스토텔레스는 이 카타르시스를 통해 비극을 인간의 삶의 중심에 위치시킨다. 아리스토텔레스는 비극의 결말이 불행하게 끝나는 것이 좋다고 보았으나, 불행한 결말이 비극에 필수적이라고는 생각하지는 않았다. 사실 그리스 비극 가운데 결말이 좋게 끝나는 작품도 적지 않다.

니체는 그리스 비극을 기초로 예술가의 형이상학이라는 자신의 예술적 세계관을 형성하였다. 니체의 이러한 해석은 이전의 거의 모든 비극 해석이 기초하고 있던 아리스토텔레스 비극이론과 비판적 거리를 두고 있다고 할 수 있다. 한 가지 예를 들면 아리스토텔레스는 비극에 나타나는 음악을 비극의 단순한 양념 정도로 여기고 행위나 말에 집중했다면 니체는 음악에 주목했다는 점이다. 니체의 비극 해석은 특정 예술작품에 대한 이론을 제시하려는 시도라기보다는 비극 작가로서 예술가가 비극을 산출, 공연함으로써 대중들로 하여금 그것을 향유하게 만든 동기에 관한 이론을 구성해 보려는 작업으로 규정할 수 있다.

① 비극 해석의 기초를 정립하고 주인공의 비극적 결함에 주목한 사람은 니체이다.
② 아리스토텔레스는 그리스 비극을 해석하면서, 불행한 결말을 통해 주제가 구현된다고 보았다.
③ 근대 비극은 니체의 견해에 따라 인물의 성격이나 상황에 의해 패배한 인간의 모습을 그려냈다.
④ 비극에서 배경 음악보다 중요한 것은 주인공의 행위나 말이며, 이는 예술가의 세계관 형성에 기초한다.
⑤ 비극의 관객들은 비범한 주인공의 비극적 운명을 바라봄으로써 카타르시스에 이를 수 있다.

25 다음 글의 내용과 일치하지 <u>않는</u> 것을 고르면?

이산화탄소뿐 아니라 메탄, 수증기, 프레온가스 등의 온실가스는 지구온난화 현상의 주요 원인으로 꼽힌다. 온난화 현상으로 지구의 연평균기온이 올라가면 대기의 수증기량이 많아져 평균 강수량이 증가한다. 그 결과 홍수나 가뭄으로 이어질 수 있으며, 해수면의 상승으로 빙하가 녹는다. 또한 온실가스로 인한 지구온난화는 환경파괴뿐 아니라 우리 몸에 직접 문제를 일으킬 수 있다.

지구온난화 현상이 심해지면 자외선을 흡수·차단하는 역할을 하는 구름의 성질과 분포가 변화한다. 특히 옅은 구름이 많아질 수 있는데, 먹구름은 지상에 도달하는 자외선을 70%까지 흡수하지만 옅은 구름은 20%도 채 흡수하지 못한다. 결국 자외선에 의한 피부 자극 위험을 높여 피부 노화가 빨라지고 피부암 발생률이 증가할 위험도 있다. 실제 대기 온도가 1도 증가할 때 자외선에 의한 피부암 발생이 3~7% 증가했다는 동물실험 결과가 있다.

지구온난화가 가속화되면 생태계 변화로 피부 감염증 위험도 커진다. 지금까지 국내에서 거의 발견되지 않았던 악성 진드기 감염증인 '라임병'이 국내에서 보이기 시작한 것이 하나의 예이다. 또, 남부지역에서 주로 나타나던 계절성 질환인 '쯔쯔가무시병'이 경기 북부에서도 흔히 관찰된다. 전문가들은 이후 열대 토착병으로 여겨졌던 '뎅기열', '리슈마니아증' 등의 국내 발생도 우려하고 있다.

① 지구온난화는 수증기량을 증가시켜 홍수를 일으킨다.
② 지구온난화는 환경뿐 아니라 인간에게도 부정적 영향을 끼친다.
③ 지구온난화는 먹구름을 증가시켜 피부 노화를 촉진시킨다.
④ 지구온난화는 생태계를 변화시켜 피부 감염증 위험을 키운다.
⑤ 지구온난화는 대기 온도를 높여 연평균기온을 높인다.

1교시 지적능력평가 [자료해석]

01 A팀의 한 달 회식비는 200만 원이다. 한 달 전체 회식비 중 40%는 1주 차에 사용하였고, 남은 회식비의 80%를 2주 차에 사용하였으며, 이후 남은 회식비의 70%는 3주 차에 사용하였다. 4주 차에는 회식비가 얼마 안 남은 관계로 근처 편의점에서 아이스크림을 구매해서 회식비를 모두 사용할 계획이다. 아이스크림은 한 개당 500원이며 20%를 할인해 준다고 할 때, 아이스크림을 최대 몇 개 살 수 있는지 고르면?

① 100개   ② 180개   ③ 240개   ④ 300개

02 다음 [표]에 대한 설명으로 옳지 않은 것을 고르면?

[표] 연도별 발전소 개수 및 연료 소비량

구분	발전소 개수	연료 소비량
2010년	249	801
2012년	853	199
2014년	456	192
2016년	876	92
2018년	286	574
2020년	480	111

※ 총 연료 소비량＝발전소 개수×연료 소비량

① 발전소 개수는 2016년이 가장 많다.
② 2014년 총 연료 소비량 대비 2020년 총 연료 소비량의 감소율은 60% 이상이다.
③ 2012년의 총 연료 소비량은 2018년의 총 연료 소비량보다 많다.
④ 발전소 개수와 연료 소비량은 상관관계가 없다.

03 갑, 을, 병 중에서 점수가 높은 두 사람이 시상대에 오르는 경기가 있다. 경기 결과 총 점수는 3,270점이었고, 갑과 을이 시상대에 올랐다. 을의 점수는 병의 점수보다 50점이 높았다. 만일 병의 점수가 기존 점수에 추가로 갑 점수의 4%에 해당하는 점수를 받았다면 을은 병보다 10점이 적게 되어 시상대에 오르지 못했을 것이다. 이때, 갑의 점수를 고르면?

① 800점   ② 900점   ③ 1,200점   ④ 1,500점

[04~05] 다음 [표]는 2005년 서비스 인구 기준 세계 10대 물 기업 현황에 관한 자료이다. 이를 바탕으로 질문에 답하시오.

[표] 2005년 세계 10대 물 기업 현황

순위	기업명(국가)	서비스 인구 (만 명)	국외 비중(%)	2004년 대비 서비스 인구 증감(만 명)	물 부문 매출액 (백만 달러)
1	수에즈(프랑스)	12,002	86.0	265	6,986
2	베올리아(프랑스)	11,753	79.0	937	9,805
3	알베에(독일)	7,537	61.0	592	4,065
4	아그바(스페인)	3,490	54.0	−32	968
5	사베습(브라질)	2,560	0.0	50	1,656
6	유틸리티즈(영국)	2,383	57.0	170	1,126
7	FCC(스페인)	1,740	45.0	200	514
8	아체아(이탈리아)	1,545	44.0	193	366
9	서번트렌트(영국)	1,448	43.0	96	1,126
10	소어(프랑스)	1,371	56.0	−1,981	1,531
	합계	45,829	—	—	28,143

04 주어진 [표]에 대한 설명으로 옳은 것을 [보기]에서 고르면?

┤ 보기 ├

㉠ 2005년 세계 물 부문 매출액이 400억 달러라면, 세계 10대 물 기업이 세계 물 부문 매출액의 80% 이상을 점유하고 있다.
㉡ 2005년 세계 10대 물 기업 중, 국외 서비스 인구가 2,000만 명 이상인 회사는 3개이다.
㉢ 2004년 대비 2005년 서비스 인구 증가율이 7% 이상인 회사는 베올리아, 알베에, 유틸리티즈, FCC, 아체아 5개이다.
㉣ 2005년 소어의 국내 서비스 인구는 600만 명 이하이다.

① ㉠, ㉡   ② ㉠, ㉣   ③ ㉡, ㉢   ④ ㉢, ㉣

05 2005년 수에즈의 국내 서비스 인구수에 가장 가까운 것을 고르면?

① 약 1,678만 명   ② 약 1,680만 명   ③ 약 1,682만 명   ④ 약 1,684만 명

[06~07] 다음 [표]는 1999~2007년 서울시 거주 외국인의 국적별 인구 분포에 관한 자료이다. 이를 바탕으로 질문에 답하시오.

[표] 서울시 거주 외국인의 연도별 국적별 분포 (단위: 명)

구분	1999년	2000년	2001년	2002년	2003년	2004년	2005년	2006년	2007년
대만	3,011	2,318	1,371	2,975	8,908	8,899	8,923	8,974	8,953
독일	1,003	984	937	997	696	681	753	805	790
러시아	825	1,019	1,302	1,449	1,073	927	948	979	939
미국	18,763	16,658	15,814	16,342	11,484	10,959	11,487	11,890	11,810
베트남	841	1,083	1,109	1,072	2,052	2,216	2,385	3,011	3,213
영국	836	854	977	1,057	828	848	1,001	1,133	1,160
인도	491	574	574	630	836	828	975	1,136	1,173
일본	6,332	6,703	7,793	7,559	6,139	6,271	6,710	6,864	6,732
중국	12,283	17,432	21,259	22,535	52,572	64,762	77,881	119,300	124,597
캐나다	1,809	1,795	1,909	2,262	1,723	1,893	2,084	2,300	2,374
프랑스	1,180	1,223	1,257	1,360	1,076	1,015	1,001	1,002	984
필리핀	2,005	2,432	2,665	2,741	3,894	3,740	3,646	4,038	4,055
호주	838	837	868	997	716	656	674	709	737
서울시 전체	57,189	61,920	67,908	73,228	102,882	114,685	129,660	175,036	180,857

※ 2개 이상 국적을 보유한 자는 없는 것으로 가정함.

06 주어진 [표]에 대한 설명으로 옳은 것을 [보기]에서 고르면?

┤ 보기 ├

㉠ 서울시 거주 중국 국적 외국인 수는 매년 증가하였다.

㉡ 2001년 서울시 거주 전체 외국인 중 미국 국적 외국인이 차지하는 비중은 30% 이상이다.

㉢ 제시된 국적 중 2000~2002년 사이에 서울시 거주 외국인 수가 매년 증가한 국적은 6개이다.

㉣ 1999년 서울시 거주 전체 외국인 중 대만 국적 외국인과 독일 국적 외국인의 합이 차지하는 비중은 2007년 서울시 거주 전체 외국인 중 미국 국적 외국인과 필리핀 국적 외국인의 합이 차지하는 비중 보다 작다.

① ㉠, ㉡   ② ㉠, ㉣   ③ ㉡, ㉢   ④ ㉢, ㉣

07 2005년 서울시 거주 외국인 인구의 전년 대비 증가율이 가장 높은 국가를 고르면?

① 독일   ② 미국   ③ 영국   ④ 중국

08 A학교 교사인 B는 학교에서 진행될 교육을 위하여 연필을 1인당 하나씩 배치하려고 한다. 다음을 참고할 때, 행사에 참여하는 인원은 총 몇 명인지 고르면?

> • 한 줄에 8자루씩 연필을 놔두었다.
> • 단상에 12자루의 연필을 놓고 나니 전체 인원에 맞게 배치가 되었다.
> • 각 줄에 놓는 연필의 개수를 4개 늘렸더니 각 줄에 빈자리 없이 배치가 되었고, 단상에 따로 놓은 연필없이 18줄이 줄어들었다.
> • 전체 연필의 양은 변화가 없다.

① 434명 ② 450명 ③ 468명 ④ 482명

09 다음 [표]는 제2차 세계대전 주요참전국의 군사비지출에 관한 자료이다. 이에 대한 설명으로 옳지 <u>않은</u> 것을 [보기]에서 모두 고르면?

[표] 주요참전국의 군사비지출 (단위: 백만 달러)

구분	1930년	1934년	1938년
A	722	3,479	5,429
B	699	803	1,131
C	162	709	7,415

| 보기 |

㉠ 1930년에 비해 1934년에 A국가의 군사비지출은 5배 이상 증가하였다.
㉡ 조사기간 동안 모든 주요참전국의 군사비지출은 지속적으로 증가하고 있다.
㉢ 1938년에 C국가의 군사비지출은 약 7억 4천만 달러이다.

① ㉠ ② ㉡ ③ ㉠, ㉢ ④ ㉡, ㉢

[10~11] 갑과 을은 공동으로 사업을 진행하며 얻은 총 순이익을 다음 [표]와 [조건]를 기준으로 분배하기로 하였다. 이를 바탕으로 질문에 답하시오.

[표] 갑과 을이 공동 사업을 진행하며 얻은 분야별 수익과 총 순이익 (단위: 억 원)

구분	갑	을
출자금	200	600
식품사업	150	450
교육사업	300	300
군수사업	500	250
관광사업	400	600
총 순이익	1,000	

┤ 조건 ├
1. 갑과 을은 총 순이익에서 각각의 출자금의 50%에 해당하는 금액을 우선 배분받는다.
2. 총 순이익에서 [조건1]의 금액을 제외하고 나머지 금액에 대한 분배 기준은 식품, 교육, 군수, 관광사업 중 어느 하나로 결정하며, 갑과 을이 얻은 수익과 동일한 비율로 분배액을 정한다.

10 군수사업을 분배 기준으로 결정할 경우, 총 순이익에서 갑이 분배받는 금액을 고르면?

① 450억 원　　　② 500억 원　　　③ 520억 원　　　④ 670억 원

11 갑과 을의 최종 분배액이 동일하려면 [조건2]의 분배 기준이 되는 사업 분야가 되어야 하는 것을 고르면?

① 식품사업　　　② 교육사업　　　③ 군수사업　　　④ 관광사업

[12~13] 다음 [표]는 A 자치구 문화재 보수공사 추진 현황에 관한 자료이다. 이를 바탕으로 질문에 답하시오.

[표] A 자치구 문화재 보수공사 추진현황　　　　　　　　　　　　　　　　　　(단위: 백만 원)

문화재 번호	공사내용	사업비				공사기간	공정
		국비	시비	구비	합계		
1	정전 동문보수	700	300	0	1,000	2008. 1. 3.~2008. 2. 15.	공사 완료
2	본당 구조보강	0	1,106	445	1,551	2006. 12. 16.~2008. 10. 31.	공사 완료
3	별당 해체보수	0	256	110	366	2007. 12. 28.~2008. 11. 26.	공사 중
4	마감공사	0	281	49	330	2008. 3. 4.~2008. 11. 28.	공사 중
5	담장보수	0	100	0	100	2008. 8. 11.~2008. 12. 18.	공사 중
6	관리실 신축	0	82	0	82	계획 중	
7	대문 및 내부 담장 공사	17	8	0	25	2008. 11. 17.~2008. 12. 27.	공사 중
8	행랑채 해체보수	45	45	0	90	2008. 11. 21.~2009. 6. 19.	공사 중
9	벽면보수	0	230	0	230	2008. 11. 10.~2009. 9. 6.	공사 중
10	방염공사	9	9	0	18	2008. 11. 23.~2008. 12. 24.	공사 중
11	소방·전기 공사	0	170	30	200	계획 중	
12	경관조명 설치	44	44	0	88	계획 중	
13	단청보수	67	29	0	96	계획 중	

※ 공사는 제시된 공사기간에 맞추어 완료하는 것으로 가정함.

12 주어진 [표]에 대한 설명으로 옳은 것을 고르면?

① 이 표가 작성된 시점은 2008년 11월 21일 이전이다.
② 전체 사업비 중 국비와 구비의 합은 전체 사업비의 절반 이상이다.
③ 사업비의 60% 이상을 시비로 충당하는 문화재 수는 전체의 60% 이상이다.
④ 공사 중인 문화재 사업비 합은 공사 완료된 문화재 사업비 합의 45% 이상이다.

13 문화재 보수공사 내용 중 전체 사업비에서 시비가 차지하는 비율이 가장 낮은 공사 내용을 고르면?

① 정전 동문 보수　　　　　　② 별당 해체 보수
③ 대문 및 내부 담장 공사　　④ 소방·전기 공사

14 P시점에 1,100원이었던 원/달러 환율이 Q시점에 950원이 되었을 경우에 대한 설명으로 옳지 <u>않은</u> 것을 고르면?

① 원화는 평가절상되었고 달러화는 평가절하되었다.
② P시점에 취득한 달러화를 Q시점에도 가지고 있었다면 원화의 환차익을 잃을 것이다.
③ P시점에 출국하며 달러를 산 사람이 Q시점에 입국하여 원화로 환전하면 손해다.
④ 환율의 하락률은 5.7% 이하이다.

15 다음 [표]는 신재생 에너지 및 절약 분야 사업 현황에 관한 자료이다. 지원금과 사업 수는 비례 관계라고 할 때, 신재생 에너지 사업 수를 고르면?

[표] 신재생 에너지 및 절약 분야 지원금과 사업 수
(단위: 억 원, %, 건)

구분	신재생 에너지	절약	합계
지원금(비율)	3,600(85.7)	600(14.3)	4,200(100.0)
사업 수	( )	( )	1,050

※ '신재생 에너지' 분야의 사업 수는 '절약' 분야의 사업 수보다 많음.

① 150건　　　② 400건　　　③ 600건　　　④ 900건

[16~17] 다음 [표]는 조선시대 과거시험의 종류와 합격자 수에 관한 자료이다. 이를 바탕으로 질문에 답하시오.

[표] 조선시대 과거시험의 종류와 합격자 수 (단위: 명)

종류			초시(1차)	복시(2차)	전시(3차)
문과			240	33	갑과: 3 을과: 7 병과: 23
소과		생원시	700	100	−
		진사시	700	100	−
무과			190	28	갑과: 3 을과: 5 병과: 20
잡과	역과	한학	45	13	−
		몽학	4	2	−
		왜학	4	2	−
		여진학	4	2	−
	의과		18	9	−
	음양과	천문학	10	5	−
		지리학	4	2	−
		명과학	4	2	−
	율과		18	9	−

※ '−'은 전시가 없음을 의미함.

16 주어진 [표]에 대한 설명으로 옳지 않은 것을 [보기]에서 고르면?

┤ 보기 ├

㉠ 문과의 초시 합격자 수 대비 복시 합격자 수 비율은 생원시의 초시 합격자 수 대비 복시 합격자 수 비율보다 높다.
㉡ 무과의 복시 합격자와 전시 합격자의 수는 동일하다.
㉢ 한학의 초시 합격자 수 대비 복시 합격자 수 비율은 의과의 초시 합격자 수 대비 왜학 복시 합격자 수 비율보다 낮다.
㉣ 무과의 초시 합격자 수 대비 복시 합격자 수 비율은 15% 미만이다.

① ㉠, ㉡   ② ㉠, ㉢   ③ ㉡, ㉢   ④ ㉢, ㉣

17 문과의 복시 합격자 수 대비 전시 병과 합격자 수 비율을 고르면?(단, 소수점 둘째 자리부터 절사한다.)

① 66.6%   ② 67.6%   ③ 68.6%   ④ 69.6%

18 A시험에 서류를 제출한 남자와 여자의 비율이 4:3이었으나, 서류를 통과하지 못한 남자 2명과 여자 4명으로 인해 서류를 통과한 남녀의 비는 3:2가 되었다. 서류를 제출한 남자의 수는 몇 명인지 고르면?

① 32명   ② 36명   ③ 40명   ④ 45명

19 다음 [표]는 북한의 연대별 대남 도발 현황에 관한 자료이다. 이에 대한 설명으로 옳은 것을 고르면?

[표] 북한의 대남 도발 현황 (단위: 건)

구분	합계	50년대	60년대	70년대	80년대	90년대	00년대	10년대
합계	3,120	399	1,336	403	227	250	241	264
침투	2,002	379	1,009	310	167	94	16	27
국지도발	1,118	20	327	93	60	156	225	237

※ 50년대부터 90년대는 1900년대, 00년대 이후부터는 2000년대임.

① 북한의 대남 침투 도발 건수는 조사기간 동안 계속해서 감소하고 있다.
② 80년대의 국지도발 건수는 50년대 국지도발 건수의 3배 미만이다.
③ 총 대남 도발 건수는 60년대까지 증가하다가 이후 감소하였다.
④ 총 대남 도발 건수는 00년대에 비해 10년대에 20건 이상 증가하였다.

20 다음은 어떤 시험의 점수를 나열한 것이다. 해당 점수들의 분산을 고르면?

	70	80	80	90	

① 10   ② 30   ③ 50   ④ 200

2022 시험변경 개정판

에듀윌 육군부사관

실전 모의고사 4회

정답과 해설

1교시 지적능력평가 [공간능력]

01	02	03	04	05	06	07	08	09	10	11	12	13	14	15	16	17	18	
②	②	②	④	④	③	②	②	②	②	②	③	③	④	③	①	②	①	

01 ②

Quick해설 제시된 정육면체의 꼭짓점 ③~④를 잇는 선에 맞닿은 두 면을 전개도에서 찾으면 정답은 ②이다.

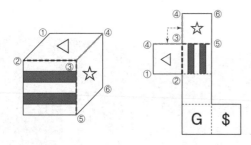

02 ②

Quick해설 제시된 정육면체의 꼭짓점 ②~③을 잇는 선에 맞닿은 두 면과 꼭짓점 ③~④를 잇는 선에 맞닿은 두 면을 전개도에서 찾으면 정답은 ②이다.

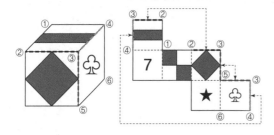

03 ②

Quick해설 제시된 정육면체의 꼭짓점 ②~③을 잇는 선에 맞닿은 두 면을 전개도에서 찾으면 정답은 ②이다.

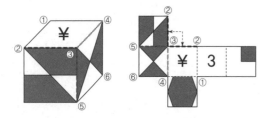

04 ④

제시된 정육면체의 꼭짓점 ②~③을 잇는 선에 맞닿은 두 면과 꼭짓점 ③~④를 잇는 선에 맞닿은 두 면을 전개도에서 찾으면 정답은 ④이다.

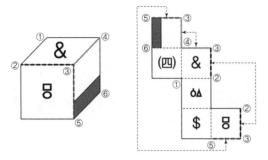

05 ④

제시된 정육면체의 꼭짓점 ②~③을 잇는 선에 맞닿은 두 면과 꼭짓점 ③~⑤를 잇는 선에 맞닿은 두 면을 전개도에서 찾으면 정답은 ④이다.

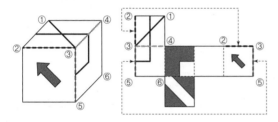

06 ③

제시된 정육면체의 꼭짓점 ①~②를 잇는 선에 맞닿은 두 면이 같은 결합도를 찾으면 정답은 ③이다.

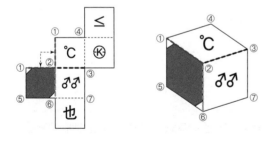

07 ②

제시된 정육면체의 꼭짓점 ①~②를 잇는 선에 맞닿은 두 면과 꼭짓점 ②~③을 잇는 선에 맞닿은 두 면이 같은 결합도를 찾으면 정답은 ②이다.

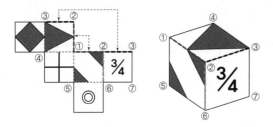

08 ②

Quick해설 제시된 정육면체의 꼭짓점 ②~③을 잇는 선에 맞닿은 두 면과 꼭짓점 ②~⑥을 잇는 선에 맞닿은 두 면이 같은 결합도를 찾으면 정답은 ②이다.

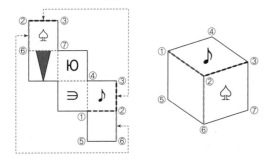

09 ②

Quick해설 제시된 정육면체의 꼭짓점 ①~②를 잇는 선에 맞닿은 두 면과 꼭짓점 ②~③을 잇는 선에 맞닿은 두 면이 같은 결합도를 찾으면 정답은 ②이다.

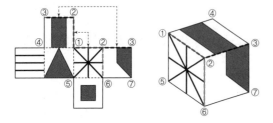

10 ②

Quick해설 제시된 정육면체의 꼭짓점 ①~②를 잇는 선에 맞닿은 두 면과 꼭짓점 ②~③을 잇는 선에 맞닿은 두 면이 같은 결합도를 찾으면 정답은 ②이다.

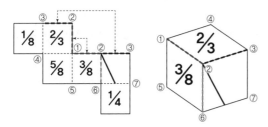

11 ②

Quick해설 좌측 열부터 차례대로 세어 더하면 10+8+8+11+8+9=54(개)이다.

[상세해설] 좌측 1번째 열: 1+2+3+4=10(개)

좌측 2번째 열: 2+3+3=8(개)

좌측 3번째 열: 1+1+2+4=8(개)

좌측 4번째 열: 1+1+2+3+4=11(개)

좌측 5번째 열: 2+2+4=8(개)

좌측 6번째 열: 1+2+3+3=9(개)

따라서 10+8+8+11+8+9=54(개)이다.

12 ③

Quick해설 좌측 열부터 차례대로 세어 더하면 4+5+10+6+6+6+6+7=50(개)이다.

[상세해설] 좌측 1번째 열: 1+3=4(개)

좌측 2번째 열: 1+2+2=5(개)

좌측 3번째 열: 1+2+2+2+3=10(개)

좌측 4번째 열: 1+1+2+1+1=6(개)

좌측 5번째 열: 1+1+1+3=6(개)

좌측 6번째 열: 1+1+2+2=6(개)

좌측 7번째 열: 1+1+1+3=6(개)

좌측 8번째 열: 1+1+2+3=7(개)

따라서 4+5+10+6+6+6+6+7=50(개)이다.

13 ③

Quick해설 좌측 열부터 차례대로 세어 더하면 25+18+11=54(개)이다.

[상세해설] 좌측 1번째 열: 7+5+6+7=25(개)

좌측 2번째 열: 2+4+5+7=18(개)

좌측 3번째 열: 5+1+1+4=11(개)

따라서 25+18+11=54(개)이다.

14 ④

Quick해설 좌측 열부터 차례대로 세어 더하면 8+10+6+3+9+12=48(개)이다.

[상세해설] 좌측 1번째 열: 1+2+2+3=8(개)

좌측 2번째 열: 1+1+5+3=10(개)

좌측 3번째 열: 1+2+3=6(개)

좌측 4번째 열: 1+1+1=3(개)

좌측 5번째 열: 1+1+3+4=9(개)

좌측 6번째 열: 3+4+5=12(개)

따라서 8+10+6+3+9+12=48(개)이다.

15 ③

Quick해설 화살표 방향에서 바라볼 때 좌측 열부터 차례대로 층높이를 세면 3−1−4−1−2−3−4이다.

16 ①

Quick해설 화살표 방향에서 바라볼 때 좌측 열부터 차례대로 층높이를 세면 2−2−3−2−4이다.

17 ②

Quick해설 화살표 방향에서 바라볼 때 좌측 열부터 비어있는 칸을 제외하고 차례대로 층높이를 세면 3−2−1−5−4−1−4이다.

18 ①

Quick해설 화살표 방향에서 바라볼 때 좌측 열부터 차례대로 층높이를 세면 4−2−1−3이다.

01	02	03	04	05	06	07	08	09	10	11	12	13	14	15	16	17	18	19	20
①	②	①	②	①	②	①	①	②	②	②	②	②	①	②	②	①	②	②	①

21	22	23	24	25	26	27	28	29	30										
①	②	②	②	①	②	④	②	④	④										

01 ①

Quick해설 제시된 문자 모두 바르게 치환되었다.

02 ②

Quick해설 'U = ♥, H = ◀'이므로 바르게 치환되지 않았다.

L M S Z U - ▣ ◗ ♣ ▽ ◀

03 ①

Quick해설 제시된 문자 모두 바르게 치환되었다.

04 ②

Quick해설 'S = ♣, U = ♥'이므로 바르게 치환되지 않았다.

K H O S R - ◓ ◀ ☎ ♥ ♠

05 ①

Quick해설 제시된 문자 모두 바르게 치환되었다.

06 ②

Quick해설 '入=통제, 亻=회계'이므로 바르게 치환되지 않았다.

二 冂 儿 入 – 관제 시설 군악 회계

07 ①

Quick해설 제시된 문자 모두 바르게 치환되었다.

08 ①

Quick해설 제시된 문자 모두 바르게 치환되었다.

09 ②

Quick해설 '儿＝군악, 亻＝회계'이므로 바르게 치환되지 않았다.

> 入 八 人 儿 – 통제 헌병 의무 회계

10 ②

Quick해설 '二＝관제, 刀＝운항'이므로 바르게 치환되지 않았다.

> 亻 二 儿 冂 – 회계 운항 군악 시설

11 ②

Quick해설 'Г = B8J, Б = T9Z'이므로 바르게 치환되지 않았다.

> A3C B8J H6A T9Q P5L – Є Б Ф Ю Ћ

12 ②

Quick해설 'Л = P5D, Є = A3C'이므로 바르게 치환되지 않았다.

> H6K T9Q T9Z P5D A3F – Њ Ю Б Є Я

13 ②

Quick해설 'Ж = B8S, Ћ = P5L'이므로 바르게 치환되지 않았다.

> B8S H6A T9Z A3C T9Q – Ћ Ф Б Є Ю

14 ①

Quick해설 제시된 문자 모두 바르게 치환되었다.

15 ②

Quick해설 'Я = A3F, Ю = T9Q'이므로 바르게 치환되지 않았다.

> Л Њ Я Ћ Є – P5D H6K T9Q P5L A3C

16 ②

Quick해설 '◩ = 7C5W, ◪ = X9N3'이므로 바르게 치환되지 않았다.

◪ ◩ ◪ ◪ – 1A2B R3V4 <u>X9N3</u> A3M7

17 ①

Quick해설 제시된 문자 모두 바르게 치환되었다.

18 ②

Quick해설 '◪ = A3M7, ◪ = X9N3'이므로 바르게 치환되지 않았다.

◪ ◪ ◪ ◪ – K2S4 <u>X9N3</u> 3T2H R3V4

19 ②

Quick해설 '◪ = 4E3O, ◪ = A3M7'이므로 바르게 치환되지 않았다.

◪ ◪ ◪ ◪ – <u>A3M7</u> 3T2H X9N3 K2S4

20 ①

Quick해설 제시된 문자 모두 바르게 치환되었다.

21 ①

Quick해설 제시된 문자 모두 바르게 치환되었다.

22 ②

Quick해설 'た = 신념, ふ = 통일'이므로 바르게 치환되지 않았다.

の で <u>た</u> ん - 조국 충효 <u>통일</u> 영공

23 ②

Quick해설 'ほ = 수호, ん = 영공'이므로 바르게 치환되지 않았다.

た の ふ <u>ほ</u> - 신념 조국 통일 <u>영공</u>

24 ②

Quick해설 'う = 명예, で = 충효'이므로 바르게 치환되지 않았다.

> たほ<u>う</u>す - 신념 수호 충<u>효</u> 민족

25 ①

Quick해설 제시된 문자 모두 바르게 치환되었다.

26 ②

Quick해설 주어진 문자는 총 8번 제시되었다.

곬곱곳곱곰곴곕곫곱곳곫곱곰곴곳곕곴곴곰곕곴곳곰곴곫곬곳곫곕곴곬곕곴곕곳곰곕곴곳곰곰곳곱곫
1 2 3 4 5 6 7 8

27 ④

Quick해설 주어진 문자는 총 9번 제시되었다.

| | | | | | | | |
1 2 3 45 6 7 8 9

28 ②

Quick해설 주어진 문자는 총 2번 제시되었다.

국가와 국민, 상관에 대하여 진정한 마음으로 정성을 다하며, 대상과 동기 및 방법에 있어 반드시 공과 의를 구현하는 참
                             1   2
다운 가치를 전적으로 추구한다.

29 ④

Quick해설 주어진 문자는 총 8번 제시되었다.

| | | | | | | | |
1 2 3 4 5 6 7 8

30 ④

Quick해설 주어진 문자는 총 5번 제시되었다.

Concentration comes out of a combination of confidence and hunger.
                1   2   3 4   5

1교시 지적능력평가 [언어논리]

01	02	03	04	05	06	07	08	09	10	11	12	13	14	15	16	17	18	19	20
④	②	②	③	⑤	④	④	①	②	④	④	④	④	②	③	④	③	④	①	③

21	22	23	24	25
②	②	②	③	②

01 ④

Quick해설 합창 동아리에 든 것은 해당 조직에 구성원이 되었다는 뜻이므로, 6)이 아닌 8)의 예문에 해당한다.

[오답풀이] ① 해가 잘 든다는 것은 햇빛이 안으로 들어온다는 뜻이므로 2)의 예문으로 적절하다.
② 개인 사업을 하는 데 돈이 많이 든다는 것은 어떤 일에 돈이 쓰인다는 뜻이므로 3)의 예문으로 적절하다.
③ 상위권에 들지 못한다는 것은 상위권이라는 기준에 도달하지 못했다는 뜻이므로 5)의 예문으로 적절하다.
⑤ 가을이 되어 각종 행사가 진행된다는 뜻이므로 10)의 예문으로 적절하다.

TIP

사전 정보를 확인할 때는 필수 성분의 유무를 확인하는 것이 중요하다. 7)은 부사어 '~에'가 반드시 필요하지만, 10)은 주어 외의 필수 성분이 필요하지 않다. 즉 유사한 의미이지만 필수 성분의 유무에 따라 구분할 수 있는 것이다. ⑤의 예문을 단순하게 '가을이 왔다.'는 의미로 해석한다면 7)의 의미로 쓰였다고 볼 수 있겠으나, 필수 성분인 부사어 '~에'의 쓰임이 보이지 않으므로 7)이 아닌 10)의 예문으로 보아야 하는 것이다. 이는 사전 정보를 확인하여 예문을 고르는 문제뿐만 아니라 문맥적 의미를 고르는 문제에서도 유용하게 쓰일 수 있다.

02 ②

Quick해설 문맥에 맞는 부사어를 찾는 문제이다. 올바른 문장을 쓰기 위해서는 부사어와 서술어의 호응이 잘 이루어져야 한다. 제시된 문맥을 고려하면 '기필코, 꼭'의 의미가 필요하므로, 공통으로 들어갈 부사어로 적절한 것은 '반드시'이다.

[오답풀이] ① '비단'은 부정하는 말 앞에서 '다만', '오직'의 뜻으로 쓰이는 부사어로, 긍정 서술어와 호응하지 않는다. 예 이런 일은 비단 어제오늘의 일이 아니다.
③ '절대로'는 '어떠한 경우에도 반드시'라는 뜻을 가진 부사어로 '반드시'와 그 쓰임이 헷갈릴 수 있다. 하지만 '절대로'는 '~해서는 안 된다'와 같이 부정 서술어와 호응하는 경우가 많고, '반드시'는 '~해야 한다'와 같은 긍정 서술어와 호응하는 것이 일반적이므로 서술어 형태에 맞게 써야 한다. 예 세상에 절대로 공짜는 없다.
④ '그다지'는 부정어(않다, 못하다)와 호응하여 '그러한 정도로는' 혹은 '그렇게까지는'의 뜻으로 쓰이거나, 주로 의문문에서 '그러한 정도로' 또는 '그렇게까지'의 뜻으로 쓰이는 부사어이다. 예 그다지 달갑지 않다. 그 사람은 무슨 걱정이 그다지도 많은가?
⑤ '모름지기'는 '사리를 따져 보건대 마땅히 또는 반드시'의 뜻을 가진 부사어이다. 의미상으로나 긍정 서술어와 호응한다는 점에서 괄호 안에 공통으로 들어갈 단어로 볼 여지가 있다. 하지만 '모름지기'는 '~해야 한다', '~이어야 한다'와 호응하는 부사어로, 첫 번째 예문과 호응하기엔 어색한 면이 있다. 예 모름지기 학생은 공부를 열심히 해야 한다. 청년은 모름지기 진취적이어야 한다.

대표적인 '부사어-서술어'의 호응
- 긍정적 호응: 과연 ~했구나
- 부정적 호응: 여간 ~지 않다, 결코/절대로 ~아니다, ~해서는 안 된다, 전혀 ~없다/아니다, 별로 ~지 않다
- 반의적 호응: 뉘라서 ~(으)ㄹ 것인가?, 하물며 ~랴?
- 가정적 호응: 만약/만일 ~더라도, 혹시(아무리) ~ㄹ지라도, 비록 ~지라도/~지만/~더라도/~어도
- 당위적 호응: 모름지기/마땅히/당연히/반드시 ~해야 한다
- 추측적 호응: 아마(틀림없이) ~(으)ㄹ 것이다
- 비교적 호응: 마치/흡사 ~처럼/같이/와 같다

03 ②

Quick해설 제시된 단어는 모두 공휴일로 지정되어 있는 날들이다.
- **광복절**: 1945년 우리나라가 일본으로부터 해방된 것을 기념하고, 대한민국 정부수립을 축하하는 날이다. 매년 8월 15일에 기념하며 공휴일로 지정되어 있다.
- **노동절**: 근로자의 연대와 단결된 힘을 보이고 노고를 위로하고 사기, 권익, 복지를 향상시키며 근로의욕을 더욱 높이자는 뜻에서 제정된 휴일로서 매년 5월 1일에 기념한다.
- **현충일**: 국토방위에 목숨을 바친 이의 충성을 기념하는 날로, 매년 6월 6일에 기념하며, 공휴일로 지정되어 있다.
- **성탄절**: 예수그리스도의 탄생을 축하하는 기독교의 기념일로, 우리나라에서는 12월 25일을 공휴일로 정하고 있다.

[상세해설] 공휴일은 국가에서 공적으로 쉬기로 정해진 날이다. 우리나라는 일요일, 1월 1일, 설날(음력 1월 1일과 전후 2일), 삼일절(3월 1일), 석가탄신일(음력 4월 8일), 어린이날(5월 5일), 현충일(6월 6일), 광복절(8월 15일), 추석(음력 8월 15일과 전후 2일), 개천절(10월 3일), 한글날(10월 9일), 성탄절(12월 25일), 보궐선거를 제외한 각종 선거투표일 등이 공휴일로 지정되어 있다.

[오답풀이] ① 국경일은 나라의 경사스러운 날을 기념하기 위해 법률로써 지정한 날을 일컫는다. 우리나라의 경우 삼일절, 제헌절, 광복절, 개천절, 한글날 등이 국경일에 속하며, 일부만 공휴일로 지정되어 있다. 흔히 '절(節)'은 국가에서 국경일을 이를 때만 사용하는 단어이다.
③ 기념일은 '각종 기념일 등에 관한 규정(대통령령)' 등에 따라 정부가 제정 및 주관하는 날을 이른다. 현재 총 53개의 기념일이 지정되어 있다. 대표적으로 식목일, 어버이날, 스승의 날 등이 이에 속한다.
④ 축제일은 주로 국가적 또는 국제적으로 제정된 축일이나 제일을 이른다. 유럽의 경우 대체로 그리스도교 관련의 축제일과 국가성립에 관한 기념축전일이 많고, 국왕이나 여왕의 탄일 등이 이에 첨가된다. 우리나라의 경우 각종 명절과 왕과 왕비의 탄일 등을 국가적으로 축하하였다.
⑤ 추모일은 죽은 사람을 생각하며 그리는 날이다.

04 ③

Quick해설 문맥상 '사행(使行)'은 사신 행차를 줄여 이르는 말이다. '요행을 바람'의 뜻을 지닌 단어는 '사행(射倖)'이다.

05 ⑤

Quick해설 주어진 글에서 항체의 성장을 유도하는 물질을 추가하여 세포들이 세균이나 독소 등의 침입에 맞서 싸

우게 한다고 하였으므로 '만든다'는 '그렇게 되게 하다'의 뜻으로 쓰이고 있다. 이와 유사한 의미로 쓰인 것은 '고향이 (나를) 쓸쓸하고 처참한 심정만 들게 하다'의 의미로 쓰인 ⑤이다.

[오답풀이] ① 문맥상 '책을 저술하거나 편찬하다'의 뜻으로 풀이 가능하다.
② 문맥상 '노력이나 기술 따위를 들여 목적하는 사물을 이루다'의 뜻으로 풀이 가능하다.
③ 문맥상 '말썽이나 일 따위를 일으키거나 꾸며 내다'의 뜻으로 풀이 가능하다.
④ 문맥상 '무엇이 되게 하다'의 뜻으로 풀이 가능하다.

TIP

주어진 단어가 문장에 쓰인 의미 즉, 문맥적 의미를 구분할 때는 앞뒤 문맥에 의거하여 뜻풀이를 하는 것이 정석이지만, 이를 바탕으로 했을 때 풀이가 어렵다면, 밑줄 친 단어의 필수 성분을 참고하는 것이 한 방법이 될 수 있다. 예문의 '만들다'는 '싸우도록'이라는 부사어를 반드시 필요로 하는 서술어이다. 따라서 선택지 중 '~게/~도록'이 반드시 필요한 '만들다'가 무엇인지 파악한다면 비교적 쉽게 풀이가 가능하다. ①~③의 '만들다'는 모두 목적어 '을/를'만을 필요로 하는 '만들다'이므로 정답이 될 수 없다. ④의 '만들다'는 부사어를 필요로 하나, '~게/도록'이 아닌 '~으로'를 필요로 하는 서술어이므로 정답이 될 수 없다.

06 ④

Quick해설 문맥상 치사를 '대신하다'라는 뜻으로 쓰인 문장이므로 '다른 것으로 바꾸어 대신함'을 뜻하는 '갈음하다'는 옳은 표현이다.

[상세해설] '갈음, 가늠, 가름'은 다음과 같이 구분하여 사용한다.
• 갈음: 다른 것으로 바꾸어 대신함.
• 가늠: 1) 목표나 기준에 맞고 안 맞음을 헤아려 봄. 또는 헤아려 보는 목표나 기준.
　　　　　예 매사가 다 그렇듯이 떡 반죽도 <u>가늠</u>을 알맞게 해야 송편을 빚기가 좋다.
　　　　2) 사물을 어림잡아 헤아림.
　　　　　예 그 건물의 높이가 <u>가늠</u>이 안 된다.
• 가름: 1) 쪼개거나 나누어 따로따로 되게 하는 일. 예 차림새만 봐서는 여자인지 남자인지 <u>가름</u>이 안 된다.
　　　　2) 승부나 등수 따위를 정하는 일 예 승패는 대개 의발 싸움에서 <u>가름</u>이 났다.

[오답풀이] ① 아니오(×) → 아니요(○): '이다, 아니다' 뒤에서 어떤 사물이나 사실 따위를 열거할 때 쓰이는 연결형은 '요'를 적어야 한다. 따라서 '부부가 아니요, 친구 사이이다.'로 수정해야 한다.
② 결재됩니다(×) → 결제됩니다(○): '대금'은 경제와 관련된 어휘이므로, '결제'로 수정해야 한다.
　　• 결제(決濟): 1) 일을 처리하여 끝을 냄. 2) 증권 또는 대금을 주고받아 매매 당사자 사이의 거래 관계를 끝맺는 일.
　　• 결재(決裁): 결정할 권한이 있는 상관이 부하가 제출한 안건을 검토하여 허가하거나 승인함. 예 결재 서류
③ 걷잡아서(×) → 겉잡아서(○): 대충 미루어 짐작하다의 뜻이므로, '겉잡아서'로 수정해야 한다.
　　• 겉잡다: 겉으로 보고 대강 짐작하여 헤아리다.
　　• 걷잡다: 한 방향으로 치우쳐 흘러가는 형세 따위를 붙들어 잡다. 예 걷잡을 수 없는 사태
⑤ 일절(×) → 일체(○): 완벽하게 갖추었다는 의미이므로 '일체'로 수정해야 한다.
　　• 일체: 모든 것. 예 도난에 대한 <u>일체</u>의 책임을 지다.
　　• 일절: 아주, 전혀, 절대로의 뜻으로, 흔히 행위를 그치게 하거나 어떤 일을 하지 않을 때에 쓰는 말.
　　　예 출입을 <u>일절</u> 금하다.

07 ④

Quick해설 주어진 맞춤법 규정은 '두음 법칙'에 대한 것이다. [붙임 2]에 따르면 접두사처럼 쓰이는 한자가 붙어서 된 말은 뒷말의 첫소리가 'ㄴ' 소리가 나더라도 두음 법칙에 따라 적는다고 하였다. 즉 '신'이라는 접두사에 '여성'이 붙어 이루어진 단어의 경우 두음 법칙에 따라 '녀성'이 아닌 '여성'으로 쓰는 것이 적절하다. 따라서 '신녀성'이 아닌 '신여성'으로 수정해야 한다.

[오답풀이] ① 제10항에 따라 한자음 '녀'는 단어 첫머리에 올 적에 '여'로 써야 한다. 따라서 '년세'는 '연세'로 쓰는 것이 적절하다.

② [붙임 1]에 따라 단어의 첫머리 이외의 경우 본음대로 적어야 하므로, '당요'가 아닌 '당뇨'로 쓰는 것이 적절하다.

③ [붙임 2]에 따라 '공+염불'과 같이 접두사처럼 쓰이는 한자가 붙어서 된 말은 두음 법칙에 따라 '공념불'이 아닌 '공염불'로 쓰는 것이 적절하다.

⑤ [붙임 2]에 따라 '남존+여비'와 같이 합성어로 이루어진 말은 두음 법칙에 따라 '남존녀비'가 아닌 '남존여비'로 쓰는 것이 적절하다.

TIP

〈한글맞춤법〉제10항

제10항 한자음 '녀, 뇨, 뉴, 니'가 단어 첫머리에 올 적에는 두음 법칙에 따라 '여, 요, 유, 이'로 적는다.(ㄱ을 취하고, ㄴ을 버림.)

ㄱ	ㄴ
여자(女子)	녀자
연세(年歲)	년세
요소(尿素)	뇨소
유대(紐帶)	뉴대
이토(泥土)	니토
익명(匿名)	닉명

다만, 다음과 같은 의존 명사에서는 '냐, 녀' 음을 인정한다.

냥(兩)　　냥쭝(兩重)　　년(年)(몇 년)

[붙임 1] 단어의 첫머리 이외의 경우에는 본음대로 적는다.

남녀(男女)　　당뇨(糖尿)　　결뉴(結紐)　　은닉(隱匿)

[붙임 2] 접두사처럼 쓰이는 한자가 붙어서 된 말이나 합성어에서, 뒷말의 첫소리가 'ㄴ' 소리로 나더라도 두음 법칙에 따라 적는다.

신여성(新女性)　　공염불(空念佛)　　남존여비(男尊女卑)

[붙임 3] 둘 이상의 단어로 이루어진 고유 명사를 붙여 쓰는 경우에도 [붙임 2]에 준하여 적는다.

한국여자대학　　대한요소비료회사

08 ①

Quick해설 ㉠에는 결론이 들어가야 하고, 두 번째 문단의 '그러나' 다음에서 ㉠에 들어갈 내용을 유추할 수 있다. 따라서 농약을 걱정하지 말라는 내용이 들어간 ①이 정답이다.

[상세해설] ㉠에는 사과의 껍질에 있는 농약 성분을 걱정하는 질문에 대한 답변이 들어가야 한다. 그런데 두 번째 문단을 보면 농약이 남아있어도 사과의 펙틴 성분이 모두 끌고 나갈 것이기 때문에 걱정할 필요 없다고 말하고 있다. 따라서 농약이 있다고 하더라도 껍질째 섭취해야 한다는 내용이 빈칸에 들어가기에 가장 적절하다.

[오답풀이] ② 주어진 글에서 농약이 해롭지 않다고 말한 부분은 찾을 수 없다.

③ 필자의 주된 견해는 농약을 물을 통해 반드시 씻어서 없앤 후 사과를 섭취하라는 내용이 아니다. 농약이 있더라도 사과의 펙틴 성분이 모두 끌고 내려가니 농약에 대한 걱정을 하지 않아도 된다는 것이 주된 요지이

다. 따라서 농약을 반드시 물로 씻은 후 드시라는 말은 ㉠에 들어갈 가장 적절한 내용으로 볼 수 없다.

④ 주어진 글에서 농약 성분과 사과의 펙틴 성분의 강하고 약함 정도에 대한 내용은 찾을 수 없다. 다만, 사과의 펙틴 성분이 농약이 있더라도 모두 끌고 내려갈 수 있다고 했을 뿐이다.

⑤ ㉠에는 농약에 대해 걱정하는 사람들의 질문에 대한 답변이 들어가야 하는데, 그와 관련된 내용이 아니므로 ㉠에 들어갈 내용으로는 적절하지 않다.

09 ②

Quick해설 유토피아는 여러 개체들이 모여 살고, 구성원 간의 차이가 존재한다. 하지만 이로 인한 시기와 분쟁이 일어나지 않는다. 이들이 이러한 차이로 인한 불평등을 부당한 것이라고 인식하지 않기 때문이다. 즉 구성원 간의 차이가 존재하되 그것에 대한 불만이 없는 이유가 정답이 되어야 한다. 따라서 구성원 간의 차이를 인정하면서 동시에 불만이 없는 이유인 '차별의 원인이 되지 않기 때문에'를 제시한 ②가 정답이다.

[오답풀이] ① 차별이 정당한 것으로 여겨진다면 이들은 구성원 간의 차이를 부당한 것으로 여겼을 것이다. 더욱이 비둘기와 독수리는 그 차이 때문에 더 가까워질 수 있다고 하였다. 따라서 ㉠의 이유로는 적절하지 않다.

③, ⑤ ㉠의 비둘기와 독수리는 차이로 인해 더 가까워질 수 있다고 하였다. 즉 구성원 간의 차이가 존재함을 알 수 있으므로, 차이가 없다고 판단한 내용은 ㉠의 이유가 될 수 없다.

④ 유토피아의 여러 개체들이 서로의 차이에 대한 인식이 높지 않다고 판단할 근거가 부족하다. 오히려 ㉠의 비둘기와 독수리는 서로의 차이 때문에 더 가까워질 수 있다고 하였으므로, 서로의 차이에 대한 인식이 뚜렷했음을 알 수 있다. 따라서 ㉠의 이유로는 적절하지 않다.

10 ④

Quick해설 순서대로 '눈꺼풀 – 욕 – 이불장 – 줄다리기'가 연상된다.

[상세해설] • 세상을 어둠으로 한 번에 덮는 것 → '이불'은 세상을 어둠으로 한 번에 덮지 못한다.
• 아무리 먹어도 살이 안 찌는 것 → '욕'은 아무리 먹어도 살이 찌지 않는다.
• 낮에는 차 있는데 밤에는 비워지는 것 → '이불'은 밤에 꺼내는 물건이므로, '이불장'은 밤에 비워진다.
• 전진하면 패배하고 후진하면 승리하는 것 → '줄다리기'는 후진해야 이기는 게임이다. '이어달리기'는 앞으로 전진해야 승리한다.

11 ④

Quick해설 필자가 주어진 글을 통해 궁극적으로 주장하는 바는 서양 음악의 잣대로 우리 음악을 평가해서는 안 된다는 것이다. 즉, 예술(문화)은 각 문화권마다의 방법으로 평가하는 것이 타당하다는 주장을 이끌어 낼 수 있다.

[상세해설] 두 번째 문단의 첫 부분에서 역접의 접속사 '그러나'가 등장했으므로 핵심 내용은 첫 번째 문단이 아닌 두 번째 문단에 등장함을 알 수 있다. 첫 번째 문단은 서양 음악이 우리 음악에 비해 화성이 발달했으므로 더 진화한 형태를 띠고 있고 그렇기 때문에 예술성도 더 뛰어나다는 논리를 담고 있다. 두 번째 문단은 그에 대한 반박으로, 음악을 평면적 사고로 비교하는 것은 무리가 있으며, 진화론적 입장에서 평가하는 것 자체가 잘못이라고 주장하고 있다. 그리고 문화를 다른 문화권의 잣대로 평가하면 잘못된 결과를 가져올 수 있음을 강조하고 있다. 즉 문화의 일부인 음악을 평면적, 진화적 사고를 바탕으로 평가해서는 안 된다는 주제를 이끌어 낼 수 있다. 하지만 문제에서 묻는 것은 '궁극적'인 주제이므로, 주어진 글을 통해 필자가 주장하고자 하는 바를 정리한다면, 문화는 각 문화권의 잣대로 평가해야 함을 이끌어 낼 수 있으므로 정답은 ④가 된다.

[오답풀이] ① 주어진 글에서는 서양 음악의 잣대로 우리 음악을 평가해서는 안 된다는 내용은 찾을 수 있으나, 두 음악의 예술성을 비교, 분석한 내용은 찾을 수 없다.

② 첫 번째 문단에 따르면, 화성이 있고 없음을 비교하는 것은 평면적 사고에 의한 것이라고 평가하고 있고, 두 번째 문단에서는 이러한 평면적 사고로 비교한다는 것이 잘못된 일임을 피력하고 있다. 즉 화성이 있고 없고를 바탕으로 좋은 음악과 그렇지 않은 음악으로 평가할 수 없다는 내용이므로, 이를 기준으로 평가를 내린 선택지는 주어진 글의 내용과 상충된다. 따라서 궁극적으로 말하고자 하는 바에도 적합하지 않다.

③ 두 번째 문단에서 필자가 주장하는 바의 일부 내용이다. 즉 표면적 주제의 일부이므로, 궁극적으로 말하고자 하는 바에 적합하지 않다.

⑤ 진화론적 사고를 비판한 견해이다. 하지만 주어진 글의 전체 내용을 포괄하고 있다고 보기 어려우며, 궁극적으로 말하고자 하는 바를 정리했다고 보기도 어렵다.

12 ④

Quick해설 주어진 글은 우리나라 사람들의 미의식에 대한 것으로, 서구의 미의식과 비교, 대조함으로써 그 특성을 좀 더 명확히 하고 있다. 따라서 이어져 나올 내용도 이러한 맥락에서 벗어나지 않아야 한다. 그런데 ④의 '자연과 인간의 조화를 추구하는 동양 사상'은 주어진 글의 맥락과 동떨어진 내용이며, '감정과 행동이 균형을 이룰 때'와 관련된 내용도 주어진 글에서 찾을 수 없다. 따라서 주어진 글에 이어져 나올 내용으로 적절하지 않다.

[오답풀이] ① 두 번째 문단의 '합리적이며 보편적인 미의 기준을 서구가 가지고자 했다면'과 관련된 내용으로, 이어져 나올 내용으로 적절하다.

② 두 번째 문단에 따르면 서구의 미의식은 '합리적이며 보편적인' 면을 가지고 있으므로 '만인의 공통성을 원인'으로 삼는다면 이는 우리나라보다는 서구의 미의식에 가까운 판단이라고 볼 수 있다. 더불어 두 번째 문단의 내용에 근거한 내용이므로 이어져 나올 내용으로도 적절하다.

③, ⑤ 첫 번째 문단에서 우리나라 미의식은 '정신적인 공감대', '감성적으로 향수하는 것'이라고 하였다. 이는 서구의 미의식과 달리 우리나라의 미의식이 정신적 즉, 마음을 중시한다는 것으로 추론할 수 있다. 이를 바탕으로 이어져 나올 내용으로 적절하다.

TIP

> 이어져 나올 내용에 대한 문제는 크게 2가지 형태로 출제된다. 가장 적절한 것을 고르는 문제에서는 주어진 글의 마지막 부분에서 바로 연결되는 내용을 골라야 하고, 적절하지 않은 내용을 고르는 문제에서는 주어진 글에서 제시한 내용들과 연관성이 있는지 여부를 확인하는 것으로 정답을 골라야 한다. 즉 주어진 내용과 연결고리가 있다면 이어져 나올 내용으로 적절한 것이고, 그러한 연결고리가 없다면 적절하지 않은 것이다.

13 ④

Quick해설 '[나] 능력주의에 대한 정의 → [다] 능력주의에 대한 비판적 접근의 가능성 → [가] 능력주의 담론의 개인의 노력과 공정성과의 연관성 → [라] 능력주의 담론과 공정성에 대한 논리의 재검토 필요성' 순으로 나열하는 것이 적절하다.

[상세해설] • [가] VS [나]: [가]는 능력주의 담론이 노력에 대한 담론과 연결된다는 내용이고, [나]는 능력주의에 대한 정의이다. 일반적으로 주요 화제에 대한 정의가 첫 문단으로 등장하는 경우가 많고, [가]는 능력주의를 기반으로 한 상술 내용에 해당하므로 첫 번째 문단으로는 [나]가 적절하다.

• [가] VS [다]: [가]는 능력주의 담론이 노력에 대한 담론과도 연결된다는 내용이고, [다]는 어떠한 주장에 대한 평가 내용이다. 두 내용 모두 [나]와 연결되었을 때 어색하지 않다. 다만, [다]에는 '노력'과 관련된 내용이

나오지 않았고, [가]의 보조사 '도'를 힌트삼는다면, [가]는 능력주의가 어떠한 담론과 연결된 이후 위치하는 것이 적절하다. 따라서 [나] 뒤에는 [다]가 오는 것이 적절하다.

- [라]: [라]에서 지칭하는 '이 주장'은 '노력'이라는 요소에 대한 설명이 나오므로 적어도 [가]의 내용 후에 전개되어야 함을 알 수 있다.

따라서 [나]−[다]−[가]−[라]이다.

14 ②

Quick해설 두 번째 문단의 '만약 간언을 듣지 않으면 임금을 버리고 떠나면 그만이다'를 통해 폭정을 일삼는 군주가 간언을 듣지 않을 때 신하가 할 수 있는 행동은 '탄핵'이 아닌 '떠나는 것'임을 알 수 있다. 따라서 신하가 폭정을 일삼는 군주를 탄핵해야 한다는 것이 의무라는 이해는 적절하지 않다.

[오답풀이] ① 첫 번째 문단의 '신하와 백성은 임금에게 충성을 다해야 한다'와 두 번째 문단의 '군신유의라 함은 힘에 의한 일방적인 복종이 아닌 덕에 의한 상호 의무를 전제로 한 관계이다'에 따른 이해로 적절하다.
③ 두 번째 문단의 '군신유의라 함은 힘에 의한 일방적인 복종이 아닌 덕에 의한 상호 의무를 전제로 한 관계이다'에 따른 이해로 적절하다.
④ 첫 번째 문단의 '임금은 덕을 쌓아서 백성들을 다스리고 도덕을 가르쳐야 할 책임이 있다'와 '일차적인 문제가 해결이 된 이후에 도덕을 가르쳐야 한다. 이것이 군주에게 주어진 의무이다'에 따른 이해로 적절하다.
⑤ 첫 번째 문단의 '백성들에게는 먹고사는 문제가 가장 중요하다. 일차적인 문제가 해결이 된 이후에 도덕을 가르쳐야 한다. 이것이 군주에게 주어진 의무이다'에 따른 이해로 적절하다.

15 ③

Quick해설 [가]와 [나] 모두 '조선백자와 고려청자'라는 예술품에 제작자의 마음이 깃들어 있다고 보고 있다.

[상세해설] [가]의 일본인은 조선백자가 아름다운 이유는 애조를 띠고 있기 때문이라고 주장하며, 그 근거로 백자를 만든 도공들의 가난하고 한 많은 삶을 들고 있다. 따라서 '근거−결론'의 연결고리에 숨겨진 전제는 예술품에는 그것을 만든 사람의 삶이 반영된다는 것을 이끌어낼 수 있다. [나] 역시 조선백자와 고려청자의 양감을 근거로 그것을 만든 도공들의 마음이 형태로 구현되었다고 보고 있다. 하지만 [가]와 달리 평생을 한탄 속에 살며 찌든 마음으로는 백자와 같은 화길한 형태가 나올 수 없음을 나타내며, 일본인의 시각에 대한 비판의식을 드러내고 있다. 따라서 [가]와 [나]의 공통된 전제는 ③이다.
[오답풀이] ① '조선백자와 고려청자'에 대한 내용은 [나]에 국한된 것으로, [가]와 [나]의 공통된 전제로 보기 어렵다.
② [가]의 주장과 그 근거로, [가]와 [나]의 공통된 전제로 보기 어렵다.
④ [나]의 '한국 사람만이 나타낼 수 있고, 우리네가 더 민감하게 느끼는 즐거움이다'와 관련된 내용으로, [나]의 주장에 대한 근거이다. 따라서 [가]와 [나]의 공통된 전제로 보기 어렵다.
⑤ 주어진 글의 내용과 관련성이 적은 내용으로, [가]와 [나]의 공통된 전제로 보기 어렵다.

16 ④

Quick해설 조폭영화의 모방성에 대한 문제점을 제기한 글이다. 그런데 ④는 마케팅과 독점 배급 시스템을 비판하는 내용이므로 주어진 글의 내용에서 벗어난 내용이다. 따라서 비판적 반박으로 볼 수 없다.

[오답풀이] ① 영화에 영향을 받아 모방 범죄가 일어난다는 점에 대해 '과대평가'가 일어났다고 보고 있으므로 주어진 글의 비판적 반박으로 적절하다.

② 관객의 사리분별력을 근거로, 영화를 통한 모방 범죄의 가능성을 부정하고 있으므로 주어진 글의 비판적 반박으로 적절하다.

③ 영화라는 대중문화상품의 질을 부정적으로 판단하고 비판하는 현상을 지적하고 있으므로, 주어진 글의 비판적 반박으로 적절하다.

⑤ 폭력 영화 논쟁 자체를 시대착오적 발상이라고 치부하고 있으므로, 주어진 글의 비판적 반박으로 적절하다.

17 ③

Quick해설 주어진 글의 주제문은 ㉣이 아닌 ㉠이다.

[상세해설] 주어진 글의 주제문은 ㉠이다. ㉣의 '요컨대'는 '중요한 점을 말하자면'을 뜻하는 접속어로, 흔히 전체 주제문을 나타낼 때 쓰이기도 하지만 주어진 글과 같이 앞선 내용을 요약하는 용도로도 활용된다.

[오답풀이] ① ㉡은 ㉠의 부연이다. '즉'은 '다시 말하여'라는 뜻을 지닌 접속어로, 앞선 내용의 부연을 표지하는 기능을 수행한다.

② ㉢은 접속어 '가령'을 통해 '예시'라는 것을 알 수 있다. 흔히 예시는 앞 내용의 이해를 돕기 위한 도구로 활용되는데, ㉢도 앞선 ㉡에 대한 예시로 활용되고 있다. ㉡은 ㉠의 부연이므로, ㉢은 ㉠에 대한 예시라고 할 수 있다.

④, ⑤ ㉤과 ㉥은 ㉣의 내용에 대한 구체화, 즉 상술 내용이다. 따라서 두 문장은 기능이 같으므로 대등 관계에 있다고 볼 수 있다.

TIP

문장, 문단 간 관계파악

- 논지(論旨): 중심 내용
- 주지(主旨): 상술, 부연, 첨가, 예시에 비해 상대적으로 주요한 내용으로, 논지에 비해 비중이 가볍다.
- 상술(詳述): 주지를 자세하게 설명하는 부분을 이른다.
- 부연(敷衍): 상술한 내용을 다시금 설명하는 부분을 이른다.
- 첨가(添加): 유사한 내용을 덧붙여 설명하는 부분을 이른다.
- 예시(例示): 주지나 상술한 내용을 예로 들어 설명하는 부분을 이른다.

관계성: 논지〉주지〉상술〉부연, 첨가, 예시

18 ④

Quick해설 오트 교수팀의 연구 결과에 따르면, 무리를 이룬 메뚜기는 학습력이 떨어져 독성이 든 음식을 구별하지 못하여 체내에 독을 흡수시킨다고 하였다. 따라서 '독에 중독되지 않는다'는 이해는 적절하지 않다.

[상세해설] 첫 번째 문단의 '무리를 이루게 되면 독이 든 음식을 먹어 체내에 흡수시키며, 몸 색깔도 눈에 띄게 노랗게 한다'를 통해 무리를 이룬 사막의 메뚜기가 독이 든 음식을 먹어 체내에 독을 축적한다는 것은 알 수 있지만, 이러한 중독을 희석할 수 있는지 여부는 알 수 없다.

[오답풀이] ① 첫 번째 문단에 따르면, 사막의 메뚜기는 혼자 다닐 때와 무리를 이룰 때의 행동 양상이 전혀 다르다고 하였다.

② 두 번째 문단의 '혼자 다니는 메뚜기는 바닐라 냄새가 나는 음식이 좋지 않다는 것을 학습하고'를 통한 이해로 적절하다.

③ 두 번째 문단의 연구 결과를 참고한 이해로 적절하다.

⑤ 두 번째 문단에 따르면, 혼자인 메뚜기는 선호하는 냄새보다는 음식의 안정성을 고려하여 냄새를 선택했음을 알 수 있고, 무리를 이룬 메뚜기는 냄새와 관련없이 모든 것을 먹어 치운다고 하였다. 즉 사막의 메뚜기

는 냄새보다는 먹이를 좀 더 중요시 여김을 알 수 있다.

19 ①

Quick해설 주어진 [조건]에 따라 배치된 층수를 정리하면 다음과 같다.

층	갑과 병의 층수 차이가 1층일 때	갑과 병의 층수 차이가 2층일 때
5F	갑 하사	갑 하사
4F	병 하사	을 하사
3F	무 하사	병 하사
2F	을 하사	정 하사
1F	정 하사	무 하사

두 가지 경우의 수를 종합할 때, 병 하사는 항상 정 하사보다 높은 층에 살고 있음을 알 수 있다.

[오답풀이] ② 정 하사는 1층 혹은 2층에 배치받게 된다.

③ 가장 아래층에 배치받는 하사는 정 또는 무 하사이다.

④ 병 하사는 을 하사보다 높은 층에 배치받는 경우도 있지만 그렇지 않은 경우도 있다.

⑤ 가능한 경우의 수는 2가지뿐이다.

TIP

조건추리의 경우, 고정적 조건을 먼저 적용한 후 가정적 조건을 적용해야만 쉽게 풀이가 가능하다. 주어진 [조건] 중에서 고정적 조건은 '갑 하사는 5층에 배치받았다.'이다. 이를 먼저 배치한 후, 갑 하사와 관련된 조건인 2번째 조건을 바탕으로 경우의 수를 생각하고, 남은 3번째 조건을 적용하는 순으로 풀이해야 한다.

20 ③

Quick해설 ③은 '감정노동자들의 우울증'이라는 자료의 내용을 담고 있으면서 논의 범위를 서비스업 종사자로 명확히 하고 있다. 또한 '문제 원인－해결책'의 구조를 '높은 수위의 감정노동을 요구하는 환경 → 노동자의 육체뿐만 아니라 내면까지도 보호할 수 있는 법안 마련'으로 제시하고 있어 모든 [조건]에 맞게 논지를 구성하고 있다.

[오답풀이] ① 해결책의 핵심이 감정노동자의 '우울증'이 아닌 '자살'을 들고 있다. 이는 '논의의 범위를 지나치게 확대하거나 축소하지 않도록 한다'는 첫 번째 [조건]에 부합하지 않는다.

② 자료의 논의 범위는 '감정노동자의 우울증'이지 일반 사회생활에서의 우울증이 아니다.

④ '감정노동자의 우울증'이라는 자료의 논의 범위에도 맞고, 그들의 우울증의 원인 분석 역시 적절하나, '해결책 제시'라는 내용이 빠져 있어 두 번째 [조건]에 부합하지 않는다.

⑤ 자료의 논의 범위가 '감정노동자의 우울증'인데, 무엇이든지 강요받고, 억압되는 것은 좋지 않다는 두루뭉술한 논지로 전개되고 있다. 문제의 원인 분석도 확실하지 않고, 해결책도 제시하지 않아 모든 [조건]에 부합하지 않는다.

21 ②

Quick해설 ㉠은 외교 담당자가 외교관에만 국한되었던 과거와 달리 현재는 수상, 원수에서부터 일반 국민에 이르기까지 외교 담당자의 범위가 확대되었다는 내용이다. 반면 선택지 ②는 외교 담당자의 범위가 외교관에만 국한되었던 과거와 관련된 사례로, 나머지와 다르다.

22 ②

Quick해설 ㉠: 뒷부분에서 세계화라는 물결 속에 끊임없이 움직여야만 살아남을 수 있게 되었다고 하였으므로, 오늘날 사회의 움직임은 '급속도'로 보아야 한다.

㉡: 빠른 사회의 움직임 속에서 조금만 지체해도 도태된다는 내용이므로, '늦어져도'가 적절하다. '빨리' 움직인다면 사회에서 도태된다는 설명에 맞지 않는다.

㉢: 내가 살아남기 위해 남을 죽여야 하는 상황은 극도의 '경쟁적' 사회 풍토임을 이끌어 낼 수 있다. 문맥상 '강박적'보다 '경쟁적'이 더 적절하며, '낙천적'은 이러한 상황과 어울리지 않는다.

㉣: 이기는 자가 모든 몫을 가지는 사회이므로 '승자' 독식 사회라고 판단할 수 있다.

23 ②

Quick해설 첫 번째 문단의 '혈당은 인슐린과 글루카곤의 길항작용을 통해 일정 범위 내에서 유지된다'를 통한 이해로 옳다.

[오답풀이] ① 두 번째 문단의 당뇨병에 대한 설명 중 '참을 수 없는 갈증과 소변의 증가를 경험하고, 점차 체중이 줄어든다. 특히 소변은 양이 늘어날 뿐만 아니라 달착지근한 냄새와 단맛이 난다. 그래서 소변량이 늘어나는 요붕증과 구별하기 위해'를 참고할 때, 소변의 양이 늘어나고, 갈증이 난다는 것만으로 당뇨병이라고 단정 짓기 어렵다. 단순히 운동을 하는 등의 수분 배출로 인한다든가, 기타 원인들로 인해 소변의 양이 늘고, 갈증이 생길 수 있는 상황이 있을 수 있기 때문이다.

③ 첫 번째 문단의 '혈당이 높아지면 췌장의 베타세포는 혈당을 낮추는 인슐린을 분비한다'를 통해 인슐린은 췌장의 '알파세포'가 아닌 '베타세포'에서 분비됨을 알 수 있다. 췌장의 알파세포는 '글루카곤'을 분비한다.

④ 첫 번째 문단의 마지막 부분에 따르면 인슐린과 글루카곤의 길항작용에 문제가 생기면, 신체의 이상 현상이 나타나는데, 대표적인 질환으로 당뇨병이 있다고 하였다. 그리고 두 번째 문단의 첫 문장에서 '당뇨병이란 혈액 속에 지나치게 높은 양의 포도당이 존재하여 신장에서 모두 걸러지지 않고 소변으로 배출되는 질환이다'를 통해 당뇨병이 걸리더라도 포도당이 '모두' 소변으로 배출되는 것은 아님을 알 수 있다.

⑤ 첫 번째 문단의 '인슐린은 일차적으로 포도당을 집결하여 간으로 이동하여 글리코겐 형태로 저장시키는 일을 돕고, 이차적으로는 이를 지방으로 바꿔 지방세포에 축적하는 일도 돕는다'에 의하면, 인슐린이 포도당을 지방세포에 축적하는 것을 도울 때는 혈당을 글리코겐 형태로 바꿀 때가 아니라, 지방으로 바꿀 때이다.

24 ③

Quick해설 주어진 글에 따르면 [보기]의 '피닉스'는 '물 감지 로봇'이고, 그와 밀접한 관련성을 지니고 있는 것은 ㉢이다.

[상세해설] [보기]에 따르면, '피닉스'가 '화성 최초의 물'을 발견했으므로, [보기] 앞뒤에는 그와 관련된 내용이 나와야 한다. 주어진 글의 문맥상 '피닉스'는 '물 감지 로봇'이고, '피닉스'의 임무인 '화성 최초의 물'에 대해 거론한 내용은 ㉢ 다음에 이어지므로, [보기]가 들어갈 위치로 가장 적절한 것은 ㉢이다.

[오답풀이] ① 'JPL(제트추진연구소)'을 소개하는 문장으로, 전체 문단의 첫 부분으로 적합하다. 따라서 [보기]의 내용이 들어가기에는 적절하지 않다.

② ㉡의 앞뒤 내용이 긴밀하게 연결되고 있으므로, [보기]의 내용이 들어가기에는 적절하지 않다.

④ ㉣의 앞에서 '화성에서의 물 발견'을 토대로 '화성에 수질, 지질 검사를 계획중'이라고 발표했으므로, [보기]

의 내용이 ㉣에 들어가기는 어색하다.

⑤ ㉤의 뒤 내용인 화성에 물이 발견되었다는 것을 근거로 미래의 인류가 화성에서 터전을 마련할 수 있을 것이라고 보고 있는 주체가 앞 내용의 'NASA'이므로, [보기]가 들어가기에는 적절하지 않다.

25 ②

Quick해설 귀납적 추론을 사용한 것은 ②이다.

[상세해설] '소크라테스', '피카소'라는 개별적 사실로부터 '죽는다'라는 공통점을 찾아내어 결론을 이끌어내고 있으므로, '귀납적 추론'을 사용하고 있다.

[오답풀이] ① 일반적인 규칙이나 사실을 특수한, 예외적인 경우나 우연한 상황에 적용함으로써 생기는 오류인 '우연의 오류(원칙 혼동의 오류)'의 예이다. 개별적 사실로부터 일반적 결론을 이끌어내는 것이 아니므로 귀납적 추론이라고 볼 수 없다.

③ 특수하고 부족한 양의 사례를 근거로 섣불리 일반화하고 판단하는 오류인 '성급한 일반화의 오류'의 예이다. 개별적 사실로부터 일반적 결론을 이끌어내는 것이 아니므로 귀납적 추론이라고 볼 수 없다.

④, ⑤ 일반적 사실이나 원리를 전제로 하여 개별적인 특수한 사실이나 원리를 결론으로 이끌어내는 '연역적 추론'의 예이다. 잘 알려진 '모든 사람은 죽는다.(대전제) 소크라테스는 사람이다.(소전제) 따라서 소크라테스는 죽는다.(결론)'가 이에 해당한다. ④의 경우 소전제인 '그들은 동고동락한 친구이다'가 생략되어 있다.

01	02	03	04	05	06	07	08	09	10	11	12	13	14	15	16	17	18	19	20
④	④	②	③	②	①	③	④	①	③	①	④	①	③	①	④	②	②	④	③

01 ④

Quick해설 ⓛ 2020년 전체 최종에너지 소비량은 193,832(천 TOE)이고 수송부문의 최종에너지 소비량은 36,938(천 TOE)이므로 그 비중은 $\frac{36,938}{193,832} \times 100 ≒ 19$(%)이므로 20% 이하이다.

ⓔ 산업부문에서 유연탄 소비량 대비 무연탄 소비량의 비율은 $\frac{4,750}{15,317} \times 100 ≒ 31$(%)이고, 가정·상업부문에서는 $\frac{901}{4,636} \times 100 ≒ 19$(%)이므로 각각 18% 이상이다.

[오답풀이] ⓖ '소비량 비중'에 해당하는 자료이므로 '소비량'에 대한 내용은 알 수 없다.

ⓒ 2018년부터 2020년까지 연도별 석유제품 소비량 비중 대비 도시가스 소비량 비중의 비율을 계산해보면, 2018년은 $\frac{10.8}{53.3} \times 100 ≒ 20.3$(%), 2019년은 $\frac{10.7}{54.0} \times 100 ≒ 19.8$(%), 2020년엔 $\frac{10.9}{51.9} \times 100 ≒ 21.0$(%)으로 감소하였다가 증가하므로 옳지 않은 설명이다.

02 ④

Quick해설 전력의 산업 소비량 대비 가정·상업 소비량의 비율이 $\frac{12,489}{23,093} \times 100 ≒ 54$(%)으로 가장 높다.

[상세해설] 주어진 선택지 중에서 2020년 유형별 산업 소비량 대비 가정·상업 소비량의 비율은 다음과 같다.

• 무연탄의 산업 소비량 대비 가정·상업 소비량의 비율: $\frac{901}{4,750} \times 100 ≒ 19$(%)

• 유연탄의 산업 소비량 대비 가정·상업 소비량의 비율: $\frac{4,636}{15,317} \times 100 ≒ 30$(%)

• 석유제품의 산업 소비량 대비 가정·상업 소비량의 비율: $\frac{6,450}{57,451} \times 100 ≒ 11$(%)

• 전력의 산업 소비량 대비 가정·상업 소비량의 비율: $\frac{12,489}{23,093} \times 100 ≒ 54$(%)

따라서 산업 소비량 대비 가정·상업 소비량의 비율이 가장 높은 것은 전력이다.

03 ②

Quick해설 사고 A의 화재규모는 350MW로 가장 크지만, 복구기간은 6개월로 4번째로 길다.

[오답풀이] ① 사고 A는 터널길이가 50.5km로 가장 길지만, 사망자는 1명으로 두 번째로 적으므로 옳지 않은 설명이다.

③ 사고 F는 사망자가 발생하지 않았으므로 옳지 않은 설명이다.

④ 3개월의 복구기간 동안 72억 원이 소요되어 월평균 72÷3=24(억 원) 소요되었으므로 옳지 않은 설명이다.

04 ③

사고비용(억 원)＝복구비용(억 원)＋사망자(명)×5(억 원/명)을 적용하여 A와 B를 보면 다음과 같다.

구분	복구비용(억 원)	사망자(명)×5(억 원)	사고비용(억 원)
A	4,200	1×5	4,205
B	3,200	40×5	3,400

따라서 A－B＝4,205－3,400＝805(억 원)이다.

TIP

보다 쉽게 풀고 싶다면 차이만을 써서 푸는 방식도 있다.

구분	복구비용(억 원)	사망자(명)×5(억 원)	사고비용(억 원)
A	＋1,000		＋805
B		＋195	

05 ②

평균은 {(계급값×도수)}의 합을 전체 도수로 나눈 값이다.

$$\frac{(45+55)\div 2\times 13+(55+65)\div 2\times 5+(65+75)\div 2\times 14+(75+85)\div 2\times 5+(85+95)\div 2\times 13}{50}=70(\text{점})$$

TIP

현재 주어진 자료는 점수가 65 이상 75 미만인 계급구간을 기준으로 상하 대칭구조로 분포가 되어 있기 때문에 평균은 65 이상 75 미만의 계급값에 해당하는 70이다.

06 ①

㉠ 2009~2011년 동안 출원건수와 등록건수가 모두 매년 증가한 기술분야는 풍력이 유일하다.

㉡ 그린홈/빌딩/시티의 출원건수는 2010년에 전년 대비 증가하였지만 2011년에 전년 대비 감소하였다.

[오답풀이] ㉢ 2009년 출원건수가 많은 상위 3개 기술분야는 태양광/열/전지, 수소바이오/연료전지, 그린홈/빌딩/시티이고, 이들의 등록건수의 합은 1,534＋900＋720＝3,154(건)이다. 이것은 2009년 전체 등록건수의 $\frac{3,154}{4,320}\times 100 ≒ 73(\%)$이므로 옳은 설명이다.

㉣ 2010년 등록건수가 전년 대비 감소한 기술분야는 태양광/열/전지가 $\frac{1,534-1,482}{1,534}\times 100 ≒ 3.4(\%)$, CO_2포집저장처리가 $\frac{478-409}{478}\times 100 ≒ 14.4(\%)$, 석탄가스화가 $\frac{99-95}{99}\times 100 ≒ 4.0(\%)$ 감소하였다. 이에 따라 10% 이상 감소한 분야는 CO_2포집저장처리이므로 옳은 설명이다.

07 ③

풍력은 2009년 대비 2011년의 등록건수가 $\frac{87-46}{46}\times 100 ≒ 89.1(\%)$ 증가하여 증가율이 가장 큰 기술분야이다.

[상세해설] 주어진 선택지 중에서 각 기술분야의 2009년 대비 2011년의 등록건수 증가율은 다음과 같다.

- 원전플랜트: $\dfrac{282-294}{294}\times100≒-4.1(\%)$

- 전력 IT: $\dfrac{256-217}{217}\times100≒18.0(\%)$

- 풍력: $\dfrac{87-46}{46}\times100≒89.1(\%)$

- 수력 및 해양에너지: $\dfrac{33-25}{25}\times100=32(\%)$

따라서 2009년 대비 2011년 등록건수의 증가율이 가장 큰 기술분야는 풍력이다.

08 ④

Quick해설 이용객 선호도의 각 조합을 연산하면 다음과 같다.

입장료 〵 사우나	유	무
15,000원	10+10=20(점)	10+5=15(점)
30,000원	8+10=18(점)	8+5=13(점)
60,000원	6+10=16(점)	6+5=11(점)

세 번째로 큰 조합은 '입장료 60,000원＋사우나 유'의 조합이다.

TIP

이용객 선호도의 실제 값을 반드시 구할 필요는 없다. 선호도가 가장 높은 조합에서부터 입장료가 한 단계 비싸질 때마다 선호도가 2.0점씩 떨어지고 사우나의 유무의 차이는 5.0점이므로 입장료 선호도만 두 단계 낮추면 세 번째로 큰 조합이 된다.

09 ①

Quick해설 ㉠ '가' 지역의 건축 건수 1건당 건축공사비는 $\dfrac{8,409}{12}=700.75$(억 원/건)이고, '다' 지역은 $\dfrac{10,127}{15}$ ≒675.13(억 원/건)이므로 '가' 지역이 '다' 지역보다 더 많다.

㉡ '나', '다', '마' 지역의 대체에너지 설비투자 비율을 확인해 보면

- '나': $\dfrac{678}{12,851}\times100≒5.28(\%)$

- '다': $\dfrac{525}{10,127}\times100≒5.18(\%)$

- '마': $\dfrac{1,080}{20,100}\times100≒5.37(\%)$

따라서 '가'~'마' 지역의 대체에너지 설비투자 비율은 모두 6% 미만임을 확인할 수 있다.

[오답풀이] ㉢ '라' 지역의 태양광 설비투자액을 420억 원으로 늘리면 B의 값이 720억 원이 된다. 이때 대체에너지 설비투자 비율은 $\dfrac{720}{11,000}\times100≒6.55(\%)$이므로 옳지 않은 설명이다.

㉣ 대체에너지 설비투자액 중 태양광 설비투자액 비율이 '다', '라', '마' 지역은 50% 이상이므로 '가', '나' 지역에 대해서만 비교해 보면

- '가': $\dfrac{140}{503}\times100≒27.83(\%)$

- '나': $\dfrac{265}{678} \times 100 \fallingdotseq 39.09(\%)$

따라서 대체에너지 설비투자액 중 태양광 설비투자액 비율이 가장 낮은 지역은 '가' 지역이고, '가' 지역은 대체에너지 설비투자 비율이 5.98(%)로 가장 높으므로 옳지 않은 설명이다.

10 ③

Quick해설 09번 풀이에 따라 '나' 지역의 대체에너지 설비투자 비율은 $\dfrac{678}{12,851} \times 100 \fallingdotseq 5.28(\%)$이다.

11 ①

Quick해설 · 강원도의 (가) 종교인 비율과 충청도의 (다) 종교인 비율을 합하면, 경기도의 (나) 종교인 비율과 같다.
→ (나) 종교인 구성비는 모두 30%대이기 때문에 강원도의 (가) 비율과 충청도의 (다) 비율은 10%대이어야 한다. 충청도=B, 강원도=C or E이다. 만약 1) 강원도=C일 경우, 경기도=D이고, 2) 강원도=E일 경우, 경기도=A이다.
· 강원도의 (가) 종교인 비율과 경기도의 (가) 종교인 비율을 합하면, 전라도의 (다) 종교인 비율과 같다.
→ 위의 경우 중 C와 D의 (가) 종교인 비율의 합은 1)이 19+32=51(%)이고, 2)가 17+32=49(%)이다. 이때 (다)에 51%는 없으므로 가능한 경우는 2)임을 알 수 있다.
따라서 충청도=B, 강원도=E, 경기도=A, 전라도=C이다.

12 ④

Quick해설 11번 풀이에 따라 A~E 중 경상도는 D임을 알 수 있다.

13 ①

Quick해설 A~K의 이용료는 다음과 같다.

구분	A	B	C	D	E	F	G	H	I	J	K
	21~64세	21~64세	21~64세	7~20세	7~20세	65세 이상	65세 이상	21~64세	21~64세	6세 이하	7~20세
할인 대상	○	○			○		○				○
이용료(원)	40,000	40,000	50,000	30,000	25,000	40,000	35,000	50,000	50,000	0	25,000

따라서 A~K의 이용료의 합계는 40,000＋40,000＋50,000＋30,000＋25,000＋40,000＋35,000＋50,000＋50,000＋25,000＝385,000(원)이다.

TIP

5,000원 단위로 끝나는 금액은 7~20세의 할인가와 65세 이상의 할인가에 한정되고 나머지 금액은 모두 10,000원 단위로 끝난다. 할인 대상 중 65세 이상은 G 1명이고 7~20세는 E, K 2명이므로 할인가 적용 인원은 3명임을 알 수 있다. 따라서 5,000원 단위의 계산임을 파악하면 세부 계산을 생략하고 ①을 고를 수 있다.

14 ③

Quick해설 $\dfrac{10월 \ 선택 \ 여사원}{10월 \ 선택 \ 남사원＋10월 \ 선택 \ 여사원} = \dfrac{400명 \times 0.35}{600명 \times 0.45＋400명 \times 0.35} = \dfrac{140}{270＋140} = \dfrac{14}{41}$

조건부확률의 경우 다음과 같이 표를 작성하여 해결하는 것이 효율적이다.

(단위: 명)

구분	남	여	합계
5월	330	260	590
10월	270	140	410
합계	600	400	1,000

15 ①

Quick해설 전년 대비 급식비 증가율은 다음과 같다.

구분	2011년	2012년	2013년	2014년	2015년
1인당 1일 급식비	5,820원	6,155원	6,432원	6,848원	6,984원
전년 대비 급식비 증가율	−	$\dfrac{6,155-5,820}{5,820}\times100$ $\fallingdotseq5.8(\%)$	$\dfrac{6,432-6,155}{6,155}\times100$ $\fallingdotseq4.5(\%)$	$\dfrac{6,848-6,432}{6,432}\times100$ $\fallingdotseq6.5(\%)$	$\dfrac{6,984-6,848}{6,848}\times100$ $\fallingdotseq2.0(\%)$

따라서 1인당 1일 급식비의 전년 대비 증가율이 가장 큰 해는 2014년이다.

[오답풀이] ② 2012년의 목표 충원인원은 $\dfrac{1,924}{0.88}\fallingdotseq2,186$(명)이므로 2,100명보다 많다.

③ 조리원 충원인원은 매년 증가한다.

④ 2011년 대비 2015년의 물가상승률은 $(1.05)^4$이므로 단순히 5%를 네 번 합산한 20%보다 높다.

16 ④

Quick해설 원가를 x원이라고 하면 정가는 $1.3x$원이고 할인가는 $(1.3x-60,000)$원이다. 이 가격이 원가에 20%의 이익을 붙인 것과 같으므로 다음과 같은 식이 성립한다.

$1.3x-60,000=1.2x$ ∴ $x=600,000$

따라서 스마트폰의 원가는 600,000원이다.

17 ②

Quick해설 2014년 상업용 무인기의 국내 시장 판매량 대비 수입량 비율은 $\dfrac{5}{202}\times100\fallingdotseq2.48(\%)$이다.

분모가 200일 때 분자가 5면 2.5%의 값을 갖는다. 2014년의 경우 분모가 202로 200보다 약간 더 크므로 2.5%보다 조금 작은 것을 고르면 된다.

18 ②

Quick해설 2011~2014년 상업용 무인기 국내 시장 판매량의 전년 대비 증가율은 다음과 같다.

2011년	2012년	2013년	2014년
$\dfrac{72-53}{53}\times100\fallingdotseq36(\%)$	$\dfrac{116-72}{72}\times100\fallingdotseq61(\%)$	$\dfrac{154-116}{116}\times100\fallingdotseq33(\%)$	$\dfrac{202-154}{154}\times100\fallingdotseq31(\%)$

따라서 전년 대비 증가율이 가장 큰 해는 2012년이다.

19 ④

Quick해설 80점 이상 90점 미만까지의 누적도수가 0.84이므로 90점 이상 100점 미만의 상대도수가 0.16임을 알 수 있다. 4명일 때 상대도수가 0.16이므로 합계는 $\dfrac{4}{0.16}=25$가 된다. 이를 바탕으로 표를 채우면 다음과 같다.

성적	학생 수(명)	상대도수	누적도수
60점 이상 70점 미만	6	0.24	0.24
70점 이상 80점 미만	7	0.28	0.52
80점 이상 90점 미만	8	0.32	0.84
90점 이상 100점 미만	4	0.16	1
합계	25	1	—

따라서 성적이 80점 이상 90점 미만인 학생의 상대도수는 0.32이다.

20 ③

Quick해설 세 개의 점을 이어서 만들 수 있는 삼각형의 개수는 서로 다른 8개의 점 중에서 3개를 택하는 조합의 수와 같다.

따라서 $_8C_3=\dfrac{8\times7\times6}{3\times2\times1}=56(개)$이다.

실전 모의고사 2회

01	02	03	04	05	06	07	08	09	10	11	12	13	14	15	16	17	18	
①	③	③	②	④	④	③	②	④	②	②	②	④	④	②	①	①	①	

01 ①

Quick해설 제시된 정육면체의 꼭짓점 ③~⑤를 잇는 선에 맞닿은 두 면을 전개도에서 찾으면 정답은 ①이다.

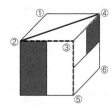 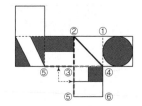

02 ③

Quick해설 제시된 정육면체의 꼭짓점 ②~③을 잇는 선에 맞닿은 두 면을 전개도에서 찾으면 정답은 ③이다.

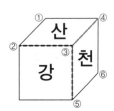 

03 ③

Quick해설 제시된 정육면체의 꼭짓점 ②~③을 잇는 선에 맞닿은 두 면과 꼭짓점 ③~④를 잇는 선에 맞닿은 두 면을 전개도에서 찾으면 정답은 ③이다.

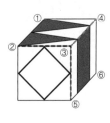 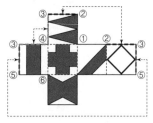

04 ②

제시된 정육면체의 꼭짓점 ②~③을 잇는 선에 맞닿은 두 면을 전개도에서 찾으면 정답은 ②이다.

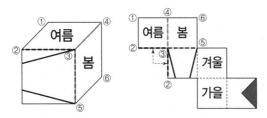

05 ④

제시된 정육면체의 꼭짓점 ③~④를 잇는 선에 맞닿은 두 면과 꼭짓점 ③~⑤를 잇는 선에 맞닿은 두 면을 전개도에서 찾으면 정답은 ④이다.

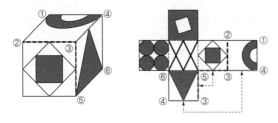

06 ④

제시된 정육면체의 꼭짓점 ①~②를 잇는 선에 맞닿은 두 면과 꼭짓점 ②~③을 잇는 선에 맞닿은 두 면을 전개도에서 찾으면 정답은 ④이다.

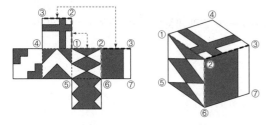

07 ③

제시된 정육면체의 꼭짓점 ①~②를 잇는 선에 맞닿은 두 면을 전개도에서 찾으면 정답은 ③이다.

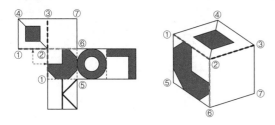

08 ②

제시된 정육면체의 꼭짓점 ①~②를 잇는 선에 맞닿은 두 면과 꼭짓점 ②~③을 잇는 선에 맞닿은 두 면을 전개도에서 찾으면 정답은 ②이다.

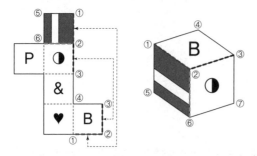

09 ④

제시된 정육면체의 꼭짓점 ①~②를 잇는 선에 맞닿은 두 면과 꼭짓점 ②~⑥을 잇는 선에 맞닿은 두 면을 전개도에서 찾으면 정답은 ④이다.

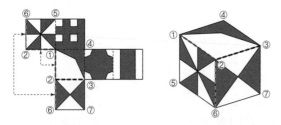

10 ②

제시된 정육면체의 꼭짓점 ①~②를 잇는 선에 맞닿은 두 면과 꼭짓점 ②~⑥을 잇는 선에 맞닿은 두 면을 전개도에서 찾으면 정답은 ②이다.

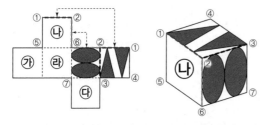

11 ②

좌측 열부터 차례대로 세어 더하면 $1+8+6+7+9=31$(개)이다.

[상세해설] 좌측 1번째 열: 1개

좌측 2번째 열: $3+1+4=8$(개)

좌측 3번째 열: $1+1+1+1+2=6$(개)

좌측 4번째 열: $1+4+1+1=7$(개)

좌측 5번째 열: $1+1+1+6=9$(개)

따라서 $1+8+6+7+9=31$(개)이다.

12 ②

Quick해설 좌측 열부터 차례대로 세어 더하면 1+6+5+9+8+1+11=41(개)이다.

[상세해설] 좌측 1번째 열: 1개

좌측 2번째 열: 5+1=6(개)

좌측 3번째 열: 1+1+1+2=5(개)

좌측 4번째 열: 1+1+1+6=9(개)

좌측 5번째 열: 1+3+1+3=8(개)

좌측 6번째 열: 1개

좌측 7번째 열: 1+1+3+1+5=11(개)

따라서 1+6+5+9+8+1+11=41(개)이다.

13 ④

Quick해설 좌측 열부터 차례대로 세어 더하면 2+1+10+3+12+1+8+2=39(개)이다.

[상세해설] 좌측 1번째 열: 2개

좌측 2번째 열: 1개

좌측 3번째 열: 1+1+2+1+5=10(개)

좌측 4번째 열: 1+1+1=3(개)

좌측 5번째 열: 1+1+4+6=12(개)

좌측 6번째 열: 1개

좌측 7번째 열: 2+5+1=8(개)

좌측 8번째 열: 1+1=2(개)

따라서 2+1+10+3+12+1+8+2=39(개)이다.

14 ④

Quick해설 좌측 열부터 차례대로 세어 더하면 4+9+9+8+5+2+8=45(개)이다.

[상세해설] 좌측 1번째 열: 2+2=4(개)

좌측 2번째 열: 2+2+3+2=9(개)

좌측 3번째 열: 1+2+2+2+2=9(개)

좌측 4번째 열: 1+3+4=8(개)

좌측 5번째 열: 1+1+3=5(개)

좌측 6번째 열: 1+1=2(개)

좌측 7번째 열: 1+1+2+4=8(개)

따라서 4+9+9+8+5+2+8=45(개)이다.

15 ②

Quick해설 화살표 방향에서 바라볼 때 좌측 열부터 차례대로 층높이를 세면 4-2-3-2-1-3-1이다.

16 ①

Quick해설 화살표 방향에서 바라볼 때 좌측 열부터 차례대로 층높이를 세면 3-3-2-4-3이다.

17 ①

Quick해설 화살표 방향에서 바라볼 때 좌측 열부터 차례대로 층높이를 세면 2-1-4-1-2-3-4이다.

18 ①

Quick해설 화살표 방향에서 바라볼 때 좌측 열부터 차례대로 층높이를 세면 4-2-3-2-4이다.

01	02	03	04	05	06	07	08	09	10	11	12	13	14	15	16	17	18	19	20
①	①	②	②	①	①	②	②	①	①	①	①	②	①	①	①	①	①	①	②

21	22	23	24	25	26	27	28	29	30										
①	②	①	②	②	②	①	③	②	①										

01 ①

`Quick해설` 제시된 문자 모두 바르게 치환되었다.

02 ①

`Quick해설` 제시된 문자 모두 바르게 치환되었다.

03 ②

`Quick해설` '91＝▨, 36＝▧'이므로 바르게 치환되지 않았다.

> 56 73 <u>91</u> 85 － ♡ ◈ ▧ ◀

04 ②

`Quick해설` '66＝♠, 12＝♧'이므로 바르게 치환되지 않았다.

> 85 <u>66</u> 56 73 － ◀ ♧ ♡ ◈

05 ①

`Quick해설` 제시된 문자 모두 바르게 치환되었다.

06 ①

`Quick해설` 제시된 문자 모두 바르게 치환되었다.

07 ②

`Quick해설` 'Americano＝vii viii, Bianco＝v vi'이므로 바르게 치환되지 않았다.

> Macchiato <u>Americano</u> Latte Affogato － ix x <u>v vi</u> i ii VII VIII

08 ②

'Mocha= iii iv, Latte= i ii'이므로 바르게 치환되지 않았다.

> Mocha Doppio Macchiato Bianco − i ii xi xii ix x v vi

09 ①

제시된 문자 모두 바르게 치환되었다.

10 ①

제시된 문자 모두 바르게 치환되었다.

11 ①

제시된 문자 모두 바르게 치환되었다.

12 ①

제시된 문자 모두 바르게 치환되었다.

13 ②

'4 = ♋, 3 = ♒'이므로 바르게 치환되지 않았다.

> 9 7 <u>4</u> 2 − ♉ ♏ ♒ er

14 ①

제시된 문자 모두 바르게 치환되었다.

15 ①

제시된 문자 모두 바르게 치환되었다.

16 ①

제시된 문자 모두 바르게 치환되었다.

17 ①

제시된 문자 모두 바르게 치환되었다.

18 ①

`Quick해설` 제시된 문자 모두 바르게 치환되었다.

19 ①

`Quick해설` 제시된 문자 모두 바르게 치환되었다.

20 ②

`Quick해설` '베를린=502, 베이징=058'이므로 바르게 치환되지 않았다.

토론토 비엔나 오사카 베를린 – 901 475 817 058

21 ①

`Quick해설` 제시된 문자 모두 바르게 치환되었다.

22 ②

`Quick해설` 'May=Θ, Sep=Φ'이므로 바르게 치환되지 않았다.

Jan May Apr Jun – Υ Φ Π Σ

23 ①

`Quick해설` 제시된 문자 모두 바르게 치환되었다.

24 ②

`Quick해설` 'Oct=Ρ, Aug=Λ'이므로 바르게 치환되지 않았다.

Φ Ρ Ψ Π – Sep Aug Mar Apr

25 ②

`Quick해설` 'May=Θ, Nov=Ω'이므로 바르게 치환되지 않았다.

Υ Φ Θ Λ – Jan Sep Nov Aug

26 ②

Quick해설 주어진 문자는 총 8번 제시되었다.

2694513081787960543771549890175778487 65
　　　 1 2 　　 34 　　 5 67 　8

27 ①

Quick해설 주어진 문자는 총 5번 제시되었다.

§※″★《#\$%≥《★··&*(▽★→#※★↓▀≫★√♀【↵
　 1 　 2 　 3 　 4 　 5

28 ③

Quick해설 주어진 문자는 총 5번 제시되었다.

우리나라의 사회봉사명령은 다양한 법적 근거에 의하여, 폭넓은 대상자에 대하여 갖가지 형태로 집행되고 있다.
　　　　　　　　 1　　　　　　　　　　　　　 2　 3　　　　　　 4　 5

29 ②

Quick해설 주어진 문자는 총 3번 제시되었다.

One man with courage makes a majority.
　 1　　　　　 2　　　　　　　 3

30 ①

Quick해설 주어진 문자는 총 6번 제시되었다.

1년간의 행복을 위해서는 정원을 가꾸고, 평생의 행복을 원한다면 나무를 심어라.
　　　　　 1　　　　　 2　　　　　 3　　　 45　 6

01	02	03	04	05	06	07	08	09	10	11	12	13	14	15	16	17	18	19	20
①	⑤	③	③	④	②	③	②	①	④	③	⑤	④	③	②	⑤	②	①	④	③

21	22	23	24	25															
③	④	②	③	①															

01 ①

Quick해설 문맥상 비유적인 의미를 활용한 문장임을 알 수 있다. 지도를 통해 세상을 알 수 있다는 것은 지도가 세상을 인식하고 판단할 수 있는 하나의 기준이 된다는 의미이다. 따라서 '사물을 보고 판단하는 힘'을 의미하는 '눈'이 가장 적절하다.

[오답풀이] ②, ③ '창'과 '문'은 비유적으로 세상과의 소통, 창구 등의 의미로 쓰인다. 주어진 문장에서는 지도가 세상과 소통할 수 있다는 의미로 쓰이지 않았으므로 빈칸에 들어갈 단어로 적절하지 않다.

④ '길'은 비유적으로 사람이 삶을 살아가거나 사회가 발전해 나가는 데 지향하는 방향, 지침, 목적 등의 의미로 쓰인다. 주어진 문장에서는 지도가 삶을 살아가는 방향과 관련된 의미로 쓰이지 않았으므로 빈칸에 들어갈 단어로 적절하지 않다.

⑤ '물'은 비유적으로 경험이나 영향 혹은 시간의 흐름(또는 역사적 흐름)의 의미로 쓰인다. 주어진 문장에서는 지도가 시간의 흐름과 관련된 의미로 쓰이지 않았으므로 빈칸에 들어갈 단어로 적절하지 않다.

02 ⑤

Quick해설 '빈말'은 '실속 없이 헛된 말'을 이르는 고유어이다. 이와 유사한 뜻을 가진 한자어는 '허언(虛言)'이다.

• 허언(虛言): 1) 실속이 없는 빈말 2) 사실이 아닌 것을 사실인 것처럼 꾸며대며 말을 함. 또는 그런 말=거짓말

[오답풀이] ① 간언(間言): 남을 이간하는 말
② 눌언(訥言): 더듬거리는 말
③ 실언(失言): 실수로 잘못 말함. 또는 그렇게 한 말
④ 망언(妄言): 이치나 사리에 맞지 아니하고 망령되게 말함. 또는 그 말

03 ③

Quick해설 '늑막염'은 [능망념]으로 발음되어야 한다.

[상세해설] 〈표준발음법〉 제29항에 따르면 합성어 및 파생어에서, 앞 단어나 접두사의 끝이 자음이고 뒤 단어나 접미사의 첫음절이 '이, 야, 여, 요, 유'인 경우에는, 'ㄴ' 음을 첨가하여 [니, 냐, 녀, 뇨, 뉴]로 발음한다. '늑막+염'의 구성인 '늑막염'은 앞 단어의 끝이 자음 'ㄱ'이고 뒤 단어의 첫 음절이 '여'이므로 'ㄴ'이 첨가되어 '념'으로 발음되어야 한다. 추가로, 〈표준발음법〉 제18항에 따르면 받침 'ㄱ(ㄲ, ㅋ, ㄳ, ㄺ), ㄷ(ㅅ, ㅆ, ㅈ, ㅊ, ㅌ, ㅎ), ㅂ(ㅍ, ㄼ, ㄿ, ㅄ)'은 'ㄴ, ㅁ' 앞에서 [ㅇ, ㄴ, ㅁ]으로 발음한다. 이에 따라 '늑막염'의 '늑'은 '막' 앞에서 [능]으로, '막'은 '념'으로 발음되는 '염' 앞에서 [망]으로 발음된다. 따라서 '늑막염'은 [능망념]으로 발음되어야 한다.

[오답풀이] ①, ②, ⑤ '공권력', '입원료', '동원령'은 유음화의 예외에 해당하는 단어들이다. 〈표준발음법〉 제20항에 따르면 'ㄴ'이 'ㄹ'을 만나면 [ㄹㄹ]로 발음되어야 하지만(신라[실라]), '공권력', '입원료', '동원령'은 'ㄴ'이 유지되는 동시에 'ㄹ'이 [ㄴ]으로 발음되는 단어들이므로 표준발음으로 옳다.

④ 〈표준발음법〉 제29항에 따르면 합성어 및 파생어에서, 앞 단어나 접두사의 끝이 자음이고 뒤 단어나 접미사의 첫음절이 '이, 야, 여, 요, 유'인 경우에는, 'ㄴ' 음을 첨가하여 [니, 냐, 녀, 뇨, 뉴]로 발음한다. 따라서 '식용＋유'의 구성인 '식용유'는 뒤의 '유'에 'ㄴ'이 첨가되어 [시굥뉴]로 발음되어야 하므로 표준발음으로 옳다.

TIP

〈표준발음법〉에서 자주 출제되는 규정

제17항(구개음화)
받침 'ㄷ, ㅌ(ㄾ)'이 조사나 접미사의 모음 'ㅣ'와 결합되는 경우에는, [ㅈ, ㅊ]으로 바꾸어서 뒤 음절 첫소리로 옮겨 발음한다.

제18항(비음화)
받침 'ㄱ(ㄲ, ㅋ, ㄳ, ㄺ), ㄷ(ㅅ, ㅆ, ㅈ, ㅊ, ㅌ, ㅎ), ㅂ(ㅍ, ㄼ, ㄿ, ㅄ)'은 'ㄴ, ㅁ' 앞에서 [ㅇ, ㄴ, ㅁ]으로 발음한다.

제19항(비음화)
받침 'ㅁ, ㅇ' 뒤에 연결되는 'ㄹ'은 [ㄴ]으로 발음한다.

제20항(유음화)
'ㄴ'은 'ㄹ'의 앞이나 뒤에서 [ㄹ]로 발음한다.

제29항(음의 첨가)
합성어 및 파생어에서, 앞 단어나 접두사의 끝이 자음이고 뒤 단어나 접미사의 첫음절이 '이, 야, 여, 요, 유'인 경우에는, 'ㄴ' 음을 첨가하여 [니, 냐, 녀, 뇨, 뉴]로 발음한다.

---

04 ③

Quick해설 '몸가짐이나 언행을 조심하다'의 뜻을 지닌 단어는 '삼가하다'가 아니라 '삼가다'이다.

[상세해설] 삼가하다(×) → 삼가다(○): 1) 몸가짐이나 언행을 조심하다. 2) 꺼리는 마음으로 양(量)이나 횟수가 지나치지 아니하도록 하다.

→ 우리말에 '삼가하다'라는 표현은 존재하지 않는다. 따라서 '몸가짐이나 언행을 조심하다', '꺼리는 마음으로 양(量)이나 횟수가 지나치지 아니하도록 하다'의 뜻으로 쓰일 때는 '삼가다'라고 써야 하며 '삼가고', '삼가는', '삼가야' 등으로 활용해야 한다.

[오답풀이] ① 웬지(×) → 왠지(○): 왜 그런지 모르게. 또는 뚜렷한 이유도 없이.

→ 우리말에 '웬지'라는 말은 없다. '웬'은 '어찌 된', '어떠한'의 뜻을 지닌 관형사로 흔히 '웬일'로 쓰인다.

② 몇일(×) → 며칠(○): 그달의 몇째 되는 날.

→ '몇 일'이라고 적는 경우는 없다. '며칠'이 옳은 맞춤법이다. 참고로 연과 월은 '몇 년 몇 월'이 맞으며, 한 단어가 아니므로 띄어 써야 한다.

④ 백분률(×) → 백분율(○): 전체 수량을 100으로 하여 그것에 대해 가지는 비율

→ <한글맞춤법> 제11항에 따르면 한자음 '랴, 려, 례, 료, 류, 리'가 단어의 첫머리에 올 적에는, 두음 법칙에 따라 '야, 여, 예, 요, 유, 이'로 적는다. 다만, 모음이나 'ㄴ' 받침 뒤에 이어지는 '렬, 률'은 '열, 율'로 적는다. 따라서 '백분율'이 옳은 맞춤법이다.

⑤ 오랜동안(×) → 오랫동안(○): 시간상으로 썩 긴 기간 동안

→ '오랫동안'은 '시간이 지나가는 동안이 길게'를 뜻하는 '오래'와 '어느 한 때에서 다른 한때까지 시간의 길이'를 뜻하는 '동안'의 합성어로 옳은 맞춤법이다. 반면 형용사 '오래다'의 관형사형 '오랜'과 '동안'이 합성된 것으로 분석되는 '오랜동안'은 옳지 않은 표현이다.

TIP

'꺼리다'와 '꺼려하다'의 혼동 사례

• '꺼려하다(×) → 꺼리다(○): 1) 사물이나 일 따위가 자신에게 해가 될까 하여 피하거나 싫어하다. 2) 개운치 않거나 언짢은 데가 있어 마음에 걸리다.

예 사람들은 그를 꺼려했다.(×) → 사람들은 그를 꺼렸다.(○)

'반기다'와 '반겨하다'의 혼동 사례

• 반겨하다(×) → 반기다(○): 반가워하거나 반갑게 맞다.

  예 옆집 아주머니는 나를 항상 반겨해 주신다.(×) → 옆집 아주머니는 나를 항상 반겨주신다.(○)

05 ④

`Quick해설` '괴다 – 교실 – 구멍 – 귀엽다'는 사전의 등재 순서에 따라 바르게 나열된 것이다.

[상세해설] 한글의 구성은 '자음–모음–자음'이므로, 사전 등재 순서는 초성인 '자음'을 우선 순위로 하고, 자음이 같으면 '모음'으로, 모음이 같으면 마지막 종성인 '자음'으로 배열하는 것이 기본 원칙이다. 자음과 모음의 사전 등재 순서는 다음과 같다.

자음	ㄱ ㄲ ㄴ ㄷ ㄸ ㄹ ㅁ ㅂ ㅃ ㅅ ㅆ ㅇ ㅈ ㅉ ㅊ ㅋ ㅌ ㅍ ㅎ
모음	ㅏ ㅐ ㅑ ㅒ ㅓ ㅔ ㅕ ㅖ ㅗ ㅘ ㅙ ㅚ ㅛ ㅜ ㅝ ㅞ ㅟ ㅠ ㅡ ㅢ ㅣ

'괴다 – 교실 – 구멍 – 귀엽다'는 자음은 'ㄱ'으로 모두 동일하므로, 모음으로 순서를 배열해야 한다. 'ㅚ – ㅛ – ㅜ – ㅟ'는 사전 등재 순서에 맞으므로 정답은 ④이다.

[오답풀이] ① 자음은 'ㄷ'으로 모두 동일하므로, 모음으로 순서를 배열해야 한다. 이때 'ㅟ'로 동일한 '뒤뜰'과 '뒤쪽'은 두 번째 글자의 자음 순서에 따라 '뒤뜰 – 뒤쪽'으로 배열해야 한다. 따라서 '돼지 – 두다 – 뒤뜰 – 뒤쪽'으로 수정해야 한다.

② 자음은 'ㄴ'으로 모두 동일하므로, 모음으로 순서를 배열해야 한다. 따라서 모음 순서대로 배열하면, '냠냠 – 넘다 – 네모 – 닐리리'로 수정해야 한다.

③ 자음은 'ㅇ'으로 모두 동일하므로, 모음으로 순서를 배열해야 한다. 따라서 모음 순서대로 배열하면, '얇다 – 얼음 – 여름 – 왜가리'로 수정해야 한다.

⑤ 자음은 'ㅅ'으로 모두 동일하므로, 모음으로 순서를 배열해야 한다. 따라서 모음 순서대로 배열하면, '사과 – 세다 – 슈크림 – 시계'로 수정해야 한다.

06 ②

`Quick해설` '떼려야 뗄 수 없는'을 통해 '나눌 수 없다'의 뜻이 들어가야 하므로 빈칸에 들어갈 적절한 표현은 '불가분'이다.

• 불가분(不可分): 나눌 수가 없음

[오답풀이] ① 불가피(不可避)하다: 피할 수 없다. 예 정치의 개혁이 불가피하다.

③ 불가결(不可缺): 없어서는 아니 됨. 예 이 조건은 필수 불가결이다.

④ 불가불(不可不): 하지 아니할 수 없어. 또는 마음이 내키지 아니하나 마지못하여

  예 그 일은 시작한 내가 불가불 끝을 내야 했다.

⑤ 부득불(不得不): 하지 아니할 수 없어. 또는 마음이 내키지 아니하나 마지못하여

  예 저들이 기어이 성문을 열기로 든다면 부득불 총질을 안 할 수 없소.

07 ③

`Quick해설` 나열된 단어와 공통적으로 연관되는 의미는 '없애다'이다.

[상세해설] • 소탕(掃蕩): 휩쓸어 죄다 없애 버림. 예 공비 소탕 작전
• 박멸(撲滅): 모조리 잡아 없앰. 예 기생충 박멸
• 삭제(削除): 깎아 없애거나 지워 버림. 예 조항의 삭제를 요구했다.
• 근절(根絕): 다시 살아날 수 없도록 아주 뿌리째 없애 버림. 예 부동산 투기 근절

이를 종합하여 공통적으로 연관되는 의미는 '없애다'이다.

08 ②

Quick해설 '얼굴이 팔리다'는 '좋지 않은 일로 세상에 유명해지다'라는 의미이다. 문맥상에서 필요한 의미는 '창피하다'이므로, '얼굴이 뜨겁다'라는 표현으로 수정해야 한다.

• 얼굴이 팔리다: (좋지 않은 일로) 세상에 널리 알려지게 되다. 유명해지다.
• 얼굴이 뜨겁다: 무안하거나 부끄러워 남을 볼 면목이 없다.

[오답풀이] ① 문맥상 민수가 수지에게 모르는 척 해 줄 것을 요청하는 상황이므로 '입을 맞추다'라는 표현은 옳다.
• 입을 맞추다: 서로의 말이 일치하도록 하다.
③ 문맥상 수지가 창피함을 모르고 뻔뻔한 사람이라는 뜻이 필요하므로 '얼굴이 두껍다'라는 표현은 옳다.
• 얼굴이 두껍다: 부끄러움을 모르고 염치가 없다.
④ 문맥상 그 일에 대해 발설하지 말라는 뜻이므로 '입 밖에 내지 마'라는 표현은 옳다.
• 입 밖에 내다: 어떤 사실이나 생각을 말로 드러내다.
⑤ 문맥상 어떠한 어려운 일이 있어도 지키겠다는 뜻이 필요하므로 '삼수갑산에 가다'라는 표현은 옳다.
• 삼수갑산에 가다: 큰 어려움을 맞다.

09 ①

Quick해설 주어진 글은 오덕전 선생의 겸손함에 대한 대화이므로 정답은 ①이다.

[상세해설] 주어진 글은 나와 오덕전 선생의 대화를 빌려와, 오덕전 선생이 가진 겸손함을 강조한 글이다. 특히 마지막 부분인 '어떤 사람이~이것은 선생을 모르는 사람이다'를 통해 오덕전 선생에 대한 기존의 평가 중 하나인 '거만하다'가 사실이 아님을 드러내는 동시에 그의 겸손함을 다시금 주지시키고 있다.

[오답풀이] ② 주어진 글은 오덕전 선생의 겸손함을 칭찬하고 있으므로, '헛이름'과는 거리가 멀다.
③ 오덕전 선생의 말을 통해 그가 '젊어서 고생이 많았던' 것은 사실이나, 주어진 글의 핵심이라고 보기는 어렵다. 따라서 글을 쓴 계기로 볼 수 없다.
④ 오덕전 선생이 '문장으로 이름을 떨치는' 것은 맞으나 주어진 글의 핵심이라고 보기는 어렵다. 따라서 글을 쓴 계기로 볼 수 없다.
⑤ 오덕전 선생의 말을 통해 그가 '과거에 여러 번 낙방한' 것은 사실이나, 주어진 글의 핵심이라고 보기는 어렵다. 따라서 글을 쓴 계기로 볼 수 없다.

10 ④

Quick해설 첫 번째 문단은 코로나19 바이러스에 감염될 경우 나타날 수 있는 증상을 경증과 중증으로 나눠 설명한 후, 그중 중증으로 발전하는 대표적 원인으로 사이토카인 폭풍을 들고 있다. 두 번째 문단은 이러한 바이러스 침투 과정을 집에 도둑이 든 상황에 빗대어 설명하여 독자의 이해를 돕고 있다. ㉥은 집 즉, '우리 몸(숙주)'에 침투한 코로나19 바이러스가 과도해져 '도둑'이 '강도'로 돌변하는 상황이므로 '치명적 바이러스' 혹은 '바이러스의 활성화' 정도로 의미를 파악할 수 있다.

[오답풀이] ① '도둑'은 우리 몸에 침투한 '코로나19 바이러스'이므로 적절하다.

② '무기'는 집 주인이 도둑을 대처하는 방법 중 손해를 입을 수 있지만 가장 강한 저항에 해당하므로, '과도한 반응' 즉, '사이토카인 폭풍'에 해당한다고 볼 수 있다.

③ '인기척'은 집 주인이 도둑을 대처하는 방법 중 추천하는 방법이자 일반적인 방법이므로 '정상적 면역 반응'에 해당한다고 볼 수 있다.

⑤ '승리의 대가'는 사람 몸의 면역 체계와의 싸움에서 승리한 바이러스가 얻을 대가를 말한다. 바이러스는 숙주가 사망에 이르러 승리하지만, 이에 대한 대가는 바이러스 사멸로 연결된다.

11 ③

Quick해설 주어진 글은 생활이 어려운 사람들의 경우 어려운 상황에 처하면 함께 뭉쳐서 해결하려는 경향이 있어 빈곤한 상황일 때 타인을 돕는 데 적극적임을 설명할 수 있지만, 제한적인 소득이 반드시 공감 능력 등을 기르는 필수 요건은 아니며 은행 잔고와 상관없이 타인에 관심을 기울이거나 도움을 주고자 한다는 내용이다. 따라서 글의 주제로 가장 적절한 것은 ③이다.

[오답풀이] ① 주어진 글은 빈곤함에도 타인을 돕는 데 적극적인 이유에 대해 설명하고 있을 뿐, 타인을 돕는 것이 소득에 비례하는지 반비례하는지에 대해서는 알 수 없다.

② 예로 든 젊은 엄마는 지역사회의 경제적 지원이 필요한 경우에 해당하나, 이러한 예시를 바탕으로 글 전체를 아우르는 주제로 볼 수 없다.

④ 주어진 글과 상관없는 내용이다.

⑤ 예로 든 젊은 엄마가 바람직한 사회생활을 했다면 지역사회로부터 도움을 받았을 것이며, 제한적인 소득이 공감 능력이나 사회적 반응을 기르는 데 필수 요건이 아니라고 하였다. 즉 공감 능력이나 사회적 반응을 기르는 것이 바람직한 사회생활로 이어질 수 있음을 추론할 수 있지만, 해당 내용은 글 전체를 아우르는 주제로 볼 수 없다.

12 ⑤

Quick해설 주어진 글의 궁극적인 결론은 한 민족의 전통은 고유하다는 내용인 (가)이며, 중간 결론은 고유하다, 고유하지 않다는 것이 상대적인 개념으로 볼 수 있다는 내용인 (나)에 해당한다. 그리고 (다)~(바)는 (나)를 증명하는 근거에 해당한다.

[오답풀이] ① (나)는 (가)의 내용을 뒷받침하기 위한 내용으로, 주어진 글의 중간 결론에 해당한다. 즉 '한 민족의 전통은 고유한 것이다.'라는 주장을 뒷받침하기 위해 '고유하다'라는 개념의 상대성을 근거로 들고 있다.

② (다), (라), (마), (바)는 (나)의 내용을 구체화하고 있다.

③ 한 종교나 사상, 정치 제도 등이 동일한 발전 양상을 보인다고 할 수 없다는 내용의 (라)를 통해 조상으로부터 물려받은 모든 유산이 고유하다고 할 수 있다는 내용의 (마)를 뒷받침하고 있다.

④ (바)는 '그러나'를 통해 (마)와 상반되는 내용임을 알 수 있다.

13 ④

Quick해설 A학자는 미디어의 상업화로 인해 공공의 영역이 축소되었다고 보고 있으므로, 그의 주장에 부합하는 사례는 ④이다.

[상세해설] 마지막 문단의 '미디어의 상업화가 공공 영역을 침범하고, 수익이 보장되는 콘텐츠 제작만을 추구함

으로써 공개적 토론의 장은 축소되고 만 것이다.'에 의하면 미디어의 상업화로 인해 공개적 토론의 장 즉, 공공 영역의 민주적 장으로서의 역할이 줄어들었음을 알 수 있다. 이와 관련 깊은 사례는 ④이다.

[오답풀이] ① 주어진 글의 A학자는 미디어의 발달로 인해 '상업적 이해관계는 공공의 이해관계에 우선시되었다'고 하였다. 따라서 '공익 광고'가 증가했다는 사례는 A학자의 주장에 부합하는 사례로 보기 어렵다.

② 두 번째 문단에 의하면, 살롱 문화는 17~18세기에 공공 영역에 대한 토론이 비교적 잘 이뤄졌음을 나타내는 예시에 해당한다. 전체를 아우르는 논제에 대한 토론이 이뤄지기 어려웠는지 여부는 주어진 글을 통해서는 판단하기 어려우며, A학자는 살롱 문화에 대해 긍정적으로 평가하고 있으므로, A학자의 주장에 부합하는 사례로 보기도 어렵다.

③ 미디어의 발달로 인해 문제 상황이 좀 더 원활하게 해결되는 사례이므로, 주어진 글의 A학자의 주장에 부합하는 사례로 보기 어렵다.

⑤ '기업의 이미지 제고'는 미디어의 발달과 연관성이 적으므로, 주어진 글을 통해서 판단하기 어려운 내용이다. 따라서 A학자의 주장에 부합하는 사례로도 보기 어렵다.

14 ③

`Quick해설` 첫 번째 문단에 따르면 '결혼은 고대부터 지금까지 가장 대표적인 경사로 여겨졌다'고는 하나, '가장 중요한 경사'라고 보기는 어렵다.

[오답풀이] ① 세 번째 문단의 '한국 잔치의 특성은 속담에서 어느 정도 유추가 가능하다'를 통해 알 수 있다.

② 첫 번째 문단의 '잔치는 음식을 나눈다는 점에서 중요한 공동체 행사였으며'를 통해 알 수 있다.

④ 마지막 문단의 '잔치는 음식을 잘 차려 손님을 정성껏 대접해야 하기에, 잔치를 주체하는 집에서는 부담이 되기 마련이었다'를 통해 알 수 있다.

⑤ 두 번째 문단의 '잔치가 열리면 ~ 흥겨운 노래와 춤이 함께하기 마련이고, 이런 놀이에서는 친분은 물론 신분까지 넘나들었다'를 통해 알 수 있다.

15 ②

`Quick해설` 주어진 글은 포카리스웨트 광고와 신호등에 표현된 색깔의 상징적 의미에 대한 설명을 하고 있다. 첫 번째 문단은 포카리스웨트 광고에 쓰인 파란색의 의미를, 두 번째 문단은 신호등에 쓰인 빨강, 노랑, 녹색의 의미에 대해 서술되고 있다. 그러나 ⓒ은 신호등에 대한 정의로, 색깔과는 거리가 먼 내용이다. 따라서 흐름상 어색한 문장에 해당한다.

[오답풀이] ① ㉠은 포카리스웨트 광고에 쓰인 색깔과, 그 색깔이 지닌 상징적 의미를 제품의 특성에 맞게 사용되었음을 정리하는 문장이다. 따라서 흐름상 어색한 문장으로 볼 수 없다.

③ ㉢ 앞에서 도로의 신호등은 빨강, 노랑, 녹색으로 이루어져 있음을 설명한 후, 빨강과 녹색의 쓰임을 서술하고 있으므로 ㉢에는 노랑에 대한 내용이 들어가야 하는 것이 적절하다. 따라서 흐름상 어색한 문장으로 볼 수 없다.

④ ㉣은 신호등에 쓰인 색깔의 기능을 설명한 후, 그 색깔들의 상징적 의미를 설명한 내용이다. 따라서 전체 흐름상 어색한 문장으로 볼 수 없다.

⑤ ㉤은 전체 내용에 대한 정리 및 요약 문장이다. 따라서 전체 흐름상 어색한 문장으로 볼 수 없다.

16 ⑤

`Quick해설` 언어를 '성격'이라는 기준으로 2가지로 나눠 설명하고 있으므로 '분류'의 설명 방식을 사용하고 있다.

- 분류: 대상의 공통되는 성질에 따라 종류별로 나누어 설명하는 방법

  ⑩ 철기 시대의 무덤으로는 널무덤과 독무덤이 있다.
- 분석: 어떤 대상을 그것을 이루는 구성 요소나 부분으로 나누어 각 부분들의 관계를 설명하는 방법

  ⑩ 꽃은 암술, 수술, 꽃잎, 꽃받침 등으로 이루어져 있다.

[오답풀이] ① ㉠은 원인과 결과를 연쇄적으로 서술하고 있으므로 '인과'의 설명 방식을 사용하고 있다.

② ㉡은 개미를 예로 들어 설명하고 있으므로, '예시'의 설명 방식을 사용하고 있다.

③ ㉢은 소읍의 전경을 그림을 그리듯 설명하고 있으므로 '묘사'의 설명 방식을 사용하고 있다. 더불어 풍경을 '선물 세트'에 빗대고 있으므로 '비유'의 설명 방식도 사용하고 있다.

④ ㉣은 여닫이문과 미닫이문의 차이점을 바탕으로 설명하고 있으므로 '대조'의 설명 방식을 사용하고 있다.

TIP

- 분류와 분석: 분류는 상위 개념을 하위 개념으로 나눈 것이고, 분석은 하나의 대상을 구성 요소별로 나누어 보는 것이다.
- 비교와 대조: 비교는 둘 이상의 대상의 공통점을 중심으로 서술하는 것이고, 대조는 둘 이상의 대상을 차이점을 중심으로 서술하는 방식이다.

17 ②

Quick해설 두 번째 문단과 세 번째 문단에 따르면, 동양의 '군자', 서양의 '교양 있는 자'와 같이 문화권마다 추구하는 바람직한 인간상이 있음을 알 수 있다. 하지만 동서양의 추구하는 바람직한 인간상이 상이하다고 보기는 어렵다. '군자'와 '교양 있는 자' 모두 개인의 성숙을 통해 사회와 국가에 이바지한다는 점에서 유사하다.

[오답풀이] ① 첫 번째 문단에서 바람직한 인간이 많을수록 공동체 역시 이상적 사회를 구축할 수 있었다고 하였다.

③ 세 번째 문단에서 독일의 철학자 헤르더의 말에 따르면 인간은 교양을 통해서 사람다움으로 올라간다고 하였으므로 인간으로 태어났더라도 교양이 없으면 사람답지 않다는 것을 알 수 있다.

④ 두 번째 문단에 따르면 군자는 학식이 높은 사람이고, 세 번째 문단에 따르면 교양 있는 이는 지정의(知情意)가 조화롭게 발전한 사람이다. 따라서 두 문화권 모두 바람직한 인간은 지적인 면모를 지닌 사람임을 알 수 있다.

⑤ 두 번째 문단에 따르면 군자는 '끊임없이 자신을 단련하여 도달하는 인간상'이다. 그리고 세 번째 문단에 따르면 교양은 개개인이 타고난 능력을 개발하여 완성에 도달하는 과정에서의 노력이라고 하였고 교양있는 이는 '끊임없이 자신을 몸과 마음을 닦는 사람'이라고도 하였다. 따라서 두 문화권 모두 바람직한 인간이 되기 위한 전제 조건이 '노력'임을 알 수 있다.

18 ①

Quick해설 삼단논법(연역추론)을 통해 풀이할 수 있다. 대전제인 (가)와 소전제인 (나)를 합하여 결론을 이끌어내야 한다. 따라서 대전제인 '도시에는 교통이 발달한다'에 소전제인 '전주는 도시이다'를 대입하면, '전주는 교통이 발달한다'는 내용이 (다)에 들어가야 한다.

※ 대표적인 삼단논법으로 '모든 사람은 죽는다. 소크라테스는 사람이다. 그러므로 소크라테스는 죽는다.'가 있다.

19 ④

Quick해설 정부의 시책에 반대한 언론사 대표가 구속되었던 것은 주어진 글의 핵심 제재인 '분서'의 사례라고 보기 어렵다.

[상세해설] 주어진 글은 '분서'에 대한 내용으로, 첫 번째 문단은 인류 역사상 '분서'가 끊이지 않고 일어났음을, 두 번째 문단은 독재자와 정복자들이 '분서'를 행하는 이유에 대한 내용을 담고 있다. 그리고 마지막 문장에서 '구체적인 기록을 살펴보면 다음과 같다'라고 했으므로, 뒤이어 나올 내용은 '분서'에 대한 사례임을 알 수 있다. 그런데 ④는 주어진 글의 '가장 최근으로는 2020년 홍콩에서 보안법을 반대한 민주화 인사들이 낸 책의 대출을 중단한 사건으로, '현대판 분서'로 평가받고 있다'와 관련된 내용이기는 하지만, 〈핑궈일보〉를 압수수색하고, 지미 라이를 체포한 사실은 '분서' 자체와 관련되었다고 보기는 어렵다.

[오답풀이] ① '나치 사상에 반대하는 책, 유대인 작가의 책, 자유사상을 담은 책 들을 모두 불태우자고 사람들을 선동했다'에서 '분서'의 사례임을 알 수 있다.

② '청년들은 문화재를 파괴하고 책을 불태웠을 뿐 아니라 지식인들을 학대했다'에서 '분서'의 사례임을 알 수 있다.

③ '진시황은 이를 받아들여 실용적 목적의 책을 제외한 모든 책을 불태우라 명하였다'에서 '분서'의 사례임을 알 수 있다.

⑤ '250여 권에 달하는 책을 압수하고 보안유지라는 미명하에 전화선을 절단했다'에서 '분서'의 사례임을 알 수 있다. '분서'는 책을 불태우는 행위이지만, 첫 번째 문단에서 반대파 책의 대출을 막는 것 역시 '분서'의 일종으로 보고 있고, 두 번째 문단에서 분서의 목적이 '전파'를 막는 것에 있다고 보았으므로 '압수'의 행위 역시 '분서'의 일종으로 볼 수 있다.

20 ③

Quick해설 [보기]의 '같은 제품을 대량 생산할 수 있는 기업들'에 해당하는 내용이 ⓒ 뒤의 '규모가 커진 기업들이'로 자연스럽게 연결됨을 확인할 수 있다.

[상세해설] [보기]의 내용을 바탕으로 앞뒤 내용을 추론하면, 앞에는 '이런 상황' 즉, 산업화가 진행되기 이전과 관련된 내용이 나와야 한다. 뒤에는 '같은 제품을 대량 생산할 수 있는 기업들'의 등장으로 인해 변화된 상황과 관련된 내용이 나와야 한다. ⓒ의 앞에서는 '상표'라는 개념이 없어, 광고가 아닌 입소문으로 시장을 개척하고, 제품의 품질을 판단하는 것은 구매자들에게 있는, '판매자와 구매자의 관계가 인격적'이었던 19세기 이전 시기에 대한 설명이 나타나고 있다. ⓒ 뒤에서는 '규모가 커진 기업들'의 영향으로 광고가 구축된 시기에 대한 내용을 담고 있다. 즉 ⓒ 앞은 '이런 상황'에 부합하는 내용을 담고 있으며, ⓒ의 뒤는 '같은 제품을 대량 생산할 수 있는 기업들'과 연결되는 '규모가 커진 기업들'에 대한 설명이 나타나므로, 두 내용 모두 ⓒ과 밀접하게 관련된다고 볼 수 있다. 따라서 [보기]가 들어갈 위치로 가장 적절한 것은 ③이다.

[오답풀이] ① ㉠의 뒤 내용은 [보기]의 산업화 진전으로 인한 변화와 관련성이 없으므로, [보기]가 들어갈 위치로는 적절하지 않다.

② ㉡의 앞뒤가 '그래서'를 통해 긴밀하게 연결되므로, [보기]가 들어갈 위치로는 적절하지 않다.

④ ㉣의 앞에서 '규모가 커진 기업들'로 인한 변화 양상이 이미 등장하고 있으며, 뒤의 보조사 '도'를 통해 [보기]와 연결되기에는 무리가 있다. 따라서 [보기]가 들어갈 위치로는 적절하지 않다.

⑤ ㉤의 앞 내용이 '이런 상황'에 부합하지 않으므로, [보기]가 들어갈 위치로는 적절하지 않다.

21 ③

Quick해설 요리사에게 '요리'는 정치인에게는 '정책'이므로 '요리사가 음식 맛을 교정'한다면 정치인은 '정책을 수정'한다고 볼 수 있다. 따라서 ㉢은 '정책의 수정' 정도가 적절하다.

[오답풀이] ① 요리사는 '요리'를 잘 하기 위해 '설탕'을 이용한다. 정치인이 '정치'를 잘 하기 위해 '공약'을 이용한

다고 볼 수 있으므로, 적절한 비유이다.

② 요리사에게 '요리'는, 정치인에게는 '정책'이므로 적절한 비유이다.

④ 요리사가 요리를 통해 영향을 주는 사람은 '먹는 사람'이다. 정치인이 정책을 통해 영향을 주는 사람은 '국민'이라고 볼 수 있으므로 적절한 비유이다.

⑤ 요리사는 먹는 사람을 '설탕'으로 속여 맛봉오리 세포, 즉 맛감각을 마취시킨다. 이를 정치에 대입하면, 잘못된 '정치'에 대해 판단할 수 있는 능력이 약화된다는 것이므로, '정책 비판 능력'을 비유한 것으로 볼 수 있다.

22 ④

Quick해설 ㉠에는 '그러나', ㉡에는 '예컨대', ㉢에는 '또한'이 들어가는 것이 적절하다.

[상세해설] ㉠: ㉠ 앞에서는 평화로운 시대의 시인의 존재는 '문화의 비싼 장식'일 수 있다고 하였고, 뒤에서는 평화롭지 않은 시대 즉, '조국이 비운이 빠졌거나 통일을 잃었을 때'는 민족의 예언가 또는 선구자적 지위에 있을 수 있다고 하였으므로 앞과 뒤의 내용이 상반되고 있다. 따라서 역접의 접속사 '그러나'가 들어가는 것이 적절하다.

㉡: ㉡ 앞에서는 평화롭지 않은 시대에서 시인이 예언가 혹은 선구자가 될 수 있다고 하였고, 뒤에서는 실제로 폴란드 사람들에게 시인이 예언자로 기능했던 사례를 소개하고 있다. 따라서 예시의 접속사 '예컨대'가 들어가는 것이 적절하다.

㉢: ㉢ 앞에서는 러시아의 탄압 아래 있던 폴란드 사람들에게 시인이 예언자로 기능했던 역사적 사실을, 뒤에서는 이산되었던 이탈리아 사람들에게는 시인 단테가, 독일군의 압제하의 벨기에 사람들에게는 시인 베르하렌이 숭상받았던 역사적 사례를 제시하고 있다. 즉 앞과 뒤의 내용이 모두 시인이 평화롭지 않은 시대에서 어떻게 평가받았는지에 대한 구체적 사례들이 열거되고 있으므로, 대등의 접속사 '그리고' 또는 '또한'이 들어가는 것이 적절하다.

[오답풀이] • 그러므로: 앞의 내용이 뒤의 내용의 이유나 원인, 근거가 될 때 쓰는 접속어로 앞과 뒤의 내용이 인과일 때 쓰인다.

• 따라서: 앞에서 말한 일이 뒤에서 말할 일의 원인, 이유, 근거가 됨을 나타내는 접속어로 앞과 뒤의 내용이 인과일 때 쓰인다.

• 반대로: 역접의 내용은 ㉠에만 등장한다. 따라서 ㉢에 들어갈 접속어로는 적절하지 않다.

23 ②

Quick해설 앤디 워홀은 '예술의 자본주의 속성을 가장 잘 파악해 내고, 표현해 낸 작가'이므로, '자본주의의 리얼리스트'라는 것은 '예술에 자본주의를 현실화했다, 적용시켰다' 정도로 해석이 가능하다.

[상세해설] 밑줄이 있는 마지막 문단을 살펴보면, '이러한 그의 견해'는 세 번째 문단의 내용을 그대로 수렴했음을 알 수 있다. 따라서 세 번째 문단에 녹아 있는 그의 견해를 잘 정리한 '워홀은 자본주의 구조 내에서 ~ 드러내 놓고 찬양했다'가 잘 반영되어 있어야 한다. 더불어 '가장 전형적인 자본주의의 리얼리스트'라는 내용 자체에도 집중한다면, 자본주의의 속성을 그대로 잘 표현해냈다 정도로 해석할 수 있으므로 이 역시 반영한 내용을 찾으면 정답은 ②이다.

[오답풀이] ① 앤디 워홀이 '아메리칸드림'을 이뤄낸 것이 맞고, 자신의 꿈을 이룬 것도 맞으나 해당 내용이 밑줄 친 내용의 의미로 보기에는 무리가 있다. 단순하게 꿈을 이룬 '개척자'는 '자본주의'와 연결시키기 어렵다.

③ '가장 전형적인'이라는 표현에서 '변형시킨 혁명가'라는 의미 파악은 적절하지 않다.

④ '자본주의'라는 내용이 반영되어 있지 않으므로, 적절한 의미 파악이라고 보기 어렵다.

⑤ 주어진 글에서 앤디 워홀이 '예술을 기만했다'는 내용을 찾을 수 없으며, 오히려 '완전히 새로운 예술의 세계를 열었다'고 하고 있다. 따라서 해당 내용은 적절하지 않은 내용이므로, 밑줄 친 부분의 의미 파악으로도 적절하지 않다.

24 ③

Quick해설 A씨가 간호사 시절 직장 내 폭력의 가해자였다는 사실은 A씨가 저지른 과오가 확실하다. 하지만 이러한 과거의 정황을 바탕으로 수업의 전문성을 판단하는 것은 원인과 결과의 연결성이 부족하다고 볼 수 있다. 이와 같이 특정인의 외모나 성격, 직업, 출신지, 과거 정황 등을 트집 잡아 비판하는 오류를 '인신공격의 오류'라고 한다.

[오답풀이] ① '합성의 오류'는 '결합의 오류'라고도 한다. 전체에 속하는 부분의 특성을 바탕으로 전체의 속성을 잘못 추리하는 것, 또는 부분이나 개별적인 요소들이 가진 성질을 전체 혹은 그 집합도 가지고 있다고 추론할 경우에 생기는 오류이다.
ⓔ 산삼과 녹용은 몸보신에 좋은 약재들이다. 따라서 이 둘을 합치면 틀림없이 좋은 약이 될 것이다.
반대로 전체 또는 집합의 어떤 특성이 그 부분이나 개별적인 요소들도 가지고 있다고 추론할 경우 생기는 오류를 '분해의 오류' 혹은 '분할의 오류'라고 한다. 즉 '합성의 오류'의 정반대로 볼 수 있다.
ⓔ 한 트럭에 담긴 모래더미는 상당한 무게를 지닌다. 따라서 모래 한 알도 무거울 것이다.
② '의도확대의 오류'는 의도하지 않은 결과를 의도가 있다고 판단하여 생기는 오류이다.
ⓔ 골목에서 야구를 하는 것은 남의 집 창문을 깨기 위한 것이다.
④ '원천봉쇄의 오류'는 어떤 특정 주장에 대한 반론이 일어날 수 없도록 반박 자체를 막아 자신의 주장을 옹호하고자 할 때 생기는 오류이다.
ⓔ 이 주장에 악플을 다는 사람들은 제대로 된 교육을 받지 못한 사람들이다.
⑤ '성급한 일반화의 오류'는 특수하고 부족한 사례를 근거로 섣불리 일반화할 때 생기는 오류이다. 즉 부족한 근거를 바탕으로 억지로 결론을 내려는 오류라고 볼 수 있다.
ⓔ 그는 벌써 두 번이나 지각을 했다. 따라서 그와는 어떤 약속도 해서는 안 된다.

25 ①

Quick해설 ㉠은 '근심'이라는 관념을 '문지르다'라는 구체적 행위를 할 수 있듯이 표현하고 있다. 즉, 관념적 대상을 오감으로 지각할 수 있는 듯이 구체적으로 표현한 것이다. 이와 같은 표현법을 '관념의 구체화'라고 한다. 이와 유사한 표현 방식을 사용한 것은 ①로, '슬픔'이라는 관념을 '말리다'라는 행위로 구체화하고 있다.

[오답풀이] ② 제목인 '설야'를 바탕으로 해석한다면, 화자는 깊은 밤 뜰에서 눈이 내리는 풍경을 바라보고 있다. 따라서 '여인의 옷 벗는 소리'는 눈이 오는 소리를 시각화하여 관능적으로 표현한 시구라고 볼 수 있다.
  ※ 시 해석에서 제목은 상당히 주요한 위치를 점한다. 특히 비유적 표현을 파악할 때 그 대상이 누구인지를 파악하기 위해 필요하다.
③ '바람'이 내 귀에 속삭이고, 옷자락을 흔들고, 반갑다 웃는 등 사람같이 행동함을 표현하고 있으므로 '의인법'을 사용하고 있다. '아씨같이' 부분은 직유법을 사용하고 있다.
④ 제목인 '낙화'를 바탕으로 해석한다면, 화자는 꽃이 떨어지는 모습을 바라보고 있다. 따라서 가야할 때를 분명히 알고 가는 이는 '낙화', 즉 떨어지는 꽃을 표현한 것임을 알 수 있다. 더불어 그 '뒷모습은 얼마나 아름다운가'라는 의문형을 썼으나, 감탄적으로 칭송하고 있으므로 '설의적 표현'을 사용했음을 알 수 있다.

⑤ 나이 어린 계집아이의 손잔등이 터져 있는 것을 '밭고랑처럼'이라고 표현했으므로 직유법을 사용한 시구이다.

TIP

문학 작품의 표현법
- 관념의 구체화: 관념이란 물질적 대상과 달리 어떠한 형태를 가지고 있지 않아 오감으로 느낄 수 없는 추상적 대상을 이른다. 즉, 감정이나, 계절, 시간, 이론 등이 이에 해당한다. 시에서는 이러한 관념을 구체화하여 표현함으로써 시적 표현을 극대화하려고 한다.
  - 예 어디서 이리 무거운 비애를 지고 왔기에 — '비애'는 감정이므로 관념에 해당한다. 이를 '지고 왔다'고 표현하여 구체화하고 있다. 이를 통해 독자로 하여금 시의 상황을 좀 더 이해하기 쉽도록 도와준다.
- 의인법: 사람이 아닌 것을 사람에 빗대어 표현하는 방식으로, 사물이나 관념에 인격을 부여하는 표현법이다. 예 꽃이 웃는다.
- 직유법: '~같이, ~처럼, ~듯이, ~인 양, ~마냥' 등을 써서 원관념과 보조 관념을 직접 연결하는 비유법이다. 예 봄이 혈관 속에 시내처럼 흐른다.
- 설의법: 의문문 형식을 띠고 있지만, 답을 알고 있음에도 묻는 형태를 띠는 것으로 문장의 변화를 주기 위해 쓰는 표현법이다. 의미를 강조할 때 사용한다.(답을 필요로 할 때는 의문문이다.)
  - 예 지금은 남의 땅 — 빼앗긴 들에도 봄은 오는가.

1교시 지적능력평가 [자료해석]

01	02	03	04	05	06	07	08	09	10	11	12	13	14	15	16	17	18	19	20
③	③	②	①	②	③	①	②	④	①	③	①	③	②	①	④	①	②	①	③

01 ③

Quick해설 2010년에 외국인 소유 토지면적이 가장 작은 지역은 1,492천 m²인 대구이다.

[오답풀이] ① 2010년 외국인 소유 토지면적의 전년 대비 증감면적이 가장 큰 지역은 경기이며, 충남은 두 번째로 크므로 옳지 않은 설명이다.

② 2010년 외국인 소유 토지면적의 총합은 223,717천 m²으로 2억 m² 이상이므로 옳지 않은 설명이다.

④ 2009년 제주의 외국인 소유 토지면적은 11,813−103=11,710(천 m²)이므로 옳지 않은 설명이다.

02 ③

Quick해설 ⓒ 2020년에 신청금액이 전년 대비 증가한 분야는 네트워크, 메모리반도체, 디스플레이, 차세대컴퓨팅, 시스템반도체, RFID, 3D 장비이다. 이 중 2019년보다 35% 이상 증가한 기술분야는 네트워크 $\frac{1,524-1,098}{1,098} \times 100 ≒ 38.8(\%)$, 차세대컴퓨팅 $\frac{295-206}{206} \times 100 ≒ 43.2(\%)$, 시스템반도체 $\frac{463-319}{319} \times 100 ≒ 45.1(\%)$로 총 3개이다.

ⓒ 2019년 확정금액 하위 3개 기술분야는 시스템반도체, RFID, 3D 장비이며 이들의 합은 185+145+62=392(억 원)이므로 전체 확정금액의 $\frac{392}{4,725} \times 100 ≒ 8.3(\%)$이다. 즉, 10% 미만이다.

[오답풀이] ㉠ 2019년과 2020년에 확정금액이 전년 대비 매년 감소한 기술분야는 네트워크, 이동통신, 메모리반도체, 차세대컴퓨팅이다. 네트워크는 1,112 → 1,082 → 950으로 감소하였고, 이동통신은 1,679 → 1,227 → 805로 감소하였고, 메모리반도체는 478 → 409 → 371로 감소하였고, 차세대컴퓨팅은 199 → 195 → 188로 감소하였으므로 옳은 설명이다.

㉣ 2019년에 신청금액이 전년 대비 증가한 기술분야 중 확정금액도 증가한 분야는 방송장비, 디스플레이, 시스템반도체, RFID 총 4개이므로 옳은 설명이다.

03 ②

Quick해설 2009년 신청금액이 전년 대비 8% 이상 감소한 기술분야는 $\frac{1,769-1,627}{1,769} \times 100 ≒ 8.03(\%)$ 감소한 이동통신이다.

[상세해설] 2019년 신청금액이 전년 대비 감소한 분야는 네트워크, 이동통신, 차세대컴퓨팅, 3D 장비로, 감소율을 구하면 다음과 같다.

• 네트워크: $\frac{1,179-1,098}{1,179} \times 100 ≒ 6.87(\%)$

• 이동통신: $\frac{1,769-1,627}{1,769} \times 100 ≒ 8.03(\%)$

• 차세대컴퓨팅: $\frac{207-206}{207} \times 100 ≒ 0.48(\%)$

• 3D 장비: $\dfrac{115-113}{115} \times 100 ≒ 1.74(\%)$

따라서 8% 이상 감소한 기술분야는 이동통신이다.

04 ①

Quick해설 [표]에서 여성 응시자 합격률은 0.87%이다.

[오답풀이] ② 2020년의 응시자 수는 60,991명이고 2019년의 응시자 수는 53,766명으로 60,991－53,766＝7,225(명)이 많으므로 옳은 설명이다.

③ 2018년 합격자 수는 2017년 대비 $\dfrac{216-200}{200} \times 100 = 8(\%)$가 늘었으므로 옳은 설명이다.

④ 2016년의 여성 합격자 수는 71명, 2017년의 여성 합격자 수는 76명으로, 76－71＝5(명)이 늘었으므로 옳은 설명이다.

05 ②

Quick해설 응시자 수가 가장 많은 해는 60,991명인 2020년이다. 2020년의 전체 합격자 수는 251명이고 남성 합격자 수는 여성 합격자 수를 제외한 251－123＝128(명)이다.

전체 합격자 수 대비 남성 합격자의 비율은 $\dfrac{128}{251} \times 100 ≒ 51(\%)$이다.

TIP

남성 합격자 128명은 전체 합격자 251명의 절반인 125.5보다 2.5(251의 약 1%)가 더 크다.
따라서 50%(절반)＋1%(2.5)＝51(%)라고 할 수 있다.

06 ③

Quick해설 갑과 을이 동시에 같은 시간만큼 움직였으므로 '시간＝$\dfrac{거리}{속력}$'의 식을 이용한다.

일정한 속도로 움직이는 에스컬레이터의 전체 계단의 수를 x개라 하면, 갑은 30계단, 을은 20계단을 걸어올라갔으므로 둘 다 각각 자동으로 올라간 에스컬레이터 계단의 수는 갑은 $(x-30)$개, 을은 $(x-20)$개이다.
에스컬레이터의 일정한 속도를 v_1, 을의 속도를 v_2라고 하면, 다음과 같은 식이 성립된다.

$$\begin{cases} \dfrac{x-30}{v_1} = \dfrac{30}{2v_2} \text{ (갑의 계산)} \\ \dfrac{x-20}{v_1} = \dfrac{20}{v_2} \text{ (을의 계산)} \end{cases}$$

이 식을 연립하면 $(x-30):(x-20)=15:20$과 같으므로 $x=60$(개)이다. 이에 따라 에스컬레이터의 총 계단 수는 60개이다. 따라서 갑이 30계단을 오르는 동안 자동으로 올라간 계단 수는 60－30＝30(개)이다.

07 ①

Quick해설 a가공식품 평균 섭취량＝$\dfrac{5 \times 3}{50}$, b가공식품 평균 섭취량＝$\dfrac{40 \times 5}{50}$이므로 이들의 합은

0.3＋4＝4.3(mg/kg)이다.

[상세해설] 체중 1kg당 가공식품 첨가물 1일 평균 섭취량(mg/kg)

$=\dfrac{\text{가공식품 1g당 사용량}\times\text{가공식품 1일 평균 섭취량}}{\text{해당 집단의 평균 체중}}$ 임을 이용한다.

평균 체중 50kg, 첨가물 A에 사용된 a가공식품의 1g당 사용량 5(mg/g), 1일 평균 섭취량 3g과 b가공식품의 1g당 사용량 40(mg/g), 1일 평균 섭취량 5g을 적용한다.

a가공식품 평균 섭취량$=\dfrac{5\times3}{50}=0.3$(mg/kg), b가공식품 평균 섭취량$=\dfrac{40\times5}{50}=4$(mg/kg)이므로 이들의 합은 $0.3+4=4.3$(mg/kg)이다.

08 ②

Quick해설 c가공식품 평균 섭취량$=\dfrac{4\times60}{60}$, d가공식품 평균 섭취량$=\dfrac{25\times30}{60}$이므로 이들의 합은 $4+12.5=16.5$(mg/kg)이다.

[상세해설] 체중 1kg당 가공식품 첨가물 1일 평균 섭취량(mg/kg)

$=\dfrac{\text{가공식품 1g당 사용량}\times\text{가공식품 1일 평균 섭취량}}{\text{해당 집단의 평균 체중}}$ 임을 이용한다.

평균 체중 60kg, 첨가물 B에 사용된 c가공식품의 1g당 사용량 4(mg/g), 1일 평균 섭취량 60g과 d가공식품의 1g당 사용량 25(mg/g), 1일 평균 섭취량 30g을 적용한다.

c가공식품 평균 섭취량$=\dfrac{4\times60}{60}=4$(mg/kg), d가공식품 평균 섭취량$=\dfrac{25\times30}{60}=12.5$(mg/kg)이므로 이들의 합은 $4+12.5=16.5$(mg/kg)이다.

09 ④

Quick해설 ⓒ 2013년~2018년 사이 총감염자 수 대비 총사망자 수 비율이 50% 이상인 나라는 아제르바이잔, 캄보디아, 중국, 인도네시아, 이라크, 라오스, 나이지리아, 태국으로 8개국이다.

ⓔ 2016년 이집트와 터키의 감염자 수 합은 $18+12=30$(명)이고 전체 감염자 수는 115명이므로 그 비율은 $\dfrac{30}{115}\times100≒26.1$(%)이다.

ⓓ 2016~2018년 사이 인도네시아의 총사망자 수는 $45+37+13=95$(명)이고, 같은 기간 전체 사망자 수는 $79+59+24=162$(명)이므로 그 비율은 $\dfrac{95}{162}\times100≒58.6$(%)이다.

[오답풀이] ⊙ 2013~2018년 사이 오직 한 해에만 사망자가 발생한 나라는 아제르바이잔, 이라크, 라오스, 나이지리아, 파키스탄, 터키 총 6개국이므로 옳지 않은 설명이다.

ⓛ 2016년부터 중국과 베트남의 감염자 수의 합은 전체 감염자 수의 50%가 되지 않으므로 옳지 않은 설명이다.

10 ①

Quick해설 2015년 전체 감염자 수는 98명, 2016년은 115명이므로 증가율은 $\dfrac{115-98}{98}\times100≒17.3$(%)이다.

11 ③

Quick해설 2009년 음성 서비스 매출액의 전년 대비 증가율은 약 2.9%로 가장 낮다.

[상세해설] 2007~2010년의 음성 서비스 매출액의 전년 대비 증가율은 다음과 같다.

2007년: $\dfrac{97-78}{78}\times100 ≒ 24.4(\%)$

2008년: $\dfrac{103-97}{97}\times100 ≒ 6.2(\%)$

2009년: $\dfrac{106-103}{103}\times100 ≒ 2.9(\%)$

2010년: $\dfrac{113-106}{106}\times100 ≒ 6.6(\%)$

따라서 2009년의 증가율이 가장 낮다.

12 ①

Quick해설 2007~2010년 동안 SNS 매출액은 17-20-23-25-28(억 달러)로 매년 증가하고 있음을 알 수 있다.

[오답풀이] ② 2009년에는 A사가 매출액 1위지만 2010년에는 B사가 매출액 1위이므로 옳지 않은 설명이다.

③ 2007~2010년 동안 이동전화 가입 대수의 전년 대비 증가율은 매년 감소하므로 옳지 않은 설명이다.

구분	2007년	2008년	2009년	2010년
가입 대수(백만 대)	65.9	70.1	73.8	76.9
전년 대비 증가율(%)	$\dfrac{65.9-52.9}{52.9}\times100 ≒ 25$	$\dfrac{70.1-65.9}{65.9}\times100 ≒ 6$	$\dfrac{73.8-70.1}{70.1}\times100 ≒ 5$	$\dfrac{76.9-73.8}{73.8}\times100 ≒ 4$

④ 2011년 10~12월 월별 매출액이 각각 당해년도 1~9월까지의 월평균 매출액과 동일하다면 2011년 매출액 합계는 다음과 같이 구할 수 있다.

2011년 1~9월까지의 매출액+(2011년 1~9월까지의 월평균 매출액×3)

이때 1~9월의 월평균 매출액은 $\dfrac{9,953}{9}$백만 달러이므로, $9,953+\left(\dfrac{9,953}{9}\times3\right) ≒ 13,271$(백만 달러)이다.

따라서 전년도 매출액인 13,863(백만 달러)보다 감소하므로 옳지 않은 설명이다.

13 ③

Quick해설 교체 후의 감소한 매출을 계산해야 하므로 A기계, B기계 각각의 16대에 대한 매출의 차이를 계산해야 한다. 이때 16대에 대한 매출액은 '기기 1대당 운용 횟수×운용 1회당 매출×16'임을 알 수 있다.

A기계: 200×3,000×16=9,600,000(원), B기계: 85×7,000×16=9,520,000(원)이므로

매출의 감소액은 9,600,000-9,520,000=80,000(원)이다.

14 ②

Quick해설 작년의 남학생 수를 x명, 여학생 수를 y명이라고 하면 작년의 학생 수는 1,000명이므로 $x+y=1,000$이다.

남학생은 10% 증가하고 여학생은 12% 감소하여 10명이 줄었으므로, $\dfrac{10}{100}x-\dfrac{12}{100}y=-10$이다.

$$\begin{cases} x+y=1,000 \\ \dfrac{10}{100}x-\dfrac{12}{100}y=-10 \end{cases}$$

$\therefore x=500,\ y=500$

따라서 올해의 여학생 수는 500명에서 500×0.12=60(명)이 감소하였으므로 500-60=440(명)이 된다.

15 ①

조사대상기관 중 의료기관의 비중은 2010년 $\dfrac{1,814}{2,000} \times 100 = 90.7(\%)$, 2011년 $\dfrac{2,091}{2,415} \times 100 ≒ 86.6(\%)$, 2012년 $\dfrac{2,530}{3,097} \times 100 ≒ 81.7(\%)$, 2013년 $\dfrac{2,497}{3,314} \times 100 ≒ 75.3(\%)$로 매년 감소하였다.

[오답풀이] ② 2010년 이후 조사대상기관 중 응답 기관의 유실적 전체의 전년 대비 증가율을 연도별로 확인하면 다음과 같다.

- 2010년: $\dfrac{898 - 542}{542} \times 100 ≒ 65.7(\%)$
- 2011년: $\dfrac{982 - 898}{898} \times 100 ≒ 9.4(\%)$
- 2012년: $\dfrac{1,176 - 982}{982} \times 100 ≒ 19.8(\%)$
- 2013년: $\dfrac{1,590 - 1,176}{1,176} \times 100 ≒ 35.2(\%)$

따라서 증가율이 가장 낮은 연도는 2011년이므로 옳은 설명이다.

③ 2010년 이후 유치업자의 증감률을 연도별로 확인하면 다음과 같다.

- 2010년: $\dfrac{186 - 94}{94} \times 100 ≒ 97.9(\%)$
- 2011년: $\dfrac{324 - 186}{186} \times 100 ≒ 74.2(\%)$
- 2012년: $\dfrac{567 - 324}{324} \times 100 = 75(\%)$
- 2013년: $\dfrac{817 - 567}{567} \times 100 ≒ 44.1(\%)$

따라서 매년 전년 대비 40% 이상 증가하므로 옳은 설명이다.

④ 2010년 실적이 있다고 응답한 기관 중 의료기관의 비중은 $\dfrac{844}{898} \times 100 ≒ 94.0(\%)$, 같은 해 실적이 없다고 응답한 기관 중 의료기관의 비중은 $\dfrac{731}{788} \times 100 ≒ 92.8(\%)$이다. 따라서 실적이 있다고 응답한 기관 중 의료기관의 비중이 더 크므로 옳은 설명이다.

TIP

① 조사대상기관 중 의료기관의 비중이 2010년 이후 매년 증가하였는지 살펴보기 전에 2012~2013년의 전체 기관 수는 3,097개소 → 3,314개소로 증가하였고, 의료기관은 2,530개소 → 2,497개소로 감소하였으므로 2013년 의료기관의 비중이 전년 대비 감소하였음을 알 수 있다. 따라서 매년 증가하지 않았으므로 옳지 않은 설명이다.

④ 비중을 비교할 때 분모와 분자의 차이가 작을수록 그 비중이 크다는 것을 알 수 있다. 이에 따라 실적이 있다고 응답한 전체 기관 수에서 의료기관의 수의 차를 구하면 898 - 844 = 54(개소), 실적이 없다고 응답한 전체 기관 수에서 의료기관의 수의 차를 구하면 788 - 731 = 57(개소)이다. 따라서 실적이 있다고 응답한 기관 중 의료기관의 비중의 차가 더 작으므로 그 비중은 더 크다는 것을 알 수 있다.

16 ④

연도별 60대 이상 여성취업자 수의 전년 대비 증감폭을 확인해 보면 다음과 같다.

- 2005년: 1,034 - 1,096 = -62(천 명)
- 2006년: 1,073 - 1,034 = 39(천 명)
- 2007년: 1,118 - 1,073 = 45(천 명)
- 2008년: 1,123 - 1,118 = 5(천 명)

- 2009년: 1,132−1,123=9(천 명)
- 2010년: 1,135−1,132=3(천 명)
- 2011년: 1,191−1,135=56(천 명)

따라서 전년 대비 증감폭이 가장 컸던 해는 2005년이다.

[오답풀이] ① 50대 여성취업자는 2004년 1,083천 명에서 2011년 2,051천 명까지 매년 꾸준히 증가하므로 옳은 설명이다.

② 2007년 20대 여성취업자는 전년 대비 $\frac{2,128-2,096}{2,128}\times100≒1.5(\%)$ 감소하였으므로 옳은 설명이다.

③ 2004년 50대 여성취업자 수는 1,083천 명, 60대 이상 여성취업자 수는 1,096천 명으로, 50대 여성취업자 수가 60대 이상 여성취업자 수보다 적은 연도는 2004년 한 해뿐이므로 옳은 설명이다.

17 ①

Quick해설 교체 후의 증가한 매출을 계산해야 하므로 A사, B사 각각의 5대에 대한 매출의 차이를 계산해야 한다.
- A사: 150×500×5=375,000(원)
- B사: 65×1,200×5=390,000(원)

따라서 일일 매출은 390,000−375,000=15,000(원) 증가한다.

TIP

매출이 천 원 단위이다. 백 원 단위가 정답이 될 수 없으므로 ①번이 정답이다.

18 ②

Quick해설 제품별로 판매가에서 부품단가를 뺀 1개당 판매 이익은 제품 A: 2,800원, 제품 B: 3,000원, 제품 C: 3,400원, 제품 D: 3,350원, 제품 E: 3,450원이다. 따라서 현재까지의 이익은 (2,800×5)+(3,000×4)+(3,400×4)+(3,350×2)+(3,450×6)=67,000(원)이고, 총이익 70,000원이 되기 위해서는 판매 이익이 3,000원인 제품 B를 판매하면 된다.

[상세해설] 제품별로 1개당 판매 이익을 구하면 다음과 같다.
- 제품 A: 3,000−200=2,800(원)
- 제품 B: 3,500−200−300=3,000(원)
- 제품 C: 4,000−200−300−100=3,400(원)
- 제품 D: 4,000−200−300−150=3,350(원)
- 제품 E: 4,300−200−300−100−250=3,450(원)

이에 따라 현재까지 누적 판매한 이익은 (2,800×5)+(3,000×4)+(3,400×4)+(3,350×2)+(3,450×6)= 14,000+12,000+13,600+6,700+20,700=67,000(원)이므로 총이익이 70,000원이 되기 위해 판매해야 하는 한 개의 제품은 1개당 판매 이익이 70,000−67,000=3,000(원)인 제품이다. 따라서 제품 B를 판매해야 한다.

19 ①

Quick해설 어떤 집회에 참여한 사람 수를 x명이라고 하면 한 사람당 11개씩 나눠줬을 때, 휴대용 물티슈가 부족하므로 $11x>900$이다.

$x>\frac{90}{11} \rightarrow x>8.1818\cdots$

따라서 참가자 수는 최소 9명 이상이다.

20 ③

중도 비만인 사람은 비만도가 약 149.69로 나타나는 '병'이다.

[상세해설] 각각의 학생의 키와 몸무게를 비만도 공식에 적용하면 다음과 같다.

갑: $\dfrac{58}{(164-100)\times0.9}\times100\fallingdotseq100.69$ (정상 체중)

을: $\dfrac{80}{(180-100)\times0.9}\times100\fallingdotseq111.11$ (정상 체중)

병: $\dfrac{97}{(172-100)\times0.9}\times100\fallingdotseq149.69$ (중도 비만)

정: $\dfrac{43}{(166-100)\times0.9}\times100\fallingdotseq72.39$ (체중 미달)

따라서 중도 비만인 사람은 '병'이다.

실전 모의고사 3회

1교시 지적능력평가 [공간능력]

01	02	03	04	05	06	07	08	09	10	11	12	13	14	15	16	17	18	
④	④	②	③	④	④	③	④	④	④	④	④	①	③	①	②	③	①	

01 ④

Quick해설 제시된 정육면체의 꼭짓점 ③~④를 잇는 선에 맞닿은 두 면을 전개도에서 찾으면 정답은 ④이다.

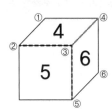 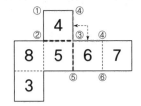

02 ④

Quick해설 제시된 정육면체의 꼭짓점 ②~③을 잇는 선에 맞닿은 두 면과 꼭짓점 ③~④를 잇는 선에 맞닿은 두 면을 전개도에서 찾으면 정답은 ④이다.

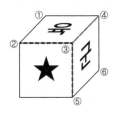 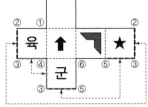

03 ②

Quick해설 제시된 정육면체의 꼭짓점 ③~④를 잇는 선에 맞닿은 두 면과 꼭짓점 ③~⑤를 잇는 선에 맞닿은 두 면을 전개도에서 찾으면 정답은 ②이다.

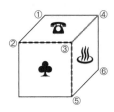 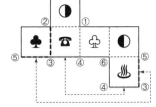

04 ③

제시된 정육면체의 꼭짓점 ②~③을 잇는 선에 맞닿은 두 면과 꼭짓점 ③~⑤를 잇는 선에 맞닿은 두 면을 전개도에서 찾으면 정답은 ③이다.

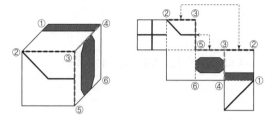

05 ④

제시된 정육면체의 꼭짓점 ②~③을 잇는 선에 맞닿은 두 면과 꼭짓점 ③~⑤를 잇는 선에 맞닿은 두 면을 전개도에서 찾으면 정답은 ④이다.

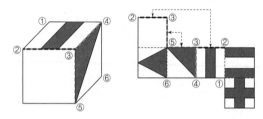

06 ④

제시된 정육면체의 꼭짓점 ②~③을 잇는 선에 맞닿은 두 면을 전개도에서 찾으면 정답은 ④이다.

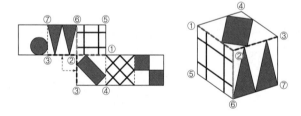

07 ③

제시된 정육면체의 꼭짓점 ①~②를 잇는 선에 맞닿은 두 면과 꼭짓점 ②~③을 잇는 선에 맞닿은 두 면을 전개도에서 찾으면 정답은 ③이다.

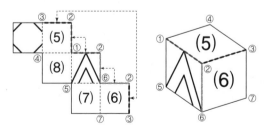

08 ④

Quick해설 제시된 정육면체의 꼭짓점 ②~⑥을 잇는 선에 맞닿은 두 면을 전개도에서 찾으면 정답은 ④이다.

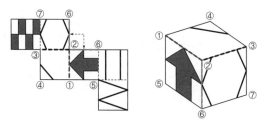

09 ④

Quick해설 제시된 정육면체의 꼭짓점 ②~⑥을 잇는 선에 맞닿은 두 면과 꼭짓점 ①~②를 잇는 선에 맞닿은 두 면이 같은 결합도를 찾으면 정답은 ④이다.

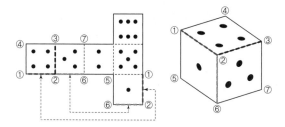

10 ④

Quick해설 제시된 정육면체의 꼭짓점 ①~②를 잇는 선에 맞닿은 두 면과 꼭짓점 ②~⑥을 잇는 선에 맞닿은 두 면을 전개도에서 찾으면 정답은 ④이다.

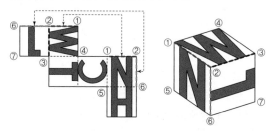

11 ④

Quick해설 좌측 열부터 차례대로 세어 더하면 $7+6+8+3+3+7+2+2=38$(개)이다.

[상세해설] 좌측 1번째 열: $1+2+2+2=7$(개)

좌측 2번째 열: $2+4=6$(개)

좌측 3번째 열: $1+2+3+2=8$(개)

좌측 4번째 열: $2+1=3$(개)

좌측 5번째 열: $1+1+1=3$(개)

좌측 6번째 열: $1+1+1+1+3=7$(개)

좌측 7번째 열: $1+1=2$(개)

좌측 8번째 열: 1+1=2(개)

따라서 7+6+8+3+3+7+2+2=38(개)이다.

12 ④

Quick해설 좌측 열부터 차례대로 세어 더하면 7+2+8+10+3+2+5+5=42(개)이다.

[상세해설] 좌측 1번째 열: 2+3+1+1=7(개)

좌측 2번째 열: 2개

좌측 3번째 열: 1+3+4=8(개)

좌측 4번째 열: 4+6=10(개)

좌측 5번째 열: 3개

좌측 6번째 열: 2개

좌측 7번째 열: 1+1+1+1+1=5(개)

좌측 8번째 열: 1+4=5(개)

따라서 7+2+8+10+3+2+5+5=42(개)이다.

13 ①

Quick해설 좌측 열부터 차례대로 세어 더하면 10+9+3+3+4+4+2=35(개)이다.

[상세해설] 좌측 1번째 열: 3+4+3=10(개)

좌측 2번째 열: 2+2+3+2=9(개)

좌측 3번째 열: 1+2=3(개)

좌측 4번째 열: 1+1+1=3(개)

좌측 5번째 열: 1+3=4(개)

좌측 6번째 열: 1+1+2=4(개)

좌측 7번째 열: 1+1=2(개)

따라서 10+9+3+3+4+4+2=35(개)이다.

14 ③

Quick해설 좌측 열부터 차례대로 세어 더하면 11+3+10+5+7+6=42(개)이다.

[상세해설] 좌측 1번째 열: 1+5+3+2=11(개)

좌측 2번째 열: 1+2=3(개)

좌측 3번째 열: 2+3+5=10(개)

좌측 4번째 열: 2+1+1+1=5(개)

좌측 5번째 열: 1+1+2+3=7(개)

좌측 6번째 열: 3+2+1=6(개)

따라서 11+3+10+5+7+6=42(개)이다.

15 ①

Quick해설 화살표 방향에서 바라볼 때 좌측 열부터 차례대로 층높이를 세면 1−2−1−2−2−3이다.

16 ②

화살표 방향에서 바라볼 때 좌측 열부터 차례대로 층높이를 세면 3-2-2-4-3-3-1-3이다.

17 ③

화살표 방향에서 바라볼 때 좌측 열부터 차례대로 층높이를 세면 4-3-2-1-3-2-1이다.

18 ①

화살표 방향에서 바라볼 때 좌측 열부터 차례대로 층높이를 세면 3-2-5-4-3-1이다.

01	02	03	04	05	06	07	08	09	10	11	12	13	14	15	16	17	18	19	20
②	①	②	①	②	①	①	②	①	①	②	①	①	①	②	①	②	①	②	①

21	22	23	24	25	26	27	28	29	30										
①	①	①	②	②	③	③	①	②	②										

01 ②

Quick해설 '♌ = ☻, Ψ = ♂'이므로 바르게 치환되지 않았다.

ㅎ ● ♌ 의 - ☀ ♎ ♂ ☂

02 ①

Quick해설 제시된 문자 모두 바르게 치환되었다.

03 ②

Quick해설 '의 = ☂, ♌ = ☻'이므로 바르게 치환되지 않았다.

Ѫ 의 ㅎ ☺ - ☻ ☻ ☀ ☉

04 ①

Quick해설 제시된 문자 모두 바르게 치환되었다.

05 ②

Quick해설 '☻ = ♎, ☹ = ☆'이므로 바르게 치환되지 않았다.

Ѫ 의 ☺ ☻ - ☻ ☂ ☉ ☆

06 ①

Quick해설 제시된 문자 모두 바르게 치환되었다.

07 ①

Quick해설 제시된 문자 모두 바르게 치환되었다.

08 ②

Quick해설 'ij＝118, ðð＝115'이므로 바르게 치환되지 않았다.

Œ ħþ ij ÐĦ － 114 117 <u>115</u> 116

09 ①

Quick해설 제시된 문자 모두 바르게 치환되었다.

10 ①

Quick해설 제시된 문자 모두 바르게 치환되었다.

11 ②

Quick해설 '༃ ＝ 8!2%, ☄ ＝ 6#1@'이므로 바르게 치환되지 않았다.

☹ ✿ ✋ <u>༃</u> － 2#5@ 3@6$ 5&7$ <u>6#1@</u>

12 ①

Quick해설 제시된 문자 모두 바르게 치환되었다.

13 ①

Quick해설 제시된 문자 모두 바르게 치환되었다.

14 ①

Quick해설 제시된 문자 모두 바르게 치환되었다.

15 ②

Quick해설 '✿ ＝ 3@6$, ❋ ＝ 1#3%'이므로 바르게 치환되지 않았다.

☹ ☺ <u>✿</u> ✋ － 2#5@ 3!4# <u>1#3%</u> 5&7$

16 ①

Quick해설 제시된 문자 모두 바르게 치환되었다.

17 ②

Quick해설 '답접 = Sv, 수소 = Gy'이므로 바르게 치환되지 않았다.

> 답접 금참 글말 귀비 - Gy ㎏ GPa MPa

18 ①

Quick해설 제시된 문자 모두 바르게 치환되었다.

19 ②

Quick해설 '귀비 = MPa, 관변 = kPa'이므로 바르게 치환되지 않았다.

> 귀비 글말 감남 수소 - kPa GPa rad Gy

20 ①

Quick해설 제시된 문자 모두 바르게 치환되었다.

21 ①

Quick해설 제시된 문자 모두 바르게 치환되었다.

22 ①

Quick해설 제시된 문자 모두 바르게 치환되었다.

23 ①

Quick해설 제시된 문자 모두 바르게 치환되었다.

24 ②

Quick해설 '쓰η₀ = ∄, er♈ = ⊕'이므로 바르게 치환되지 않았다.

> ⅋Ⅱ ♌♍ 쓰η₀ ♋✓ － ⊕ ⊗ ⊕ ✕

25 ②

Quick해설 '&⅁× = ⊗, ♌♍ = ⊗'이므로 바르게 치환되지 않았다.

> &⅁× ♋✓ 쓰η₀ ♏✗ － ⊗ ✕ ∄ ⊗

26 ③

Quick해설 주어진 문자는 총 6번 제시되었다.

N̲AVIEKVCN̲XQOMEN̲FWEMVZN̲FOEKVKACVWEKFGN̲BVMAN̲
  1   2   3   4   5   6

27 ③

Quick해설 주어진 문자는 총 3번 제시되었다.

329843920573<u>25</u>83981388<u>425</u>9171387282756362363653523263284<u>25</u>
               1   2   3

28 ①

Quick해설 주어진 문자는 총 6번 제시되었다.

끝없는 도전으로 새로운 내일을 연다. 우리가 바로 리더다!
    12 3   4 5   6

29 ②

Quick해설 주어진 문자는 총 10번 제시되었다.

Th̲ey have s̲pecial e̲ye̲lids that clos̲e a millis̲econd b̲efor̲e e̲ach fit.
  1   2   3   4 5   6   7   8 910

30 ②

Quick해설 주어진 문자는 총 6번 제시되었다.

Φ Φ Φ ⩘ ⊼ Φ Φ Φ ⩘ ⩘ ＋ Φ Φ ⩘ ⊼ Φ Φ Φ ⩘ ⩘ ⊼ ＋ ⊥ Φ Ⴀ ⊥ Φ Ⴀ ⊥ Φ ⩘
  1   2   3   4   5   6

01	02	03	04	05	06	07	08	09	10	11	12	13	14	15	16	17	18	19	20
③	①	①	⑤	②	③	③	③	⑤	③	②	④	①	③	①	④	⑤	②	②	④

21	22	23	24	25
①	④	④	④	④

01 ③

Quick해설 '증폭'의 의미는 '사물의 범위가 늘어나 커짐. 또는 사물의 범위를 넓혀 크게 함'이다.

02 ①

Quick해설 예문과 ①의 '싸다'는 '물건을 안에 넣고 보이지 않게 씌워 가리거나 둘러 말다'의 뜻이다.

[오답풀이] ② 어떤 물체의 주위를 가리거나 막다.

③ 어떤 물건을 다른 곳으로 옮기기 좋게 상자나 가방 따위에 넣거나 종이나 천, 끈 따위를 이용해서 꾸리다.

④ (입을 주어로 하여) 들은 말 따위를 진중하게 간직하지 아니하고 잘 떠벌리다.

⑤ 물건값이나 사람 또는 물건을 쓰는 데 드는 비용이 보통보다 낮다.

03 ①

Quick해설 '일을 계획하여 시작하거나 펼쳐 놓다'의 의미로 쓰였으므로, '벌였다'로 수정해야 한다. '벌리다'는 '둘 사이를 넓히거나 멀게 하다'를 의미한다.

[오답풀이] ② '살림을 넉넉하게 하다'의 의미로 쓰였으므로 '늘다'의 쓰임은 옳다.

　※ 일반적으로 '길이'와 관련된 것은 '늘다'가 맞고, '수량'과 그 외의 뜻과 관련된 것은 '늘리다'가 맞다.

③ '약재 따위에 물을 부어 우러나도록 끓이다'의 의미로 쓰였으므로 '달이다'의 쓰임은 옳다.

④ '모자라거나 미치지 못하다'의 의미로 쓰였으므로 '부치다'의 쓰임은 옳다.

　※ 일반적으로 '붙다'의 뜻이 남아있어, '접촉하다'라든가 '함께'하는 것과 관련된 의미일 때는 '붙이다'가 맞고, 그 외 파생된 의미일 때는 '부치다'가 맞다.

⑤ '긴장이나 화를 풀어 마음을 가라앉히다('삭다'의 사동사)'의 의미로 쓰였으므로 '삭이다'의 쓰임은 옳다.

　※ '발효하다'의 뜻일 때는 '삭히다'가 맞고, 그 외의 뜻에는 '삭이다'가 맞다.

TIP

헷갈리는 단어의 쓰임을 구분하는 문제는 자주 출제되는 유형 중 하나이다. 간혹 가지고 있는 뜻이 많은 단어의 경우, 모든 뜻을 암기할 필요는 없다. 다만, 유사한 형태를 가진 단어와 구분은 가능하도록 해야 하며, 이때 대표적인 예문 하나와 함께 정리해 두는 것이 좋다. 예를 들어 '부치다'와 '붙이다'의 경우, '붙다'의 뜻이 살아있으면 '붙이다'가 맞고, 그 외의 뜻일 때는 '부치다'가 맞다. 대표 예문으로 '편지를 부치기 위해 우표를 붙였다.'가 있다.

04 ⑤

Quick해설 주어진 글은 정약용의 〈기예론(技藝論)〉 중 일부이다. 도입에서 인간은 신체적 약점을 타고났지만 지혜로운 생각과 교묘한 연구력을 바탕으로 기예를 익혀서 제힘으로 살아가게 되어 있다는 인간의 본성에 대해 논하고 있다. 전개에서는 인간이 가진 생각과 연구력에 한계가 있음을 지적하면서 큰 도시로 갈수록(사람이 많이 사는 곳일수록) 기예가 더 많이 발달했음을 강조하는 내용에서 끝나고 있다. 즉 인간의 한계를 극복하기 위한 기예를 익히기 위해서는 더 넓은 곳에서 배워야 함을 강조하는 글이라고 볼 수 있다. 해당 내용을 가장 잘 나타낸 속담은 '여러 사람의 지혜가 어떤 뛰어난 한 사람의 지혜보다 나음을 비유적으로 이르는 말'인 ⑤이다.

[오답풀이] ① 하늘은 스스로 돕는 자를 돕는다: 하늘은 스스로 노력하는 사람을 성공하게 만든다는 뜻으로, 어떤 일을 이루기 위해서는 자신의 노력이 중요함을 이르는 말

② 제 배 부르니 종의 밥 짓지 말란다: 권세 있고 잘사는 사람들이 제 배가 불러 있으니 모두 저와 같은 줄 알고, 저에게 매여 사는 사람들이 배를 곯는 줄을 알지 못함을 비유적으로 이르는 말

③ 세월은 사람을 기다려주지 않는다: 무슨 일을 하든지 시간을 아껴서 부지런히 힘써야지 꾸물거리다가는 하여야 할 일을 못하고 만다는 말

④ 사공이 많으면 배가 산으로 올라간다: 여러 사람이 저마다 제 주장대로 배를 몰려고 하면 결국에는 배가 물로 못 가고 산으로 올라간다는 뜻으로, 주관하는 사람 없이 여러 사람이 자기주장만 내세우면 일이 제대로 되기 어려움을 비유적으로 이르는 말

05 ②

Quick해설 ⓐ와 ⓑ는 '반의' 관계이다. '볼록'과 '오목' 역시 '반의' 관계이다.

[상세해설] 문맥상 ⓐ의 '뛰어난'과 ⓑ의 '더러운'은 '문장이 수려한', '문장이 뛰어나지 않은' 정도로 해석이 가능하다. 따라서 ⓐ와 ⓑ는 반의 관계에 해당한다. 선택지 중 반의 관계를 가진 것은 ②이다.

• 볼록: 물체의 거죽이 조금 도드라지거나 쏙 내밀린 모양
• 오목: 가운데가 동그스름하게 폭 패거나 들어가 있는 모양

[오답풀이] ① 두 단어의 관계는 '유의 관계'이다.

③ 두 단어의 관계는 '부분─전체'이다.

④ 두 단어의 관계는 특별히 존재하지 않는다. 표준국어대사전의 공식 입장 역시 '여름/겨울'과 '봄/가을'의 반의 관계를 인정하고 있지 않다.

• 여름: 한 해의 네 철 가운데 둘째 철. 봄과 가을 사이이며, 낮이 길고 더운 계절로, 달로는 6~8월, 절기(節氣)로는 입하부터 입추 전까지를 이른다.

• 겨울: 한 해의 네 철 가운데 넷째 철. 가을과 봄 사이이며, 낮이 짧고 추운 계절로, 달로는 12~2월, 절기(節氣)로는 입동부터 입춘 전까지를 이른다.

⑤ 두 단어의 관계는 '상하 관계'이다.

06 ③

Quick해설 부사어 '비록'은 서술어 '할지라도'와 호응되므로, ⓒ의 사례로는 적절하지 않다.

[오답풀이] ① '전망'은 사람이 하는 일이다. 그런데 주어가 '부동산 정책'으로 제시되어 있으므로, 서술어인 '전망이다'와의 호응이 이뤄지지 않고 있다. 따라서 주어와 서술어가 서로 호응하지 않는 경우의 사례로 적절하다. 오류를 벗어나기 위해서는 '현재의 부동산 정책은 앞으로 손질이 불가피할 것으로 전문가들은 전망하고 있습니다.'와 같이 사람인 주어를 추가하든지 혹은 피동형인 '전망되고 있습니다'로 수정하는 것이 바람직하다.

② '이용하며'에 해당하는 목적어가 없으므로, 목적어와 서술어가 서로 호응하지 않는 경우의 사례로 적절하다. 오류를 벗어나기 위해서는 목적어인 '자연을'을 추가해야 한다.

④ '도착하다'는 완료상의 의미를 가지고 있으므로, 진행을 나타내는 '~고 있다'와 호응하지 않는다. 따라서 시

제의 사용이 어색한 경우의 사례로 적절하다. 오류를 벗어나기 위해서는 '도착했다'로 수정하는 것이 바람직하다.

⑤ '과반수'는 '반이 넘는 수'라는 뜻이므로, '이상'과 의미가 중복된다. 따라서 중복된 표현을 사용하는 경우의 사례로 적절하다. 오류를 벗어나기 위해서는 두 표현 중 하나만을 사용해야 한다.

07 ③

Quick해설 '-을 정도로'의 뜻을 나타내는 연결 어미는 '-(으)리만큼'이므로, 앞말과 붙여 써야 한다.

※ '대로, 만큼, 뿐'은 대표적인 의존명사이면서 동시에 보조사나 연결 어미 등으로도 사용된다. 따라서 그 구분이 대단히 중요한데, 관형어 뒤에는 의존 명사로 기능하므로 앞말과 띄어 써야 하고, 그 외에는 조사 또는 연결어미 등으로 기능하므로 앞말과 붙여 써야 한다.

[오답풀이] ① 주어진 문장의 '차'는 '('-던 차에', '-던 차이다' 구성으로 쓰여) 어떠한 일을 하던 기회나 순간'의 뜻으로 사용되는 의존명사이므로 앞말과 띄어 써야 한다. 단, '차'가 '목적'의 뜻을 나타내면 접미사이므로 앞말과 붙여 써야 한다.

㉠ 의존명사: 당신을 만나러 가려던 차였는데 잘 왔소.

㉠ 접미사: 인사차 방문했습니다.

② 주어진 문장의 '만'은 '앞말이 가리키는 동안이나 거리'나 '앞말이 가리키는 횟수를 끝으로'의 뜻으로 사용되는 의존명사이므로 앞말과 띄어 써야 한다. 단, '만'이 '제한, 한정, 강조, 기대하는 마지막 선'의 뜻을 나타내면 보조사이므로 앞말과 붙여 써야 한다.

㉠ 의존명사: 친구는 십 년 만에 귀국했다.

㉠ 보조사: 그 회의에는 팀장님만 참석했다.

④ 주어진 문장의 '들'은 명사 뒤에 쓰여 '두 개 이상의 사물을 나열할 때, 그 열거한 사물 모두를 가리키거나, 그 밖에 같은 종류의 사물이 더 있음을 나타내는 말'로 사용되는 의존명사이므로 앞말과 띄어 써야 한다. 단, '들'이 '그 문장의 주어가 복수임'을 나타내면 보조사, '복수'의 뜻을 나타내면 접미사이므로 앞말과 붙여 써야 한다.

㉠ 의존 명사: 책상 위에 놓인 공책, 신문, 지갑 들을 가방에 넣었다.

㉠ 보조사: 방에서 텔레비전을 보고들 있어라.

㉠ 접미사: 사람들이 모여있다.

⑤ 주어진 문장의 '-어치'는 '그 값에 해당하는 분량'을 뜻하는 접미사이므로, 앞말과 붙여 써야 한다.

대표적인 접미사로는 '-대', '-어치', '-가량', '-짜리', '-쯤', '-상', '-하'가 있다.

㉠ 만 원대, 천 원어치, 30분가량, 천 원짜리, 열 시쯤, 사실상, 감독하

TIP

일반적으로 띄어쓰기 문제는 '의존명사'에서 많이 출제된다. 한 단어가 의존명사 혹은 그 외의 조사 또는 어미로 사용될 때 그 구분을 묻는 경우가 많다. 의존명사는 명사이지만 자립성이 없는 명사로, 반드시 관형어의 수식을 받아야 한다는 점에서 대부분 구분이 가능하다.

1) 의존명사 VS 조사
　- 체언 뒤는 '조사'이므로 앞말과 붙여 써야 한다. ㉠ 친구만큼
　- 관형어 뒤는 '의존명사'이므로 앞말과 띄어 써야 한다. ㉠ 먹을 만큼
　※ 여기서 관형어는 용언의 관형사격을 이르는 것으로, '-(으)ㄹ, -(으)ㄴ, -던'으로 끝나는 형태를 찾으면 쉽다. 예를 들어 동사 '먹다'의 경우 뒤의 명사를 수식하기 위해 '먹은, 먹을, 먹던' 등으로 바꾸면 관형어가 되는 것이다.

2) 의존명사 VS 어미
　- 관형어 뒤는 '의존명사'이므로 앞말과 띄어 써야 한다. ㉠ 떠난 지

─ 용언의 어간 뒤는 '어미'이므로 앞말과 붙여 써야 한다. ⑩ 가지?

※ 용언은 어간과 어미로 구성된다. 예를 들어 '먹다─먹지─먹어'의 경우 활용되지 않는 즉 변하지 않는 '먹─'이 어간이고, 활용되는, 변하는 '─다, ─지, ─어'는 어미이다. 따라서 '가다'의 '가─' 뒤에 온다면 어미이므로 앞말에 붙여 써야 하는 것이다.

08 ③

Quick해설 주어진 대화 중 ⓒ은 '선아, 수옥, 혜원'을 모두 포함한다. ⑩ 역시 쇼핑을 같이 할 수 없는 선아를 포함한 셋을 가리키는 '우리'이므로 ⓒ과 ⑩이 가리키는 대상은 같다.

[오답풀이] ㉠: 수옥 혹은 수옥을 포함한 형제자매

ⓒ: 선아 혹은 선아의 가족 구성원

㉣: 수옥, 혜원

09 ⑤

Quick해설 사람들의 생각이나 성향을 이분법적으로 나누고, 각각 치우쳐 있다고 보고 있으므로, 주어진 시의 제목으로 적절한 것은 '편견'이다.

[상세해설] 서로 대비되는 성향을 가진 사람들이 있음을 이분법적으로 나열하고 있다. 즉 사람들이 둘 중에 한쪽으로만 치우진 성향이나 생각을 가지고 있음을 나타내고 있으므로, 주어진 시의 제목으로 가장 적절한 것은 '편견'이다.

• 편견(偏見): 공정하지 못하고 한쪽으로 치우친 생각

[오답풀이] ①, ② 생각이나 성향을 이분법적으로 나누고 있으므로, 자신의 생각과 관련된 '아집'이나 '개성'이 주어진 시의 제목이라고 보기 어렵다.

• 아집(我執): 자기중심의 좁은 생각에 집착하여 다른 사람의 의견이나 입장을 고려하지 아니하고 자기만을 내세우는 것

• 개성(個性): 다른 사람이나 개체와 구별되는 고유의 특성

③ 두 부류로 나누고 있을 뿐, 서로 화합하지 못한다는 내용이 없으므로 '불화'는 주어진 시의 제목으로 보기 어렵다.

• 불화(不和): 서로 화합하지 못함. 또는 서로 사이좋게 지내지 못함.

④ 자신의 견해를 강하게 이르거나, 모순이 있지만 진리가 숨어있는 내용이 아니므로 '역설'은 주어진 시의 제목으로 보기 어렵다.

• 역설(逆說): 1) 어떤 주의나 주장에 반대되는 이론이나 말

2) 일반적으로는 모순을 야기하지 아니하나 특정한 경우에 논리적 모순을 일으키는 논증. 모순을 일으키기는 하지만 그 속에 중요한 진리가 함축되어 있는 것으로 간주한다. ≒역변, 패러독스

10 ③

Quick해설 주어진 글은 싱크홀의 원인이 불안정한 지반임을 플로리다 지역을 예로 들어 설명하는 글이다. 따라서 글 전체 흐름상 어색한 문장은 플로리다 주의 딸기 맛에 대해 논한 (다)이다.

[오답풀이] ① (가)는 앞의 주장에 대한 예시로 플로리다 지역을 들고 있으므로, 전체 흐름상 어색하지 않은 문장이다.

② (나)의 '이곳은' (가)의 '플로리다 지역'으로 (가)의 내용을 이어받고 있으므로, 전체 흐름상 어색하지 않은 문장이다.

④ (라)는 플로리다 지역에 싱크홀이 생기기게 된 까닭을 설명하는 문장으로, 전체 흐름상 어색하지 않은 문장이다.

⑤ (마)는 (라)의 결과로, 플로리다 지역에 싱크홀이 많이 생긴 이유에 대해 정리한 내용이므로, 전체 흐름상 어색하지 않은 문장이다.

11 ②

Quick해설 첫 문단을 구분하는 것으로 정답을 고를 수 있다. [나]의 '오늘날'은 '현대 사회', '요즈음'과 더불어 글의 시작을 알릴 때 주로 사용된다. 물론 통시적으로 전개되는(시간의 흐름에 따라 전개되는) 글의 경우, 시기에 맞게 후반부에 등장할 때도 있지만 대부분은 첫 문단에서 등장한다. 더욱이 전체 글의 핵심 화제인 '패스트푸드'가 제시되고 있으므로, [나]가 첫 문단으로 가장 적절하다고 할 수 있다.

[오답풀이] ① 핵심 화제는 첫 문단 혹은 두 번째 문단에서 주어로 등장하는 것이 일반적이다. 그리고 핵심 화제에 대한 뜻풀이를 하는 경우도 많다. 그런데 [가]의 경우 '채소를 제외한 대부분의 음식들'이 주어로 등장하는데, 이 '대부분의 음식들'은 전체 글의 핵심 화제라고 볼 수 없으며, 첫 문단이라고 하기에는 구체적인 내용을 담고 있다. 따라서 상대적으로 첫 문단으로는 적절하지 않다.

③ '하지만'이라는 역접 접속사로 시작하였으므로, 첫 문단으로는 적절하지 않다.

④ 주어 부분이 지나치게 길게 수식되어 있다. 첫 문단의 중심 화제는 수식어 없이 제시되는 것이 일반적이고, 뜻풀이를 하는 경우가 많다. 따라서 첫 문단으로는 적절하지 않다.

⑤ 보조사 '도'를 사용하고 있으므로, 첫 문단으로는 적절하지 않다.

TIP

첫 문단을 고르기 어렵다면, 긴밀하게 연결된 두 문단을 바탕으로 선택지를 소거할 수 있는 방법도 있다. 예를 들어 [라]와 [마] 문단은 '과다 체중'이라는 키워드로 연결될 수 있는 문단들이다. 내용상 [라]가 [마]의 내용을 뒷받침하고 있으므로 '[마]—[라]'의 연결고리를 바탕으로 선택지를 소거할 수 있다.

12 ④

Quick해설 국익을 위해서는 악마와의 동맹도 마다하지 않는 것이 냉정한 국제정치 현실이라고 하였으므로 밑줄 친 문장은 국제정치에서는 국익에 따라 상대국과의 관계 역시 변할 수 있다는 것을 의미한다.

[오답풀이] ① 국가 간의 관계 확립을 위해 '전쟁'을 한다는 것은 상대국을 '적'으로만 둔다는 뜻이므로, 밑줄 친 문장의 문맥적 의미로 적절하지 않다.

② 바로 뒤 문장에서 '국익을 위해서'라는 근거를 달고 있으므로, '실리보다 윤리를 중요시한다'는 내용은 밑줄 친 문장의 문맥적 의미로 적절하지 않다.

③ 국가 간의 관계가 '경쟁'만 하는 것이라면, 상대국을 '적'으로만 둔다는 뜻이므로, 밑줄 친 문장의 문맥적 의미로 적절하지 않다.

⑤ 밑줄 친 문장의 영원한 우방도, 영원한 적도 없다는 것은 그 관계성에 유동성이 있다는 뜻이다. 그런데 우방이 적이 된다는 것은 한 가지 경우에만 해당하는 고착된 관계를 뜻하므로, 밑줄 친 문장의 문맥적 의미로 적절하지 않다.

13 ①

Quick해설 문맥상 ㉠에서 전체 내용을 포괄하는 결론이 들어가야 한다. 주어진 글에서 발명품은 필요가 있어서 발명한 것이 아니라 발명된 물건이 쓰이면서 필요로 하는 사람들이 생겨났다는 의미이므로 '발명이 필요의 어머니일 때가 많았다.'가 정답이다.

[상세해설] 주어진 글은 발명품이 발명가에 의해 만들어질 때, 어떠한 용도, 목적, 가치가 고려되지 않는 점을 지적하고 있다. 그리고 이렇게 발명된 제품이 처음 용도가 아닌 다른 용도로 더 많이 사용하는 경우가 많았는데, 이러한 용도들이 현대 기술 발전의 혁신에 해당하는 부분이라고 설명하고 있다. 즉 발명품의 진정한 용도(= 필요)는 추후에 결정되는 경우가 많았다는 것이므로, ㉠에 들어갈 말로 가장 적절한 것은 ①이다.

[오답풀이] ② 문맥상 발명품이 현대 기술 발전의 혁신을 이끌어 낸 것은 맞다. 하지만 더 정확히 보자면, 발전은 '발명' 자체가 아니라 발명품의 '새롭게 발견된 용도'에 의한 것이다.

③ '발명과 필요 간의 상호작용'에 대한 내용을 주어진 글에서 찾을 수 없다.

④ 주어진 글의 부분적 내용이지만 ㉠에 들어갈 말로는 적절하지 않다. 문맥상 ㉠은 글 전체를 포괄하는 내용이 들어가야 한다.

⑤ '발명품의 가치 면에서도 소비자가 일정 기간 사용한 후 필요하다고 느끼게 되는 경우'를 미루어 짐작할 수 있는 내용이지만, 글 전체를 포괄하는 내용이 아니므로 ㉠에 들어가기에는 적절하지 않다.

14 ③

Quick해설 (다) '일어계 외래어가 모어인 국어를 쓰지 못하는 상황에서 외국어인 일본어만을 쓰도록 강요당한 결과로 익히게 된 어휘들'이기 때문에 (라) '같은 외래어라도 일어계 외래어를 쓰지 않도록 노력해야 한다'고 하였으므로 (다)는 (라)를 뒷받침하는 문장에 해당한다.

[오답풀이] ① 글의 주제문은 (라)이다. (가)는 주제를 위한 도입 부분에 해당하는 문장으로, '일반적으로 한 언어가 다른 언어로부터 여러 가지 어휘를 차용하는 일이 나쁜 것은 아니지만, 우리나라의 경우 일어계 외래어는 사용하지 않도록 노력해야 한다'의 흐름으로 이어질 수 있다.

② (나)는 (가)의 근거에 해당하는 문장이다. 한 언어가 다른 언어로부터 여러 가지 어휘를 차용하는 것이 나쁘지 않다는 (가)의 주장은 국어만으로 충족될 수 없는 여러 가지 표현을 외래어의 차용으로 사용할 수 있으며, 외래어 유입이 어휘를 풍부하게 할 수 있다는 (나)를 근거로 들어 설명하고 있다. (나)와 (다)의 관계는 글의 흐름상 전환에 해당한다.

④ (라)는 (다)와 (마)의 결론에 해당하는 문장이다. 같은 외래어라도 일어계 외래어를 쓰지 않도록 노력해야 한다는 (라)의 주장은 일어계 외래어가 모어인 국어를 쓰지 못하는 상황에서 쓰도록 강요당한 외국어이며, 외래어가 아닌 외국어로서 우리의 언어 생활에 강한 영향을 미쳤다는 (다)와 (마)를 근거로 들어 설명하고 있다.

⑤ (마)와 (가)는 글의 흐름상 논리적인 연관성이 없다.

15 ①

Quick해설 '전 세계 인구의 비만율'이 증가한 것은 맞으나, 그중에서 '미국의 비만율'이 특히 증가했는지 여부는 알 수 없다.

[상세해설] 주어진 글에서 알 수 있는 사실은 냉장고의 사용으로 인해 '전 세계 인구의 비만율'이 점차 증가했다는 것이다. '미국의 비만율'이 특히 증가했는지 여부는 주어진 글을 통해서는 알 수 없다.

[오답풀이] ② '전 세계 인구의 비만율이 1993년에는 32%, 1995년은 38%, 1998년은 40%로 점차 증가하는 것

을 발견했다'를 통해 알 수 있다.

③ '냉장고 사용으로 인해 상하기 쉬운 어패류, 육류와 같은 신선 제품의 관리가 용이해진 건 사실이다'를 통해 알 수 있다.

④ '과거 인류는 음식을 오래 보관할 방법이 없어 ~ 주변 이웃들과도 음식을 공유하며 돈독한 우정을 다졌다. 그러나 현대인들은 풍족한 음식으로 인해 음식을 교류하는 일이 사라졌으며'를 통해 알 수 있다.

⑤ '냉장고에 오래 보관된 음식을 먹으면 여성의 경우 결장암에 걸릴 확률이 1.5배 높아졌다'와 '무엇보다도 가장 큰 문제는 과도한 냉장고 사용으로 환경이 오염되고 있다는 것이다'를 통해 알 수 있다.

16 ④

[Quick해설] 주어진 글은 냉장고의 과도한 사용으로 인한 부작용을 열거하고 있으므로, 이어질 내용으로 적절한 것은 ④이다.

[상세해설] 주어진 글은 과거와 현재의 음식 보관법의 차이로 인한 생활상을 비교하고 있다. 특히 과도한 냉장고의 사용으로 인한 부작용을 역설하며, 문제삼고 있다. 따라서 이어질 내용으로 가장 적절한 것은 '냉장고 사용을 줄여야 한다'는 ④이다.

[오답풀이] ① 과도한 냉장고의 사용으로 인한 부작용을 열거하고 있으므로, 이어질 내용으로 냉장고 사용의 '증가'는 옳지 않다.

② '냉장고 사용으로 인해 상하기 쉬운 어패류, 육류와 같은 신선 제품의 관리가 용이해진 건 사실이다'를 통해 냉장고가 인류에게 편의성을 부여해 주었다고 볼 수 있다. 하지만 주어진 글은 냉장고 사용으로 인한 부작용으로 끝맺고 있으므로, 냉장고의 장점이라고 볼 수 있는 '편의성'이 이어질 내용으로 제시되는 것은 옳지 않다.

③ '무엇보다도 가장 큰 문제는 과도한 냉장고 사용으로 환경이 오염되고 있다는 것'이라고 하였다. 즉 문제되는 것은 '냉장고' 자체가 아닌 '과도한 냉장고 사용'이다. 따라서 이어질 내용으로 '절대 사용해서는 안된다'는 가장 옳다고 보기 어렵다.

⑤ 냉장고의 장점에 대한 내용이므로 이어질 내용으로 옳지 않으며, 관련 내용도 주어진 글에서 찾을 수 없다.

17 ⑤

[Quick해설] 주어진 글에서 '인간'의 대뇌 신피질의 크기에 대한 내용은 알 수 없다.

[상세해설] 두 번째 문단의 '인간을 제외한 영장류 집단의 규모, 사회의 복잡성 등이 의식적 사고를 담당하는 뇌피질의 하나인 대뇌 신피질의 상대적 크기 사이와 밀접한 상관성을 가졌다는 것이 사회적 지능 이론을 뒷받침해 준다'를 통해 '인간'은 해당 내용과 관련이 없음을 알 수 있다.

[오답풀이] ① 마지막 문단의 '집단의 크기도 가장 크고 신피질의 크기가 가장 큰 영장류인 ~ 비교적 개방된 곳을 서식지로 삼는다'를 통해 알 수 있다.

② 첫 번째 문단의 '영장류 사회가 지닌 복잡성이 뇌의 크기를 키웠을 것이라는 사회적 지능 이론이다'를 통해 알 수 있다.

③ 두 번째 문단의 '영장류 사회는 다른 동물의 사회와 구분된다. ~ 강력한 유대 관계로 바탕으로 형성되었기 때문이다.'에서 알 수 있다.

④ 첫 번째 문단의 '영장류가 세상에 적응하기 위한 방법을 알아내고, 문제를 해결하는 과정에서 뇌가 커졌을 것이라는 전통적 이론이다'를 통해 알 수 있다.

`Quick해설` 두 번째 문단에서 국문이 한문보다 나은 이유에 대해 열거하고, 세 번째 문단에서 한문을 못 한다고 그 사람이 무식한 사람이 아니라, 국문만 잘하고 다른 지식과 학문이 있으면 그 사람은 한문만 하고 다른 물정과 학문이 없는 사람보다 유식하고 높은 사람이 되는 법이라고 하였다. 따라서 주어진 글은 한문보다 국문 즉, 한글의 중요성을 강조하는 내용이므로 승업이의 이해는 적절하지 않다. 더불어 주어진 글에서 다양한 언어를 사용하는 것이 좋다는 것과 연관된 내용 역시 찾을 수 없다.

[오답풀이] ① 첫 번째 문단의 '우리신문이 한문은 아니쓰고 다만 국문으로만 쓰는거슨 샹하귀쳔이 다보게 홈이라. 또 국문을 이러케 귀졀을 쎼여 쓴즉 아모라도 이신문 보기가 쉽고 신문속에 잇는말을 자셰이 알어 보게 홈이라.(우리 신문이 한문을 안쓰고 국문으로만 쓰는 이유는 전 국민이 다 보게 함이라. 또 국문을 이렇게 구절을 띄어 쓰는 것은 누구라도 이 신문을 보기가 쉽고 신문 속에 있는 말을 자세히 알아보게 함이다.)'를 통한 이해로 옳다.

③ 두 번째 문단의 '국문을 알아보기가 어려운건 다름이 아니라 첫지는 말마듸을 쎼이지 아니ᄒ고 그져 줄줄늬려 쓰는 까돍에 글ᄌ가 우희 부터는지 아릭 부터는지 몰나셔 몃번 일거 본후에야 글ᄌ가 어듸 부터는지 비로소 알고 일그니 국문으로 쓴편지 ᄒᆫ쟝을 보자ᄒ면 한문으로 쓴것보다 더듸 보고 또 그나마 국문을 자조 아니 쓰는 고로 셔툴어셔 잘못봄이라(국문을 알아보기가 어려운건 다름이 아니라, 첫째는 말마디를 떼지 않고 그저 줄줄 내려 쓰는 까닭에 글자가 위에 붙었는지 아래 붙었는지 몰라서 몇 번 읽어 본 후에야 글자가 어디 붙었는지 비로소 알고 읽으니 국문으로 쓴 편지 한 장을 보자면 한문으로 쓴 것보다 오래 걸리고 또 그나마 국문을 자주 안 쓰니 서툴러서 잘 보지 못한다.)'를 통한 이해로 옳다.

※ 독립신문은 그동안 사용했던 국문을 떼어 쓰지 않고 줄줄 내려 쓰는 까닭에 읽기 어려웠으나 독립신문에서 사용되는 국문은 구절마다 떼어 씀으로써 누구나 쉽게 읽을 수 있게 하였다고 밝히고 있다.

④ 세 번째 문단의 '한문 못 ᄒᆫ다고 그사롬이 무식ᄒᆫ사람이 아니라 국문만 잘ᄒ고 다른 물졍과 학문이 잇스면 그사롬은 한문만ᄒ고 다른 물졍과 학문이 업는 사롬 보다 유식ᄒ고 놉흔 사롬이 되는 법이라(한문 못 한다고 그 사람이 무식한 사람이 아니라 국문만 잘하고 다른 지식과 학문이 있으면 그 사람은 한문만 하고 다른 물정과 학문이 없는 사람보다 유식하고 높은 사람이 되는 법이다.)'를 통한 이해로 옳다.

⑤ 첫 번째 문단의 '각국에셔는 사롬들이 남녀 무론ᄒ고 본국 국문을 먼저 빅화 능통ᄒᆫ 후에야 외국 글을 빅오는 법인듸 죠션셔는 죠션 국문은 아니 빅오드리도 한문만 공부 ᄒ는 까돍에 국문을 잘아는 사롬이 드물미라(각국에서는 사람들이 남녀를 막론하고 자국어를 먼저 배워 능숙히 구사할 수 있는 다음에 외국 글을 배우는 법인데, 조선에서는 조선 국문은 안 배우더라도 한문만 공부하는 까닭에 국문을 잘 아는 사람이 드물다.)'를 통한 이해로 옳다.

`TIP`

독립신문 창간사 현대어 풀이
우리 신문이 한문을 안 쓰고 국문으로만 쓰는 이유는 전 국민(상하귀천)이 다 보게 함이라. 또 국문을 이렇게 구절을 띄어 쓰는 것은 누구라도 이 신문을 보기가 쉽고 신문 속에 있는 말을 자세히 알아보게 함이다. 각국에서는 사람들이 남녀를 막론하고 자국어를 먼저 배워 능숙히 구사할 수 있는 다음에 외국 글을 배우는 법인데 조선에서는 조선국문은 안 배우더라도 한문만 공부하는 까닭에 국문을 잘 아는 사람이 드물다.
조선 국문과 한문을 비교해 보면 국문이 한문보다 무엇이 낫냐 하면 첫째는 배우기가 쉬우니 좋은 글이요, 둘째는 이 글이 조선 글이니 조선 인민들이 알아서 온갖 일을 한문대신 국문으로 써 전 국민이 모두 보고 알아보기가 쉽다. 한문만 늘 써 버릇하고 국문은 폐한 까닭에 국문 쓴 글을 조선 인민이 도리어 잘 알아보지 못하고 한문을 잘 알아보니 그게 어찌 한심치 아니하리오. 또 국문을 알아보기가 어려운건 다름이 아니라 첫째는 말마디를 떼지 않고 그저 줄줄 내려 쓰는 까닭에 글자가 위에 붙었는지 아래 붙었는지 몰라서 몇 번 읽어 본 후에야 글자가 어디 붙었는지 비로소 알고 읽으니 국문으로 쓴 편지 한 장을 보자면 한문으로 쓴 것보다 오래 걸리고 또 그나마 국문을 자주 안 쓰니 서툴러서 잘 보지 못한다. 그러므로 정부에서 내리는 명령과 국가 문서를 한문으로만 쓴 것은 한문 못하는 인민은 남의 말만 듣고 무슨 명령인 줄 알고 자신이 직접 그 글을 못 보니 그 사람은 이유 없이 병신이 된다.

한문 못 한다고 그 사람이 무식한 사람이 아니라 국문만 잘하고 다른 지식과 학문이 있으면 그 사람은 한문만 하고 다른 물정과 학문이 없는 사람보다 유식하고 높은 사람이 되는 법이다. 조선 부녀자들도 국문을 잘 하고 각종 물정과 학문을 배워 소견이 높고 행실이 정직하면 빈부귀천을 막론하고 그 부인이 한문은 잘하고도 다른 것 모르는 귀족 남자보다 높은 사람이 되는 법이다.

우리 신문은 빈부귀천에 관계없이 이 신문을 보고 외국 물정과 국내 사정을 알게 하자는 뜻이니 남녀노소 상하귀천 간에 우리 신문을 하루걸러 몇 달간 보면 새 지각과 새 학문이 생길 것을 미리 안다.

19 ②

Quick해설 • 첫 번째 조건에 따라 갑 원사는 월~수요일에 출장 예정이므로 목요일 또는 금요일 당직 근무로 배치할 수 있다.

• 세 번째 조건에 따라 병 상사는 화요일 근무를 요청 상태이므로 화요일 당직 근무로 병 상사를 우선 배치한다.

• 네 번째 조건에 따라 무 중사는 병원 진료로 월, 수, 금 당직 근무가 불가하며, 세 번째 조건에 따라 화요일 당직 근무로 병 상사가 우선 배치되므로, 무 중사는 목요일 당직 근무로 배치할 수 있다. 이에 따라 갑 원사는 금요일 당직 근무로 배치된다.

• 다섯 번째 조건에 따라 중사끼리는 연속 당직 근무가 불가하므로 이를 종합하면 다음과 같다.

요일	월	화	수	목	금
근무자	정 중사	병 상사	을 상사	무 중사	갑 원사

따라서 당직 근무표로 옳은 것은 ②이다.

TIP

조건 추리에 관한 문제를 풀 때는 주어진 조건을 반드시 순차적으로 풀이할 필요는 없다. 제시된 조건 중에 고정적 조건이 있다면 이를 먼저 활용한다. 예를 들어 세 번째 조건의 경우, 병 상사가 화요일에 근무한다는 것을 알 수 있다. 이를 확인한 후, 네 번째와 첫 번째 조건을 활용하면 무 중사는 목요일, 갑 원사는 금요일에 근무하는 것을 알 수 있다.

20 ④

Quick해설 첫 번째 명제와 세 번째 명제를 연결하면, '직장 → 적금 → 투자'이므로, 그 대우인 '~투자 → ~적금 → ~직장'은 반드시 참이 된다.

[상세해설] 'p는 q이다'라는 명제가 참일 때, 반드시 참인 명제는 '~q는 ~p다'라는 형태의 대우명제뿐이다. 즉 첫 번째 명제와 세 번째 명제를 연결한 '직장에 다니는 사람은 투자에 관심이 많다'의 대우명제인 '투자에 관심 없는 사람은 직장에 다니지 않는다' 역시 반드시 참이 된다.

[오답풀이] ① 첫 번째 명제의 '역'으로, 반드시 참인 명제로 볼 수 없다.

② 세 번째 명제의 '역'이므로, 반드시 참인 명제로 볼 수 없다.

③ 첫 번째 명제의 '이'이므로, 반드시 참인 명제로 볼 수 없다.

⑤ 두 번째 명제와 첫 번째 명제를 연결한 '자기관리를 잘 하는 사람은 적금에 가입한다'의 '이'이므로, 반드시 참인 명제로 볼 수 없다.

명제 추론

원명제가 'p → q'일 때,

원명제의 가정과 결론의 순서를 바꾼 것은 역, 'q → p'

원명제에서 가정과 결론 양쪽을 부정해서 얻어지는 명제를 이, '~p → ~q'

가정과 결론을 모두 부정하고 순서를 바꾼 것을 대우, '~q → ~p'라고 한다.

이때 원명제가 참이라면 반드시 참인 명제는 '대우'뿐이고, '역'과 '이'는 반드시 참이라고 볼 수 없다.

21 ①

Quick해설 '무료 체험'을 통해 소유하게 함으로써 그것에 대한 가치를 높게 평가할 수 있도록 이끌어 구매로 이어질 수 있도록 하는 것이므로 '소유효과'를 활용한 광고 문구로 가장 적절하다.

[상세해설] '소유효과'는 '무엇인가를 소유하고 나면 갖고 있지 않을 때보다 그것을 더 높이 평가하는 성향'이다. 따라서 일단은 '무엇인가를 소유'함으로써 그것에 대한 가치가 높게 평가할 수 있도록 이끌어 구매로 이어지는 경우를 찾아야 한다. 이에 가장 부합하는 것은 ①이다.

[오답풀이] ②, ③, ④, ⑤ 무엇인가를 소유하는 것과 관련이 없으므로, '소유효과'를 활용하는 광고 문구로는 적절하지 않다.

22 ④

Quick해설 주어진 글의 필자는 마다가스카르의 자연 환경 파괴에 안타까움을 드러내고 있다. ④의 〈성북동 비둘기〉 역시 산업화, 도시화로 인해 자연이 파괴된 상황에서 보금자리(번지)를 잃어버린 비둘기에 대한 안타까움을 표현한 작품이므로, 필자가 공감할 작품으로 가장 적절하다. 이때 비둘기에 대한 해석은 여러 가지로 가능하지만, 문명의 발달로 인해 자신의 자리에서 점점 소외되어 가는 대상으로 볼 수 있다.

※ 주어진 글은 인간으로 인한 자연 파괴에 대해 안타까움을 드러내고 있으므로 필자가 공감하기 위해서는 '인간으로 인한 자연 파괴' 혹은 '자연물이 어려운 상황에 처해 있거나 부정적 감정을 드러낸 시구'와 관련된 것을 찾아야 한다.

[오답풀이] ① 봄 하늘을 우러르고 싶은 소망을 나타내는 시로, 봄 하늘에 대한 동경을 표현한 작품이다.

② 우물 속에 비친 자신의 모습을 바라보며 자아를 성찰하는 화자의 모습을 그린 작품이다.

③ 가난했던 어린 시절 아버지에 대한 회상과 연민을 자연물을 활용해 나타낸 작품이다. '못'은 제비에게 부정적인 영향을 끼치고 있지 않다.

⑤ 민중의 속성을 '풀'의 끈질긴 생명력과 연관시켜 표현한 작품이다. '풀'과 '바람' 모두 자연물로, 인간으로 인한 자연 파괴에 해당하지 않는다.

23 ④

Quick해설 '도로 신호'와 '철도 신호'의 차이점을 중심으로 서술하는 글이므로, 주된 설명 방식은 '대조'이다.

[오답풀이] ① 비유: 비슷한 사물이나 현상을 보조 개념을 가져와 빗대어 표현하는 설명 방식이다. 은유법, 직유법, 의인화 등이 비유법에 속한다.

② 예시: 구체적인 예를 들어 설명하는 방식이다. 모호한 개념에 대한 이해가 부족할 때 보다 명확한 설명을 위해 쓰는 경우가 많다.

③ 비교: 둘 이상의 것을 견주어 공통점이나 유사점 위주로 설명하는 방식이다.

⑤ 분석: 복잡한 내용의 다양한 구성요소들을 쪼개어 하나씩 설명하는 방식이다.

24 ④

Quick해설 ㉠ 도시 근로자가 모으는 대상이므로 '월급'과 '임금' 모두 가능하다.
㉡ 도시 근로자가 월급 또는 임금을 모아서 전셋집을 구한다는 의미이므로, '마련하는데'가 적절하다.
㉢ 3년이라는 시간이 걸렸다는 의미이므로, '기간'이 적절하다.
㉣ 문단의 첫 부분에서 '쉽지 않다'고 하였으므로, 전셋집 마련의 기간은 '늘어났고', '길어졌고'가 모두 가능하다.
㉤ 앞과 문맥상 의미가 같으므로 '늘었다', '늘어났다' 모두 가능하다.

[오답풀이] • 준비하는데: 준비는 '미리 마련하여 갖춤.'을 뜻하는 낱말로, '준비하다'라는 낱말이 들어가려면 어떠한 상황에 맞춰 미리 마련한다는 의미가 나타나야 한다. 하지만 주어진 문맥상 어떠한 상황에 대한 내용이 나타나지 않으므로 빈칸에 들어갈 적절한 말이라고 볼 수 없다.
• 시간: 시간은 '어떤 시각에서 어떤 시각까지의 사이' 혹은 '시간의 어느 한 지점＝시각'을 뜻하는 낱말이다. 즉 얼마 동안의 긴 시간을 뜻하는 낱말이 아니므로, 문맥상 빈칸에 들어갈 말로 '시간'보다는 '기간'이 더 적절하다.
• 기한: 기한은 '미리 한정하여 놓은 시기'를 뜻하는 낱말이다. 주어진 문맥에서는 한정된 시간을 의미하는 것이 아니므로 빈칸에 들어갈 적절한 말이라고 볼 수 없다.
• 짧아졌다: 문맥상 전셋집의 마련이 어려워졌다는 뜻이므로, 기간이 '짧아졌다'는 빈칸에 들어갈 적절한 말로 볼 수 없다.

25 ④

Quick해설 마지막 문단에서 '중인, 서자에서 천한 범인에 이르기까지 무릇 경전에 밝고 행실이 좋으며 문학, 정치에 뛰어난 자가 있으면'이라고 하였으므로, '낮은 신분의 자들은 배움이 부족하다'는 판단을 내릴 수 없다. 주어진 글과 일치하지 않으므로, 적절한 비판으로 보기 어렵다.

[상세해설] 두 번째 문단에서 '신분이 낮다 하여 등용하지 않는 것'에 문제가 있음을 제시한 후에, 마지막 문단에서 '중인, 서자에서 천한 범인에 이르기까지 무릇 경전에 밝고 행실이 좋으며 문학, 정치에 뛰어난 자가 있으면' 추천받아 시험을 보게 하여 등용해야 한다는 해결책을 제시하고 있다. 따라서 '낮은 신분의 자들은 배움이 부족하다'는 판단은 적절하지 않은 내용이므로, 적절한 비판으로도 보기 어렵다.
[오답풀이] ① 마지막 문단에 따르면 '무재이능과(茂才異能科)'는 추천받은 100명 정도가 따로 시험을 치른 후, 관직에 임명되는 것이므로 일반 과거 시험을 보는 자들과 형평성의 논란이 있을 것이라고 볼 수 있다. 따라서 적절한 비판이다.
② 마지막 문단에 따르면 '무재이능과(茂才異能科)'는 10년 마다 설치되어 추천을 받고 인재를 등용하는 것이므로, 필자가 목표로 삼은 '인재 등용'이 제때 이뤄진다고 보기 어렵다고 볼 수 있다. 따라서 적절한 비판이다.
③ 마지막 문단에 따르면 '무재이능과(茂才異能科)'는 신하들에게 추천을 받은 100명 정도가 따로 시험을 보는 방법이다. 따라서 만약 추천과정에서 폐단이 일어난다면 좋은 인재를 발굴하기 어려울 것이다. 즉 필자의 목적에 부합하는 결과가 나타나지 않을 것이므로, 적절한 비판이다.
⑤ 마지막 문단에 따르면 '무재이능과(茂才異能科)'는 특정 지역 주민들을 대상으로 시행되는 방안이다. 따라서 추천 대상 지역 이외의 사람들이 역차별을 받는 경우라고 볼 수 있다. 따라서 적절한 비판이다.

1교시 지적능력평가 [자료해석]

01	02	03	04	05	06	07	08	09	10	11	12	13	14	15	16	17	18	19	20
②	④	④	②	①	④	②	①	①	②	②	③	③	④	④	①	②	④	③	④

01 ②

Quick해설 지난주에 방문한 대인 고객 수를 x명, 소인 고객 수를 y명이라고 하면,

$$\begin{cases} x+y=1,000 \\ -\dfrac{5}{100}x+\dfrac{10}{100}y=1,000\times\dfrac{4}{100} \end{cases}$$

$\therefore x=400, y=600$

이번 주에 방문한 대인 고객은 지난주에 비해 5% 감소하였으므로 $400\times(1-0.05)=380$(명)이다.

[상세해설] 지난주에 방문한 대인 고객 수를 x명, 소인 고객 수를 y명이라 하면,

지난주에 대인과 소인이 1,000명 방문하였으므로 $x+y=1,000$이다.

이번 주에 방문한 대인은 5% 감소하였으므로 $-\dfrac{5}{100}x$명, 소인은 10% 증가하였으므로 $+\dfrac{10}{100}y$명, 전체적으

로 4% 증가하였으므로 $-\dfrac{5}{100}x+\dfrac{10}{100}y=1,000\times\dfrac{4}{100}$이다.

두 산식을 연립하면,

$$\begin{cases} x+y=1,000 \\ -\dfrac{5}{100}x+\dfrac{10}{100}y=1,000\times\dfrac{4}{100} \end{cases}$$

$\therefore x=400, y=600$

이번 주에 방문한 대인 고객은 지난주에 방문한 400명에 비해 5% 감소하였으므로 $400\times(1-0.05)=380$(명)
이다.

TIP

연립방정식을 활용하여 풀이해야 하는 문제인 경우에는 미지수의 개수를 최소화할 수 있는지 확인한다. 지난주에 방문한 대인 고객
의 수를 x명이라고 할 때, 대인 고객과 소인 고객의 수가 총 1,000명이었으므로 소인 고객의 수는 $1,000-x$명이 된다. 이를 활용하
여 이번 주에 방문한 대인 고객 수와 소인 고객 수를 구하면 $-0.05x+0.1(1,000-x)=0.04\times1,000$이고, $x=400$이다. 따라서 이
번 주에 방문한 대인 고객의 수는 $400\times(1-0.05)=380$(명)이다.

02 ④

Quick해설 현재 광현이가 경수보다 2칸 앞서 있을 때 경수가 광현이보다 더 높은 곳에 위치하려면 4번의 가위바
위보에서 경수가 3판을 이기고 1판은 비기거나 4판 모두 이겨야 한다. 따라서 $\left({}_4C_3\times\dfrac{1}{3}\times\dfrac{1}{3}\times\dfrac{1}{3}\times\dfrac{1}{3}\right)+$
$\left({}_4C_4\times\dfrac{1}{3}\times\dfrac{1}{3}\times\dfrac{1}{3}\times\dfrac{1}{3}\right)=\dfrac{5}{81}$이다.

[상세해설] 경수와 광현이가 가위바위보를 해서 나올 수 있는 모든 경우의 수는 $3\times3=9$(가지)이고, 경수가 가
위바위보를 해서 이길 경우, 비길 경우, 질 경우는 각각 $\dfrac{1}{3}$이다. 이때 광현이가 경수보다 2칸 앞서 있다고 하였
으므로 경수가 더 높은 곳에 위치하기 위해서는 4판 중에 3판을 이기고 1판은 비기거나 4판을 모두 이겨야
한다.

• 경수가 4판 중에 3판을 이기고 1판은 비길 확률:

$$_4C_3 \times \frac{1}{3} \times \frac{1}{3} \times \frac{1}{3} \times \frac{1}{3} = \frac{4}{81}$$

• 경수가 4판 모두 이길 확률:

$$_4C_4 \times \frac{1}{3} \times \frac{1}{3} \times \frac{1}{3} \times \frac{1}{3} = \frac{1}{81}$$

따라서 경수가 광현이보다 더 높은 곳에 위치할 확률은 $\frac{4}{81} + \frac{1}{81} = \frac{5}{81}$이다.

03 ④

Quick해설 평균 TV 시청시간은 $\dfrac{(10 \times A) + (30 \times 23) + (50 \times 22) + (70 \times B) + (90 \times 62) + (110 \times 33)}{200} = 70$(시간),

TV 시청 건수는 A+23+22+B+62+33=200(건)이므로 각각 아래와 같은 식으로 정리할 수 있다.

A+7B=300 ··· ㉠, A+B=60 ··· ㉡

㉠−㉡ → A=20, B=40

따라서 A는 20이다.

[상세해설] 평균과 TV 시청 건수의 합을 연립하여 A와 B를 구할 수 있다.

$$(\text{평균 TV 시청시간}) = \frac{(\text{구간별 계급값}) \times (\text{구간별 TV 시청 건수})}{(\text{전체 TV 시청 건수})} = 70$$이므로

$\{(10 \times A) + (30 \times 23) + (50 \times 22) + (70 \times B) + (90 \times 62) + (110 \times 33)\} \div 200 = 70$

→ 10A+690+1,100+70B+5,580+3,630=14,000

→ A+7B=300 ··· ㉠

이때 TV 시청 건수는 A+23+22+B+62+33=200이므로

A+B=60 ··· ㉡

㉠−㉡을 하면 6B=240 ∴ B=40

B=40을 ㉡에 대입하면 A=20이다.

04 ②

Quick해설 2019년 대북미 흑자 규모는 (수출액)−(수입액)=68,859.90−44,686.10=24,173.80(백만 달러)이다.

TIP

선택지 간의 수는 100단위에서만 차이를 보이고 있으므로 해당 단위 위주로 빠르게 계산할 수 있다.
08,850.00−04,680.00=04,170.000이므로 정답은 ②번이 된다.

05 ①

Quick해설 위원회 분쟁조정 건수 대비 인용결정 건수의 비율은 다음과 같다.

구분	2011년	2012년	2013년
위원회 분쟁조정	30+19+55+1=105(건)	29+15+20+47=111(건)	14+10+8+101=133(건)
인용결정	30+19=49(건)	29+15=44(건)	14+10=24(건)
$\dfrac{\text{인용결정}}{\text{위원회 분쟁조정}} \times 100$	$\dfrac{49}{105} \times 100 ≒ 46.7(\%)$	$\dfrac{44}{111} \times 100 ≒ 39.6(\%)$	$\dfrac{24}{133} \times 100 ≒ 18.0(\%)$

따라서 위원회 분쟁조정 건수 대비 인용결정 건수의 비율은 매년 하락함을 알 수 있다.

[오답풀이] ② 인용결정 건수 대비 조정불성립 건수의 비율은 2011년에 $\frac{19}{49} \times 100 ≒ 38.8(\%)$,

2012년에 $\frac{15}{44} \times 100 ≒ 34.1(\%)$, 2013년에 $\frac{10}{24} \times 100 ≒ 41.7(\%)$으로, 2012년에 하락하였다가 2013년에 상승하였으므로 옳지 않은 설명이다.

③ 기각결정 건수가 전체 분쟁사건 조정결정에서 차지하는 비율은 2011년에 $\frac{55}{126} \times 100 ≒ 43.7(\%)$,

2012년에 $\frac{20}{143} \times 100 ≒ 14.0(\%)$, 2013년에 $\frac{8}{173} \times 100 ≒ 4.6(\%)$으로, 매년 하락하였으므로 옳지 않은 설명이다.

④ 분쟁사건 조정결정의 합계는 조정 전 합의, 인용결정, 기각결정, 각하결정으로 구성되어 있으므로 각하결정이 내려지지 않은 것이 모두 인용결정이 내려졌다고 할 수 없다.

TIP

③의 경우 위원회의 전체 분쟁 조정의 건수는 점점 증가하는 반면 인용결정의 건수는 매년 감소했다. 즉, 위원회 분쟁조정 건수 대비 인용결정 건수의 비율은 분모가 계속 커지고 분자가 작아지고 있으므로 매년 하락한다고 할 수 있다.

06 ④

Quick해설 박사학위 취득자 중 전공계열이 의약인 사람들의 고용률은 전공계열이 사회인 사람들의 고용률에 비하여 54.4－45.1＝9.3(%p) 더 높다.

07 ②

Quick해설 '여성 박사학위를 취득한 전체인원×여성의 고용률×여성의 비정규직 비율＝박사학위를 취득한 비정규직 여성의 인원'임을 이용하여 구한다.
여성 박사학위 전체 취득자는 1,000명, 박사학위 취득 여성의 고용률 55.8%, 고용된 여성 중 비정규직 비율 50%이므로 이를 식에 대입하면 1,000×0.558×0.5＝279(명)임을 알 수 있다.

08 ①

Quick해설 ㉠ 2006년 에티오피아는 10위권 밖이므로 인구 수가 일본보다 적다. 만약 일본과 같다고 생각하더라도 $\frac{172－128}{128} \times 100 ≒ 34.4(\%)$이므로 2056년 에티오피아는 30% 이상 증가할 것으로 예상할 수 있다.

㉢ 미국의 2056년 인구 증가율은 $\frac{420－299}{299} \times 100 ≒ 40.5(\%)$로 예상되고, 러시아의 2056년 인구 증가율은

$\frac{260－146}{146} \times 100 ≒ 78.1(\%)$로 예상되므로 미국은 러시아보다 인구 증가율이 낮을 것으로 예상된다.

[오답풀이] ㉡ 파키스탄 인구는 2006년 166백만 명에서 2056년 295백만 명으로 증가할 것으로 예상되므로 옳지 않은 설명이다.

㉣ 나이지리아의 인구는 2006년에 비해 2056년에 2배 이상 증가하였고, 2배 미만으로 증가할 것으로 예상되는 인도의 인구 증가율보다 높으므로 옳지 않은 설명이다.

㉤ 방글라데시의 인구는 2006년 147백만 명에서 2056년 231백만 명으로 증가하여 2배 미만 증가하였으므로 옳지 않은 설명이다.

09 ①

Quick해설 서울에서 '등유'를 사용하는 가구의 비율이 2.4%일 때, 가구 수가 84,240가구이다. 서울에서 '기타' 난방연료를 사용하는 가구의 비율은 0.4%로 '등유'를 사용하는 가구의 비율의 $\frac{0.4}{2.4}=\frac{1}{6}$이므로, $84,240\times\frac{1}{6}=$ 14,040(가구)이다.

[상세해설] 서울의 전체 가구 수를 x가구라고 하면 서울에서 '등유'를 사용하는 가구의 비율은 2.4%이고, 가구 수는 84,240가구이므로 $\frac{2.4}{100}x=84,240 \to x=3,510,000$(가구)이다.

따라서 '기타' 난방연료를 사용하는 가구의 비율은 0.4%이므로 $\frac{0.4}{100}\times3,510,000=14,040$(가구)이다.

10 ②

Quick해설 주어진 자료만으로는 서로 다른 지역의 가구 수는 비교할 수 없다.

[오답풀이] ① 서울에서 열병합을 이용하는 가구는 12.6%로 절반이 되지 않으므로 옳은 설명이다.

③ 도시가스 사용비율은 서울 84.5%, 인천 91.8%, 경기북부 66.1%이고, 경기남부는 33.5%로 가장 낮으므로 옳은 설명이다.

④ 경기 북부 동일 지역 내에서 도시가스 66.1%, 등유 3%로 20배 이상 차이 나므로 옳은 설명이다.

TIP

비율에 관한 문제가 출제되었을 때, 같은 집단 내에서 비교를 하면 기준값이 같으므로 수를 비교하는 것과 동일하게 비율을 비교할 수 있다. 따라서 ④는 옳은 선택지이다. 반면에 비율로 나타낸 서로 다른 집단의 수치를 비교한다면 기준값이 달라지게 되므로 주의해야 한다.

11 ②

Quick해설 연도별로 음주가 차지하는 비율을 확인하면 다음과 같다.

- 2007년: $\frac{73}{359}\times100\fallingdotseq20.3(\%)$
- 2008년: $\frac{77}{419}\times100\fallingdotseq18.4(\%)$
- 2009년: $\frac{98}{554}\times100\fallingdotseq17.7(\%)$
- 2010년: $\frac{124}{715}\times100\fallingdotseq17.3(\%)$

따라서 매년 그 비중이 감소하였다.

[오답풀이] ① 질병 비용의 총합은 2007년부터 2010년까지 359억 원 → 419억 원 → 554억 원 → 715억 원으로 매년 증가하므로 옳은 설명이다.

③ 연도별로 고콜레스테롤이 차지하는 비율을 확인하면 다음과 같다.

- 2007년: $\frac{12}{359}\times100\fallingdotseq3.3(\%)$
- 2008년: $\frac{25}{419}\times100\fallingdotseq6.0(\%)$
- 2009년: $\frac{39}{554}\times100\fallingdotseq7.0(\%)$
- 2010년: $\frac{64}{715}\times100\fallingdotseq9.0(\%)$

따라서 매년 그 비중이 증가하므로 옳은 설명이다.

④ 2008년부터 2010년까지 전년 대비 흡연으로 인한 질병비용 증가율을 확인하면 다음과 같다.

- 2008년: $\frac{92-87}{87}\times100\fallingdotseq5.7(\%)$
- 2009년: $\frac{114-92}{92}\times100\fallingdotseq23.9(\%)$

・2010년: $\dfrac{131-114}{114}\times100≒14.9(\%)$

따라서 증가율이 가장 큰 해는 2009년이므로 옳은 설명이다.

12 ③

Quick해설 지난주 A메뉴 판매량을 a, B메뉴 판매량을 b라고 하면 지난주 판매량과 이번 주 증가한 판매량은 각각 아래와 같은 식으로 정리할 수 있다.

$a+b=5{,}000$ … ㉠, $0.08a-0.12b=200$ … ㉡

㉠×3+㉡ → $a=4{,}000$, $b=1{,}000$

따라서 지난주에 비하여 증가한 이번 주 A메뉴 판매량은 $4{,}000\times0.08=320$(명분)이다.

[상세해설] 지난주 A메뉴 판매량을 a, B메뉴 판매량을 b라고 하면 지난주 판매량은 $a+b=5{,}000$ … ㉠

이번 주에는 지난주에 비해 A메뉴가 8% 증가, B메뉴가 12% 감소하여 전체 판매량이 4% 증가하였다고 하였으므로 $0.08a-0.12b=0.04\times5{,}000 → 8a-12b=20{,}000 → 2a-3b=5{,}000$ … ㉡

㉠과 ㉡을 연립하면 ㉠×3+㉡ → $a=4{,}000$, $b=1{,}000$

따라서 지난주에 비하여 증가한 이번 주 A메뉴 판매량은 $4{,}000\times0.08=320$(명분)이다.

TIP

8%를 찾는 것이므로 정답은 8의 배수인 것을 알 수 있다. 이에 따라 빠르게 ③이 답인 것을 알 수 있다.

13 ③

Quick해설 전체가 30일이므로 훼손되지 않은 부분의 합을 30에서 제외하면 답을 구할 수 있다.

주어진 도수분포다각형으로 도수분포표를 작성하면 다음과 같다.

구간	일
4명 이상 8명 미만	2
8명 이상 12명 미만	5
12명 이상 16명 미만	6
16명 이상 20명 미만	8
20명 이상 24명 미만	?
24명 이상 28명 미만	
합계	30

20명 이상 28명 미만인 날을 제외한 나머지의 일 수를 합하면 $2+5+6+8=21$(일)이므로 20명 이상 28명 미만인 날의 수는 $30-21=9$(일)임을 알 수 있다.

14 ④

Quick해설 연비가 낮은 차량일수록 신차 구입가격이 저렴한 것을 알 수 있다.

[오답풀이] ① 10년 동안 주행했을 때 A자동차와 D자동차의 필요경비는 각각 '신차 구입가격+10년 동안의 연료비'를 통해 구할 수 있고, 이때 A~D자동차가 1년 동안 주행한 거리는 총 20,000km임을 알 수 있다.

A자동차는 신차 구입가격 2,000만 원, 연비 10km/h, 사용연료 휘발유의 리터당 가격은 1,700원이다. 이에 따라 10년 동안의 필요경비는 $2,000(만 원)+\dfrac{20,000(km)}{10(km/h)}\times1,700(원)\times10=5,400(만 원)$이다.

D자동차는 신차 구입가격 3,500만 원, 연비 20km/h, 사용연료 휘발유의 리터당 가격은 1,700원이다. 이에 따라 10년 동안의 필요경비는 $3,500(만 원)+\dfrac{20,000(km)}{20(km/h)}\times1,700(원)\times10=5,200(만 원)$이다.

따라서 10년 동안 주행했을 때 A자동차의 필요경비는 D자동차의 필요경비보다 $5,400-5,200=200(만 원)$ 더 많으므로 옳은 설명이다.

②, ③ 연비(km/L)는 연료 1L당 주행할 수 있는 거리를 나타낸 것이므로 연료탱크를 완전히 채웠을 때 주행이 가능한 거리는 '연비×연료탱크 용량'으로 구할 수 있다. 이에 따라 A자동차는 $10\times60=600(km)$, B자동차는 $8\times60=480(km)$, C자동차는 $12\times50=600(km)$, D자동차는 $20\times45=900(km)$ 주행이 가능하다. 따라서 연료탱크를 완전히 채웠을 때 B자동차는 480km 주행이 가능하고, D자동차는 편도 400km 구간의 왕복 주행이 가능하므로 옳은 설명이다.

15 ④

Quick해설 '필요경비＝신차 구입가격＋연료비'와 '연료비＝$\dfrac{주행거리}{연비}$×리터당 가격'을 이용한다.

1년에 20,000km를 주행하므로 6년간 주행거리는 $20,000\times6=120,000(km)$이고, B자동차의 신차 구입가격은 1,800만 원이다.

연료는 LPG를 이용하므로 리터당 1,000원임을 적용하여 계산하면,

$1,800(만 원)+\dfrac{120,000(km)}{8(km/ℓ)}\times1,000(원)=3,300(만 원)$

16 ①

Quick해설 ㉠ 전체 과목 수가 $15+11+12+13+31+12+36=130(과목)$이므로 A 전공분야의 비율은

$\dfrac{15}{130}\times100≒11.5(\%)$이므로 10% 이상이다.

㉡ 전공분야별로 영어강의 과목 수를 확인해 보면 다음과 같다.

- A: $15\times0.467≒7(과목)$
- B: $11\times0.909≒10(과목)$
- C: $12\times0.917≒11(과목)$
- D: $13\times0.615≒8(과목)$
- E: $31\times0.806≒25(과목)$
- F: $12\times0.667≒8(과목)$
- G: $36\times0.111≒4(과목)$

따라서 영어강의 과목 수가 가장 많은 전공분야는 E이다.

[오답풀이] ㉢ B 전공분야의 영어강의 과목 수는 10과목이고, A 전공분야의 영어강의 과목 수는 7과목으로 2배 미만이므로 옳지 않은 설명이다.

㉣ 전공분야별 영어강의 과목 비율이 80% 이상인 전공분야 B, C, E의 영어강의 과목 수는 $10+11+25=46$(과목)이다. 따라서 전체 130과목에서 차지하는 비율은 $\dfrac{46}{130}\times100≒35.4(\%)$이므로 옳지 않은 설명이다.

17 ②

Quick해설 첫 번째 조건에 따라 생물의 점수는 95점이 된다.

두 번째 조건에 따라 수학과 영어는 x점으로 놓을 수 있다.

세 번째 조건에 따라 한국사는 $x-25$점으로 놓을 수 있다.

주어진 모든 과목의 점수를 합하면 $85 \times 6 = 510$(점)이 되므로 다음과 같은 식이 성립될 수 있다.

$95 + x + x + 95 + 75 + (x-25) = 510$

$\therefore x = 90$

따라서 수학은 90점이고 한국사는 $90-25 = 65$(점)이다.

TIP

수학과 한국사가 25점 차이가 나는 조건을 가장 먼저 계산한다.

18 ④

Quick해설 체육대회에 참여한 전체 학생 수는 900명이고, 이 중에서 고등학생의 수는 $150+125 = 275$(명)이므로 임의로 한 명을 택했을 때, 그 학생이 고등학생일 확률은 $\dfrac{275}{900} = \dfrac{11}{36}$이다.

19 ③

Quick해설 가중치가 적용된 가중평균을 구하는 공식 '가중평균$=\{$(가중치$\times$성적)의 합$\}\div$(가중치의 합)'을 적용한다.

갑: $\dfrac{a \times 80 + 30 \times 100 + 30 \times 90 + b \times 80}{a+30+30+b} = 89$(점) ⋯ ㉠

을: $\dfrac{a \times 70 + 30 \times 90 + 30 \times 80 + b \times 90}{a+30+30+b} = 84$(점) ⋯ ㉡

㉠, ㉡ 두 식을 연립하면 $a=15$, $b=25$이다.

따라서 $a-b = 15-25 = -10$이다.

20 ④

Quick해설 전산장비 A의 가격이 4,025만 원이고, D의 가격이 5,100만 원이므로 D의 가격이 더 높다.

[상세해설] 전산장비 가격은 $\dfrac{\text{전산장비 연간유지비}}{\text{전산장비 가격 대비 연간유지비 비율}}$로 구할 수 있다.

따라서 A는 $\dfrac{322}{0.08} = 4{,}025$(만 원), D는 $\dfrac{255}{0.05} = 5{,}100$(만 원)이므로 D의 가격이 더 높다.

[오답풀이] ① A의 연간유지비는 E의 연간유지비의 $\dfrac{322}{208} \fallingdotseq 1.55$(배)이므로 옳지 않은 설명이다.

②, ③ 전산장비별로 가격을 확인해 보면 다음과 같다.

- A: $\dfrac{322}{0.08} = 4{,}025$(만 원)
- B: $\dfrac{450}{0.075} = 6{,}000$(만 원)
- C: $\dfrac{281}{0.07} \fallingdotseq 4{,}014$(만 원)
- D: $\dfrac{255}{0.05} = 5{,}100$(만 원)
- E: $\dfrac{208}{0.04} = 5{,}200$(만 원)
- F: $\dfrac{100}{0.03} \fallingdotseq 3{,}333$(만 원)

따라서 가격이 가장 높은 전산장비는 B이고 가장 낮은 전산장비는 F이므로 옳지 않은 설명이다.

실전 모의고사 4회

01 ④

Quick해설 제시된 정육면체의 꼭짓점 ③~⑤를 잇는 선에 맞닿은 두 면과 꼭짓점 ③~④를 잇는 선에 맞닿은 두 면을 전개도에서 찾으면 정답은 ④이다.

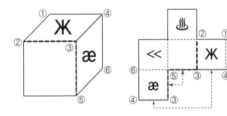

02 ③

Quick해설 제시된 정육면체의 꼭짓점 ②~③을 잇는 선에 맞닿은 두 면과 꼭짓점 ③~⑤를 잇는 선에 맞닿은 두 면을 전개도에서 찾으면 정답은 ③이다.

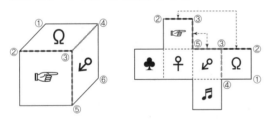

03 ④

Quick해설 제시된 정육면체의 ②~③을 잇는 선에 맞닿은 두 면을 전개도에서 찾으면 정답은 ④이다.

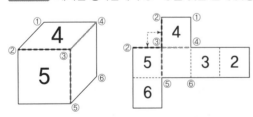

04 ④

Quick해설 제시된 정육면체의 꼭짓점 ②~③을 잇는 선에 맞닿은 두 면과 꼭짓점 ③~④를 잇는 선에 맞닿은 두 면을 전개도에서 찾으면 정답은 ④이다.

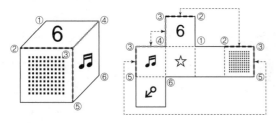

05 ②

Quick해설 제시된 정육면체의 꼭짓점 ③~④를 잇는 선에 맞닿은 두 면과 꼭짓점 ③~⑤를 잇는 선에 맞닿은 두 면을 전개도에서 찾으면 정답은 ②이다.

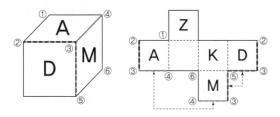

06 ②

Quick해설 제시된 정육면체의 꼭짓점 ①~②를 잇는 선에 맞닿은 두 면과 꼭짓점 ②~⑥을 잇는 선에 맞닿은 두 면을 전개도에서 찾으면 정답은 ②이다.

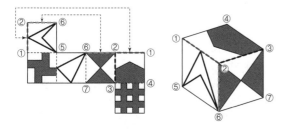

07 ①

Quick해설 제시된 정육면체의 꼭짓점 ①~②를 잇는 선에 맞닿은 두 면과 꼭짓점 ②~③을 잇는 선에 맞닿은 두 면을 전개도에서 찾으면 정답은 ①이다.

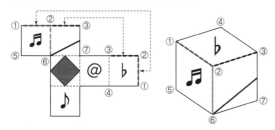

08 ④

Quick해설 제시된 정육면체의 꼭짓점 ②~③을 잇는 선에 맞닿은 두 면과 꼭짓점 ②~⑥을 잇는 선에 맞닿은 두 면을 전개도에서 찾으면 정답은 ④이다.

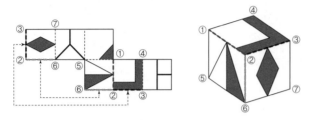

09 ①

Quick해설 제시된 정육면체의 꼭짓점 ①~②를 잇는 선에 맞닿은 두 면과 꼭짓점 ②~⑥을 잇는 선에 맞닿은 두 면을 전개도에서 찾으면 정답은 ①이다.

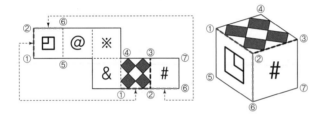

10 ②

Quick해설 제시된 정육면체의 꼭짓점 ②~③을 잇는 선에 맞닿은 두 면을 전개도에서 찾으면 정답은 ②이다.

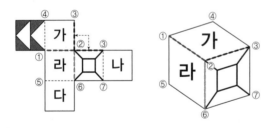

11 ③

Quick해설 좌측 열부터 차례대로 세어 더하면 3+6+9+3+4+4+1=30(개)이다.

[상세해설] 좌측 1번째 열: 1+2=3(개)

좌측 2번째 열: 1+1+2+2=6(개)

좌측 3번째 열: 1+1+2+2+3=9(개)

좌측 4번째 열: 1+2=3(개)

좌측 5번째 열: 1+1+1+1=4(개)

좌측 6번째 열: 1+1+2=4(개)

좌측 7번째 열: 1개

따라서 3+6+9+3+4+4+1=30(개)이다.

12 ③

Quick해설 좌측 열부터 차례대로 세어 더하면 11＋3＋10＋4＋7＋6＝41(개)이다.

[상세해설] 좌측 1번째 열: 1＋5＋3＋2＝11(개)
좌측 2번째 열: 1＋2＝3(개)
좌측 3번째 열: 2＋3＋5＝10(개)
좌측 4번째 열: 2＋1＋1＝4(개)
좌측 5번째 열: 1＋1＋2＋3＝7(개)
좌측 6번째 열: 3＋2＋1＝6(개)
따라서 11＋3＋10＋4＋7＋6＝41(개)이다.

13 ②

Quick해설 좌측 열부터 차례대로 세어 더하면 13＋11＋7＋5＋5＋5＝46(개)이다.

[상세해설] 좌측 1번째 열: 1＋1＋2＋4＋5＝13(개)
좌측 2번째 열: 2＋2＋3＋4＝11(개)
좌측 3번째 열: 1＋1＋5＝7(개)
좌측 4번째 열: 2＋3＝5(개)
좌측 5번째 열: 1＋1＋1＋2＝5(개)
좌측 6번째 열: 1＋2＋2＝5(개)
따라서 13＋11＋7＋5＋5＋5＝46(개)이다.

14 ④

Quick해설 좌측 열부터 차례대로 세어 더하면 6＋6＋12＋9＋3＋7＋8＝51(개)이다.

[상세해설] 좌측 1번째 열: 1＋1＋2＋2＝6(개)
좌측 2번째 열: 1＋2＋3＝6(개)
좌측 3번째 열: 2＋2＋2＋6＝12(개)
좌측 4번째 열: 1＋4＋4＝9(개)
좌측 5번째 열: 1＋2＝3(개)
좌측 6번째 열: 1＋3＋3＝7(개)
좌측 7번째 열: 2＋1＋1＋4＝8(개)
따라서 6＋6＋12＋9＋3＋7＋8＝51(개)이다.

15 ③

Quick해설 화살표 방향에서 바라볼 때 좌측 열부터 차례대로 층높이를 세면 3－1－1－2－1이다.

16 ①

Quick해설 화살표 방향에서 바라볼 때 좌측 열부터 차례대로 층높이를 세면 3－2－4－3－3－3－2이다.

17 ②

Quick해설 화살표 방향에서 바라볼 때 좌측 열부터 차례대로 층높이를 세면 1-3-3-1-5-3이다.

18 ③

Quick해설 화살표 방향에서 바라볼 때 좌측 열부터 비어있는 칸을 제외하고 차례대로 층높이를 세면 6-2-2-2-1-3-6이다.

01	02	03	04	05	06	07	08	09	10	11	12	13	14	15	16	17	18	19	20
①	②	①	②	②	②	①	①	②	①	②	①	①	②	②	①	②	①	②	①

21	22	23	24	25	26	27	28	29	30										
①	①	②	①	①	④	③	③	②	①										

01 ①

Quick해설 제시된 문자 모두 바르게 치환되었다.

02 ②

Quick해설 'STAR = ▽, MT = ◎'이므로 바르게 치환되지 않았다.

SPACE LAND STAR CLOUD – ⊗ △ ◎ ▢

03 ①

Quick해설 제시된 문자 모두 바르게 치환되었다.

04 ②

Quick해설 'LAKE = ◕, SEA = ◎'이므로 바르게 치환되지 않았다.

STAR LAKE SPACE SKY – ▽ ◎ ⊗ ○

05 ②

Quick해설 'MT = ◎, SKY = ○'이므로 바르게 치환되지 않았다.

MT LAND CLOUD STAR – ○ △ ▢ ▽

06 ②

Quick해설 'af =⇐⇐, ab =⇒⇒'이므로 바르게 치환되지 않았다.

as af an ag - ✕✕ ⇒⇒ ⇑⇑ ⇓⇓

07 ①

Quick해설 제시된 문자 모두 바르게 치환되었다.

08 ①

`Quick해설` 제시된 문자 모두 바르게 치환되었다.

09 ②

`Quick해설` 'ag= ⇂⇂ ⇂⇂, ad= ◥◥ ◥◥'이므로 바르게 치환되지 않았다.

> af <u>ag</u> av an - ⇐ ◥◥ ⇗⇗ ⇑⇑ ⇑⇑

10 ①

`Quick해설` 제시된 문자 모두 바르게 치환되었다.

11 ②

`Quick해설` 'γδ = ◩◪, δε = ◪◩'이므로 바르게 치환되지 않았다.

> PΣ <u>γδ</u> ΦΧ ζη － ◩◨ <u>◩◪</u> ◫◨ ▤▤

12 ①

`Quick해설` 제시된 문자 모두 바르게 치환되었다.

13 ①

`Quick해설` 제시된 문자 모두 바르게 치환되었다.

14 ②

`Quick해설` 'ΤΥ = ◩◨, δε = ◪◩'이므로 바르게 치환되지 않았다.

> <u>ΤΥ</u> αβ ζη ΦΧ － <u>◪◩</u> ◨◨ ▤▤ ◫◫

15 ②

`Quick해설` 'αβ = ◉◐, ζη = ▤▤'이므로 바르게 치환되지 않았다.

> γδ ΨΩ ΤΥ <u>αβ</u> － ◩◪ ◫◓ ◩◨ <u>▤▤</u>

16 ①

`Quick해설` 제시된 문자 모두 바르게 치환되었다.

17 ②

'lend＝ㅄ, land＝ㄼ'이므로 바르게 치환되지 않았다.

life lend legal lion — ㅄ ㄾ ㄿ ㄽ

18 ①

제시된 문자 모두 바르게 치환되었다.

19 ②

'lend＝ㅄ, legal＝ㄼ'이므로 바르게 치환되지 않았다.

land leg love lend — ㄼ ㅄ ㄵ ㄿ

20 ①

제시된 문자 모두 바르게 치환되었다.

21 ①

제시된 문자 모두 바르게 치환되었다.

22 ①

제시된 문자 모두 바르게 치환되었다.

23 ②

'≡≡=♩♫, ≡≡=♩ ⌒'이므로 바르게 치환되지 않았다.

≡≡ ≣ ≡≡ ≡≡ - ♩ ∥ ♩ ⌒ ♩ ♭ ♩ ♯

24 ①

제시된 문자 모두 바르게 치환되었다.

25 ①

제시된 문자 모두 바르게 치환되었다.

26 ④

주어진 문자는 총 8번 제시되었다.

LPOEIHNSOQVSJKQFKVOLEJQTROPLWSQMCNCBWJRISLODJFGNOBGQJHJEJOSBHFDQJFHSOKQ
　　1　　　2　　　　　3　　　4　　　　　　　　　　5　　　6　　　7　　　　8

27 ③

주어진 문자는 총 6번 제시되었다.

dzʥdzʥʥdzʦʃ fʧʦʦlʑʥẅ jʒzʑʔ ʦʑdzʥdzʦʥdzʥʥ
　1 2　　　3　　　4　　　56

28 ③

주어진 문자는 총 6번 제시되었다.

군인은 국군의 이념과 사명을 자각하여 정치적 중립을 엄정히 지키며 맡은 바 임무를 완수하여 국가와 국민에게 충성을
　　　　　　　　　1　　　　　　　2 3　　　　　　　　　　45　　　　　　　　　　　　6
다하여야 한다.

29 ②

주어진 문자는 총 5번 제시되었다.

Great hopes make great men.
　1　　2　　3　4　　5

30 ①

주어진 문자는 총 5번 제시되었다.

01	02	03	04	05	06	07	08	09	10	11	12	13	14	15	16	17	18	19	20
③	④	④	⑤	①	②	⑤	②	④	④	⑤	④	④	②	④	⑤	②	⑤	①	④

21	22	23	24	25															
①	③	④	⑤	③															

01 ③

Quick해설 '간호사'는 차별적 언어에 해당하지 않는다.

[오답풀이] ① '여의사'는 성차별적 언어로 '의사'로 수정해야 한다.
② '학부형'은 성차별적 언어로 '학부모'로 수정해야 한다.
④ '문둥이'는 장애인 비하 언어로 '나환자, 한센인'으로 수정해야 한다.
⑤ '탈북자'는 인종 차별 언어로 '새터민'으로 수정해야 한다.

TIP

차별적 언어의 종류
• 성차별

차별적 언어	순화어	차별적 언어	순화어
미망인(未亡人)	고(故) ○○ 씨의 부인(夫人)	권력의 시녀(侍女)	권력의 앞잡이
하느님의 아들	하느님의 자녀	처녀작(處女作)	첫 작품
여류 작가	작가	처녀 출전	첫 출전
가오 마담	대리 사장	처녀비행	첫 비행
자(子)	자녀(子女)	사모님식 투자	주먹구구식 투자

• 인종차별

차별적 언어	순화어	차별적 언어	순화어
검둥이	흑인	터키탕	증기탕
튀기	혼혈인	코쟁이	서양 사람
조선족	중국 동포	살색	살구색

• 장애인 비하

차별적 언어	순화어	차별적 언어	순화어
앉은뱅이, 절름발이	지체 장애인	귀머거리	청각 장애인
정신병자	정신 장애인	맹인, 소경, 장님, 애꾸눈, 외눈박이, 사팔뜨기	시각 장애인
저능아	지적 장애아	벙어리, 언청이, 째보	언어 장애인

• 직업 차별, 비하

차별적 언어	순화어	차별적 언어	순화어
군바리	군인	세리	세무 공무원
딴따라	연예인	수위	경비원

점쟁이	역술가	파출부	가사 도우미
운전수	운전사	환쟁이	화가
우체부	우편집배원	구두닦이	구두 미화원
막노동꾼	막노동자	봉급쟁이	봉급 생활자
짭새	경찰관	신문팔이	신문 판매원
청소부	환경 미화원	중매쟁이	중매인

02 ④

Quick해설 문맥상 외부의 변화에 흔들리지 않을 만큼 '정착'하였다는 의미이므로, 바꿔 쓰기에 가장 적절한 단어는 '정착'이다.

• 정착(定着)되다: 1) 일정한 곳에 자리를 잡아 붙박이로 있거나 머물러 살게 되다.

㉠ 물론 다른 민족도 처음부터 한곳에 정착된 건 아니지만 말이야.

2) 다른 물건에 단단하게 붙어 있게 되다.

3) 새로운 문화 현상, 학설 따위가 당연한 것으로 사회에 받아들여지다.

㉠ 인류의 경제 활동은 자본주의가 정착되면서 더욱 활발해졌다.

[오답풀이] ① 정의(定義)되다: 어떤 말이나 사물의 뜻이 명백히 밝혀져 규정되다.

㉠ 교육은 한 나라의 장래를 결정하는 백년대계라고 정의될 수도 있다.

② 정제(精製)되다: 1) 정성이 들어가 정밀하게 잘 만들어지다.

2) 물질에 섞인 불순물이 없어져 그 물질이 더 순수하게 되다.

③ 정립(定立)되다: 1) 정하여져 세워지다.

㉠ 실정법은 현실적으로 정립된 법을 말한다.

2) 『철학』 어떤 논점에 대하여 반론이 예상되고 주장되다.

3) 『철학』 전체에서 특정한 면이나 일정한 내용이 추출되어 고정되다. 어떤 사물이 타당한 것이라고 잠정적으로 규정되는 사유의 기초적인 판단 작용을 이른다.

⑤ 정비(整備)되다: 1) 흐트러진 체계가 정리되어 제대로 갖추어지다.

㉠ 이론이 정비되다.

2) 기계나 설비가 제대로 작동되도록 보살펴지고 손질되다.

㉠ 정비된 자동차

3) 도로나 시설 따위가 제 기능을 하도록 정리되다.

㉠ 주차 시설이 정비되다.

03 ④

Quick해설 주어진 글은 도널드 트럼프 전 미국 대통령이 탄핵 심판에 대응하기 위해 꾸렸던 변호인단이 모두 사임하는 상황에 대한 내용이다. 탄핵이라는 어려운 상황에서 변호인단까지 떠났으므로, 의지할 곳 없이 고립되어 있다는 의미의 사자성어 '고립무원(孤立無援)'이 가장 적절하다.

• 고립무원(孤立無援): 고립되어 구원을 받을 데가 없음.

[오답풀이] ① 수어지교(水魚之交): 1) 물이 없으면 살 수 없는 물고기와 물의 관계라는 뜻으로, 아주 친밀하여

떨어질 수 없는 사이를 비유적으로 이르는 말≒수어, 수어지친, 어수지교, 어수친

2) 임금과 신하 또는 부부의 친밀함을 이르는 말≒수어지친, 어수지교, 어수친

② 삼고초려(三顧草廬): 인재를 맞아들이기 위하여 참을성 있게 노력한다는 뜻으로, 중국 삼국 시대에 촉한의 유비가 난양(南陽)에 은거하고 있던 제갈량의 초옥으로 세 번이나 찾아갔다는 데서 유래한다.≒초려삼고

③ 당랑거철(螳螂拒轍): 제 역량을 생각하지 않고, 강한 상대나 되지 않을 일에 덤벼드는 무모한 행동거지를 비유적으로 이르는 말로, 중국 제나라 장공(莊公)이 사냥을 나가는데 사마귀가 앞발을 들고 수레바퀴를 멈추려 했다는 데서 유래한다.≒당랑당거철, 당랑지부

⑤ 인산인해(人山人海): 사람이 산을 이루고 바다를 이루었다는 뜻으로, 사람이 수없이 많이 모인 상태를 이르는 말

TIP

부사관 시험에서 사자성어 문제는 큰 비중을 차지하지는 않지만, 단골로 등장하는 문제 유형이다. 하지만 낯선 사자성어보다는 흔히 알려진 사자성어로 구성되는 것이 일반적이므로, 낯설고 어려운 사자성어보다는 일상생활에서나 매체 등에서 많이 사용하는 익숙한 사자성어 위주로 정리하는 것을 추천한다.

04 ⑤

Quick해설 '쉬고 있는' 상황과 '손에 땀을 쥐다'는 어울리지 않는다.

[상세해설] '손에 땀을 쥐다'는 조마조마한 마음 상태를 이르는 관용 표현이므로, '휴일에 편하게 쉬고 있는 상황'과 어울리지 않는다.

• 손에 땀을 쥐다: 아슬아슬하여 마음이 조마조마하도록 몹시 애달다.

[오답풀이] ① 간이 크다: 겁이 없고 매우 대담하다.

② 엉덩이가 근질근질하다: 한군데 가만히 앉아 있지 못하고 자꾸 일어나 움직이고 싶어 하다.

③ 시치미를 떼다: 자기가 하고도 하지 아니한 체하거나 알고 있으면서도 모르는 체하다.

④ 국수 먹다: 결혼식 피로연에서 흔히 국수를 대접하는 데서, 결혼식을 올리는 일을 비유적으로 이르는 말

05 ①

Quick해설 '케이크'의 표기가 적절하다. '케잌'이나 '케익'으로 쓰지 않도록 주의해야 한다.

[오답풀이] ② '플래시'로 써야 한다. '플래쉬'나 '후레시' 표기는 옳지 않다.

③ '비전'으로 써야 한다. '비젼' 표기는 옳지 않다. 외래어표기법에서 'ㅈ, ㅊ'은 이중모음과 결합하지 않는다.

④ '앙케트'로 써야 한다. '앙케이트' 표기는 옳지 않다.

⑤ '밀크셰이크'로 써야 한다. '밀크쉐이크' 표기는 옳지 않다.

06 ②

Quick해설 '수강아지'가 아닌 '수캉아지'가 표준어이다.

[상세해설] 〈표준어규정〉 제7항 '수컷을 이르는 접두사는 수-로 통일한다'에 의거하여 수컷을 뜻할 때는 '수-'를 써야 하고, 다음과 같이 '수-'와 '암-'뒤에 거센소리가 나는 경우 이를 인정한다.

바른 표기(○)	틀린 표기(×)
수-캉아지	숫-강아지
수-캐	숫-개
수-컷	숫-것
수-키와	숫-기와
수-탉	숫-닭
수-탕나귀	숫-당나귀
수-톨쩌귀	숫-돌쩌귀
수-돼지	숫-돼지
수-평아리	숫-병아리

다만, 다음 단어의 접두사는 '숫-'으로 해야 한다.

바른 표기(○)	틀린 표기(×)
숫-양	수-양
숫-염소	수-염소
숫-쥐	수-쥐

[오답풀이] ① 〈표준어규정〉 제5항 '어원에서 멀어진 형태로 굳어져서 널리 쓰이는 것은, 그것을 표준어로 삼는다'에 의거하여 '강남콩'이 아닌 '강낭콩'이 표준어이다.

※ '강낭콩'은 중국의 '강남(江南)' 지방에서 들여온 콩이기 때문에 붙여진 이름인데, '강남'의 형태가 변하여 '강낭'이 되었다. 언중이 이미 어원을 인식하지 않고 변한 형태대로 발음하는 언어 현실을 그대로 반영하여 '강낭콩'이 표준어가 되었다.

③ 〈표준어규정〉 제7항 '수컷을 이르는 접두사는 수-로 통일한다'에 의거하여 '수닭'이 아닌 '수탉'이 표준어이다.

④ 〈표준어규정〉 제9항 'ㅣ' 역행 동화 현상에 의한 발음은 원칙적으로 표준 발음으로 인정하지 아니하되, 다만 다음 단어들은 그러한 동화가 적용된 형태를 표준어로 삼는다'에 의거하여 '시골나기'가 아닌 '시골내기'가 표준어이다. 'ㅣ' 역행 동화가 일어나지 아니한 형태를 표준어로 삼는 경우는 '아지랑이'뿐이다.

⑤ 〈표준어규정〉 제11항 '다음 단어에서는 모음의 발음 변화를 인정하여, 발음이 바뀌어 굳어진 형태를 표준어로 삼는다'에 의거하여 '상치'가 아닌 '상추'가 표준어이다.

TIP

〈표준어규정〉에 따른 문제는 종종 출제되는 유형이다. 대표적으로 제3항, 제5항, 제6항, 제7항, 제9항, 제11항, 제12항이 자주 출제되며, 그 외에도 단수 표준어, 복수 표준어 등에서도 출제된 바가 있다. 시험을 준비할 때 시간적 여력이 충분하다면 한번 정도 정리하는 것을 추천한다.

07 ⑤

Quick해설 두 단어의 쓰임이 뒤바뀌어 있다.

• 목메다: 기쁨이나 설움 따위의 감정이 북받쳐 솟아올라 그 기운이 목에 엉기어 막히다.

　예 그는 목메어 울었다.

• 목매다: 1) 죽거나 죽이려고 끈이나 줄 같은 것으로 높은 곳에 목을 걸어 매달다.

　　예 죄 없는 사람을 목매면 안 된다.

2) (속되게) 어떤 일이나 사람에게 전적으로 의지하다. =목매달다.

　　예 나는 그녀에게 목매고 싶지 않다.

[오답풀이] ① • 째: '그대로', 또는 '전부'의 뜻을 더하는 접미사

　　• 채: 이미 있는 상태 그대로 있다는 뜻을 나타내는 의존 명사

② • 가르치다: 지식이나 기능, 이치 따위를 깨닫게 하거나 익히게 하다.

　　• 가리키다: 손가락 따위로 어떤 방향이나 대상을 집어서 보이거나 말하거나 알리다.

③ • 건너다: 무엇을 사이에 두고 한편에서 맞은편으로 가다.

　　• 건네다: 1) 돈이나 물건 따위를 남에게 옮기다. 2) '건너다'의 사동사

④ • 그립다: 보고 싶거나 만나고 싶은 마음이 간절하다.

　　• 그리다: 사랑하는 마음으로 간절히 생각하다.

　　※ '그리다'는 동사이고, '그립다'는 형용사이다. 활용의 형태에서 차이가 난다.

08 ②

Quick해설 문맥상 물건들이 '팔리다'라는 뜻이다.

[상세해설] '새로 입고된 물건'과 '남은 재고들'이라는 대상과 마지막 서술어의 '적자'를 통해 '잘 나가다'의 문맥상 의미는 물건이 '팔리다'임을 알 수 있다.

[오답풀이] ①, ③, ④, ⑤ 문맥상 재고들 때문에 '아직은' 적자라는 것은 새로 입고된 물건들로 인해 '흑자'로 돌아설 여지가 있음을 설명하고 있는 것이다. 따라서 '잘 나가다'를 '망가지다', '더럽다', '깨지다', '쌓여있다'의 의미로 볼 수는 없다.

09 ④

Quick해설 '여러 사람에 관계되는 국가나 사회의 일'을 뜻하는 '공(公)'은 단음이다. 경기나 놀이에 사용되는 '공'이 장음이다.

[오답풀이] ① 날씨인 '눈'은 장음이 맞다. 신체 기관인 '눈'은 단음이다.

② 곤충의 하나인 '벌'은 장음이 맞다. 잘못하거나 죄를 지은 사람에게 주는 '벌'은 단음이다.

③ 열매의 일종인 '밤'은 장음이 맞다. 시간의 '밤'은 단음이다.

⑤ 표현 수단인 '말'은 장음이 맞다. 포유류인 '말'은 단음이다.

TIP

〈표준발음법〉 단음과 장음

제6항 모음의 장단을 구별하여 발음하되, 단어의 첫음절에서만 긴소리가 나타나는 것을 원칙으로 한다.
• 눈보라[눈:보라], 말씨[말:씨], 밤나무[밤:나무], 많다[만:타], 멀리[멀:리], 벌리다[벌:리다]
• 첫눈[천눈], 참말[참말], 쌍동밤[쌍동밤], 수많이[수:마니], 눈멀다[눈멀다], 떠벌리다[떠벌리다]
다만, 합성어의 경우에는 둘째 음절 이하에서도 분명한 긴소리를 인정한다. 반신반의[반:신바:늬/반:신바:니], 재삼재사[재:삼재:사]
[붙임] 용언의 단음절 어간에 어미 '-아/-어'가 결합되어 한 음절로 축약되는 경우에도 긴소리로 발음한다.
보아 → 봐[봐:], 기어 → 겨[겨:], 되어 → 돼[돼:], 두어 → 둬[둬:], 하여 → 해[해:]
다만, '오아 → 와, 지어 → 져, 찌어 → 쪄, 치어 → 쳐' 등은 긴소리로 발음하지 않는다.
제7항 긴소리를 가진 음절이라도, 다음과 같은 경우에는 짧게 발음한다.
• 단음절인 용언 어간에 모음으로 시작된 어미가 결합되는 경우
감다[감:따] — 감으니[가므니], 밟다[밥:따] — 밟으면[발브면]
신다[신:따] — 신어[시너], 알다[알:다] — 알아[아라]
다만, 다음과 같은 경우에는 예외적이다.
끌다[끌:다] — 끌어[끄:러], 떫다[떨:따] — 떫은[떨:븐]
벌다[벌:다] — 벌어[버:러], 썰다[썰:다] — 썰어[써:러], 없다[업:따] — 없으니[업:쓰니]

- 용언 어간에 피동, 사동의 접미사가 결합되는 경우
  감다[감:따] — 감기다[감기다], 꼬다[꼬:다] — 꼬이다[꼬이다]
  밟다[밥:따] — 밟히다[발피다]
다만, 다음과 같은 경우에는 예외적이다.
끌리다[끌:리다], 벌리다[벌:리다], 없애다[업:쌔다]
[붙임] 다음과 같은 복합어에서는 본디의 길이에 관계없이 짧게 발음한다.
밀—물, 썰—물, 쏜—살—같이, 작은—아버지

10 ④

Quick해설 '영어 공용화론'을 주장하게 된 배경이 바로 영어 교육에 대한 과도한 투자이다. 이러한 교육에 대한 투자에도 불구하고 큰 성과가 없기에 '영어 공용화론'이 등장하게 된 것으로 볼 수 있다. 따라서 교육에 대한 '투자'는 '영어 공용화론'에 대한 반박으로는 적절하지 않으며, 기존의 교육 환경과 교육 방법을 개선하는 쪽으로 방안을 제시하는 것이 적절하다.

[오답풀이] ① 영어가 모국어가 아님에도 영어를 잘하는 국가인 네덜란드와 덴마크가 영어를 공용어를 쓰고 있지 않다는 것은 '영어 공용화'가 반드시 영어를 잘하게 하는 방안은 아니라는 것을 방증하는 것이다. 따라서 주어진 주장의 반박으로 적절하다.

② 영어 공용화를 시행하게 되면 '외교에도 큰 도움이 될 것이다'라고 주장하고 있지만, 외교에서 중요한 것은 영어가 아닌 상대국에 대한 이해라고 제시하고 있으므로, 해당 글을 반박하는 내용으로 볼 수 있다.

③, ⑤ 영어 공용화가 시행되었을 경우 나타날 수 있는 사회적 문제에 대해 제시하고 있으므로, 해당 글을 반박하는 내용으로 볼 수 있다.

11 ⑤

Quick해설 빈칸 앞뒤의 내용인 인과에 해당하므로, 들어갈 접속어는 '그래서'가 적절하다.

[오답풀이] ① 또는: 그렇지 않으면 늑내지.
  예 집에 있든지 또는 시장에 가든지 네 마음대로 해라.
② 혹은: 그렇지 아니하면, 또는 그것이 아니라면
  예 나는 10년 혹은 20년 동안 외국에 나가 있을 예정이다.
  ※ 주어진 글의 빈칸 앞뒤 내용은 선택의 내용이 아니므로, '또는'과 '혹은'이 들어갈 수 없다.
③ 그러나: 앞의 내용과 뒤의 내용이 상반될 때 쓰는 접속어
  예 우리는 열심히 손을 흔들었다. 그러나 선수 중 아무도 돌아보는 사람이 없었다.
④ 그런데: 1) 화제를 앞의 내용과 관련시키면서 다른 방향으로 이끌어 나갈 때 쓰는 접속어
    예 아 그렇군요. 그런데 왜 그때는 말씀을 안 하셨습니까?
  2) 앞의 내용과 상반되는 내용을 이끌 때 쓰는 접속어
    예 동생은 벌써 숙제를 하고 나갔어요. 그런데 저는 아직도 숙제가 많이 남아서 놀 수가 없어요.
  ※ 주어진 글의 빈칸 앞뒤 내용은 상반되거나 전환되는 내용이 아니므로 '그러나'와 '그런데'가 들어갈 수 없다.

12 ④

Quick해설 선택지 중 아동의 노동에 대해 긍정적인 견해를 가진 것은 ④뿐이다.

[상세해설] 주어진 글은 전 세계 아동의 노동 인구에 대해 거론하면서, 이들 중 절반이 노동착취를 당하고 있으며, 그들이 노동을 하는 까닭이 가정을 지키기 위함임을 설명하고 있다. 그리고 아이들이 노동현장에서 학대를 당하고 있음도 함께 제시하고 있다. 즉 어린나이부터 노동을 해야만 하는 아이들에 대한 문제의식을 드러내고 있다고 볼 수 있다. 선택지 중 ④는 아동의 노동을 긍정적으로 평가하는 한편 나머지 선택지들은 모두 부정적인 견해를 드러내고 있으므로, 의견이 다른 하나는 ④이다.

13 ④

Quick해설 글의 흐름에 따라 ⓒ - ⓐ - ⓜ - ⓛ - ⓔ 순으로 나열하는 것이 적절하다.

[상세해설] ⓐ~ⓜ 앞에서 길이가 8~15센티미터인 잎은 두 개가 중심선에 경첩 모양으로 달려 있어 거의 원형에 가까운 모양이 된다고 하였으므로 중심선에 경첩 모양으로 달린 잎에 대하여 언급한 ⓒ과 바로 연결될 수 있다. 이어 경첩 모양의 잎 가장자리에 달린 감각모에 대하여 언급한 ⓐ과 ⓜ이 차례대로 연결되고, 식충 식물 파리지옥풀의 작은 동물을 소화하여 양분을 취하는 방식에 대하여 언급한 ⓛ과 ⓔ이 차례대로 연결될 수 있다. 따라서 ⓒ - ⓐ - ⓜ - ⓛ - ⓔ 순으로 나열하는 것이 적절하다.

14 ②

Quick해설 주어진 글은 [가]에서 언급한 집단 구성의 주요 요소인 '규범, 역할, 지위'가 병렬식으로 구성된 글이다. [나]는 '규범'의 의미를 설명하고, [다]는 사이먼의 '규범'의 연구를 통해 [나]를 뒷받침하고 있다. [라]는 '역할'의 의미, [마]는 '지위'의 의미를 설명하므로 적절한 구조도는 ②이다.

15 ④

Quick해설 '꿈'이 창조적인 일에 결정적인 계기가 된 예가 아닌 것을 고르는 것이므로, 정답은 ④이다. 프로이트는 '꿈'을 해석한 것이지, '꿈'이 연구의 계기가 된 것은 아니다.

16 ⑤

Quick해설 주어진 글은 자신이 좋아하는 힙합 댄스에 대한 애정을 드러내는 식으로 전개되고 있는데, (마)는 힙합 댄서에 대한 이야기이므로 통일성에 위배되어 삭제해야 할 문장이다.

> **TIP**
> '통일성'은 전체 글의 주제에 부합하는가를 묻는 것이다. 즉, 주제에서 어긋나는 부분을 찾으면 된다.

17 ②

Quick해설 빈칸 뒤에서 사이버 공간에서 지금까지 요구되었던 '고도의 정보처리능력' 혹은 '길고 고통스러운 학습'이 벗어나거나 피할 수 있다고 했으므로 ⓐ에는 역접의 내용이 들어가야 한다. 따라서 정답은 ②이다.

18 ⑤

Quick해설 주어진 글에서 필자는 어지러운 사회 속에서 완곡함이 사라지고 모질고 독해지는 '언어'에 안타까움을 표현하고 있다. 간단하게 '직설'과 '완곡한 말과 글'을 대조하고 있다. ⓐ~ⓔ은 '완곡함'에 있는 특성들이고, ⓜ '세상'은 초반의 '강퍅한 난장'이자, '살풍경'을 띠며, '물태와 인정이 극으로 나뉘는' 공간이므로, 문맥적 의미가 다른 하나에 해당한다. 즉, ⊙~②과 ⑩은 대조적 특성을 지닌 대상들로 보아도 무방하다.

19 ①

Quick해설 ⊙은 '무지에 호소하는 오류'에 해당하므로, 그와 같은 오류는 ①이다.

[상세해설] ⊙은 증명되지 않는 것을 바탕으로 주장을 펴고 있으므로, '무지에 호소하는 오류'를 범하고 있다. '무지에 호소하는 오류'는 단순히 어떤 명제가 거짓이라는 것이 증명되지 않았다는 것을 근거로 그 명제가 참이라고 주장하거나 반대로 그 명제가 참이라는 것이 증명되지 않았기 때문에 그 명제가 거짓이라고 주장하는 경우를 말한다. 즉 증거가 없는 것을 근거로 주장하는 것을 이른다. ⊙의 '증명된 것은 아니지만'과 ①의 '증명한 사람이 없기 때문'에서 해당 내용들이 '무지에 호소하는 오류'임을 알 수 있다.

[오답풀이] ② '가깝다'는 단어의 의미를 혼동해서 생기는 오류이다. 이처럼 발음이나 표기상의 두 가지 이상의 의미로 사용되는 단어들로 인해 의미가 혼동되어 사용될 경우 '애매어의 오류'를 범한 것이라고 본다.
③ 많은 사람들이 관람했다는 사실이 그 영화가 명작이라는 근거가 될 수는 없다. 이와 같이 많은 군중이 그렇게 생각하기 때문에 그것이 옳다거나 좋다고 결론 내리는 경우를 '군중에 호소하는 오류'를 범한 것이라고 본다.
④ 어떤 사람이 주장하는 것과 그의 사생활은 별개임에도 이를 근거로 그의 주장까지 부정하고 있다. 이와 같이 발화자의 과거나 연계된 배경을 근거로 그의 주장까지 부정하는 경우를 '인신공격의 오류'를 범한 것이라고 본다.
⑤ 고양이가 내 앞을 앞질러 지나간 것과 내가 교통사고를 당한 것의 인과관계가 성립되지 않음에도 원인과 결과라고 잘못 판단하고 있다. 이와 같이 인과관계가 아님에도 인과관계라고 보는 것을 '잘못된 인과관계의 오류'를 범한 것이라고 본다.

20 ④

Quick해설 주어진 글은 설명문이다. ④는 문학 작품을 읽을 때 유의할 점에 해당한다.

21 ①

Quick해설 주어진 글은 한 사람의 소비가 다른 사람에게 영향을 받는다는 '네트워크 효과'에 대해 설명하는 글이다. 따라서 제목으로 가장 적절한 것은 ①이다.

[오답풀이] ② 자신들만이 그 상품을 소비할 수 있다는 심리적 만족감을 채우지 못할 때 소비를 중단하는 '속물 효과'와 관련된 내용으로, 제목으로는 적절하지 않다.
③ '네트워크 효과'의 대표적 두 가지 유형으로, 부수적 내용이다. 따라서 제목으로는 적절하지 않다.
④ '네트워크 효과'로 인해 합리적인 소비가 어렵다는 결론을 낼 수는 있지만, '합리적 소비' 자체가 핵심 내용이 아니므로, 제목으로는 적절하지 않다.
⑤ 주어진 글에서 알 수 없는 내용이므로, 제목으로는 적절하지 않다.

22 ③

Quick해설 두 번째 문단에 따르면 유행효과는 다른 사람의 영향을 받아 상품을 사는 것을 뜻한다. 다른 사람이 산 것에 영향을 받아 제품을 구매한 사례는 '민호'뿐이다.

[오답풀이] ①, ②, ④ 디자인이나 성능, 가격 등을 기준으로 제품을 구매한 경우이므로, '유행효과' 혹은 '속물효과'의 사례로 볼 수 없다.

⑤ 어떤 상품을 소비하는 사람의 수가 증가함에 따라 그 상품을 사지 않는 경우이므로, '속물효과'의 사례에 해당한다.

23 ④

Quick해설 ⊙의 직접적 논거는 바로 뒤 문장인 '확실히 철학자들은 상식을 거부하고 온갖 지혜를 추구한다'이다. 이와 같은 내용을 담은 것이 ④이다.

[오답풀이] ①, ③ ⊙과 관련이 없다.

② 상식을 거부하고 온갖 지혜를 추구한다고 했으므로, '혼동한다'는 판단은 옳지 않으며, 직접적 논거도 될 수 없다.

⑤ 철학자들이 책을 거부하는 것은 기존의 지식인 '상식'을 거부하고 온갖 지혜를 추구하기 위해이다. 자신의 생각만이 진리라고 여겼다면 '온갖 지혜' 역시 추구할 필요가 없다.

24 ⑤

Quick해설 두 번째 문단의 "비극의 주인공은 일상적인 주변 인간들보다 고귀하고 비범한 인물로 그려진다. ~ 비극의 관객들은 이 주인공의 비극적 운명에 대한 공포와 비애를 간접 체험하면서 카타르시스에 이르게 된다"를 통해 알 수 있다.

[오답풀이] ① 두 번째 문단에 따르면 비극 이론의 기초를 정립하고 주인공의 비극적 결함에 주목한 사람은 '아리스토텔레스'이므로 적절하지 않다.

② 두 번째 문단에 따르면 그리스 비극이 아리스토텔레스에 의해 해석된 것은 맞으나, '불행한 결말'을 필수적으로 보지는 않았으므로 적절하지 않다.

③ 첫 번째 문단에 따르면 근대 비극이 인물의 성격이나 상황에 의해 패배한 인간의 모습을 그려낸 것은 맞으나, 이 부분이 니체의 견해에 따라 이루어졌다는 근거는 주어진 글에서 찾을 수 없다.

④ 마지막 문단에 따르면 비극에서 배경 음악보다 주인공의 행위나 말을 중시한 사람은 아리스토텔레스이고, 비극을 기초로 예술적 세계관을 형성한 사람은 니체이므로 적절하지 않다.

25 ③

Quick해설 두 번째 문단에 따르면, 지구온난화로 인해 증가하는 것은 '먹구름'이 아니라 '옅은 구름'이다. '옅은 구름'은 지상에 도달하는 자외선을 70%까지 흡수하는 '먹구름'에 비해 20%도 채 흡수하지 못해 우리 몸의 피부 자극 위험을 높인다.

[오답풀이] ① 첫 번째 문단의 '온난화 현상으로 지구 연평균 기온이 올라가면 대기의 수증기량이 많아져 평균 강수량이 증가한다. 그 결과 홍수나 가뭄으로 이어질 수 있으며'를 통해 알 수 있다.

② 첫 번째 문단의 '지구온난화는 환경파괴뿐 아니라 우리 몸에 직접 문제를 일으킬 수 있다'를 통해 알 수 있다.

④ 마지막 문단의 '지구온난화가 가속화되면 생태계 변화로 피부 감염증 위험도 커진다'를 통해 알 수 있다.

⑤ 첫 번째 문단의 '온난화 현상으로 지구 연평균기온이 올라가'를 통해 알 수 있다.

1교시 지적능력평가 [자료해석]

01	02	03	04	05	06	07	08	09	10	11	12	13	14	15	16	17	18	19	20
②	②	④	③	②	②	④	③	③	②	③	④	①	④	④	②	④	①	④	③

01 ②

Quick해설 200만 원 중 40%를 1주 차에 사용하였다면 남은 회식비는 200만 원의 60%인 200×0.6＝120(만 원)이다. 2주 차엔 120만 원의 80%인 96만 원을 사용하였으므로 120－96＝24(만 원)이 남고, 3주 차에는 24만 원의 70%를 사용하였으므로 30%인 24×0.3＝7.2(만 원)＝72,000(원)이 남는다. 아이스크림을 20% 할인해 주므로 한 개당 아이스크림 가격은 500×0.8＝400(원)이다.

따라서 남은 회식비 72,000원으로 아이스크림을 최대 72,000÷400＝180(개)를 살 수 있다.

02 ②

Quick해설 2014년 총 연료 소비량은 456×192＝87,552이고 2020년은 480×111＝53,280이므로 감소율은 $\frac{87,552-53,280}{87,552}×100≒39.1(\%)$이다. 즉, 60% 미만이다.

[오답풀이] ① 발전소 개수는 2016년이 876개로 가장 많으므로 옳은 설명이다.

③ 2012년 총 연료 소비량은 853×199＝169,747이고, 2018년은 286×574＝164,164로 2012년 총 연료 소비량이 더 많으므로 옳은 설명이다.

④ 발전소 개수와 연료 소비량의 각 수치를 내림차순으로 정리하면 다음과 같다.

발전소 개수	2016년	2012년	2020년	2014년	2018년	2010년
연료 소비량	2010년	2018년	2012년	2014년	2020년	2016년

이때, 발전소 개수와 연료 소비량의 사이에 상관관계를 확인하기 어려우므로 상관관계가 없다고 할 수 있다.

TIP

② 감소율이 60% 이상이라는 것은 절반 이상 감소했다는 것인데, 발전소 개수는 증가했고, 연료소비량은 절반보다 적게 감소했으므로 전체는 절반 이상 감소할 수가 없다.

03 ④

Quick해설 갑, 을, 병 각각의 점수를 a, b, c로 놓고 연립방정식을 세우면 다음과 같다.

b＝c＋50 … ㉠

0.04a＋c＝b＋10 … ㉡

㉠을 ㉡에 대입하여 정리하면,

0.04a＋c＝c＋50＋10 → a＝1,500

따라서 갑의 점수는 1,500점이다.

04 ③

Quick해설 ㉡ 2005년 세계 10대 물 기업 중, 국외 서비스 인구가 2,000만 명 이상인 회사는 12,002×0.86≒

10,322(명)인 수에즈, 11,753×0.79≒9,285(명)인 베올리아, 7,537×0.61≒4,598(명)인 알베에로 3개이다.

ⓒ 2004년 대비 2005년 서비스 인구 증가율이 7% 이상인 회사는 베올리아가 $\frac{937}{11,753}$×100≒8.0(%), 알베에가

$\frac{592}{7,537}$×100≒7.9(%), 유틸리티즈가 $\frac{170}{2,383}$×100≒7.1(%), FCC가 $\frac{200}{1,740}$×100≒11.5(%), 아체아가

$\frac{193}{1,545}$×100≒12.5(%)로 5개이다.

[오답풀이] ㉠ 400억 달러는 40,000백만 달러이므로 80%는 40,000×0.8＝32,000(백만 달러)이다. 2005년 세계 10대 물 기업의 물 부문 매출액이 28,143백만 달러로 80%를 점유하지 못하므로 옳지 않은 설명이다.
㉣ 2005년 소어의 국내 서비스 인구는 1,371×(1−0.56)＝603.24(만 명)이므로 옳지 않은 설명이다.

05 ②

Quick해설 2005년 수에즈의 국내 서비스 인구는 12,002×(1−0.86)≒1,680.28(만 명)이므로 약 1,680만 명이다.

06 ②

Quick해설 ㉠ 서울시 거주 중국 국적 외국인 수는 매년 증가한 것을 볼 수 있다.

㉣ 1999년 서울시 거주 전체 외국인 중 대만과 독일 국적 외국인이 차지하는 비중은 $\frac{3,011+1,003}{57,189}$×100 ≒7.0(%)이고, 2007년 서울시 거주 전체 외국인 중 미국 국적 외국인과 필리핀 국적 외국인이 차지하는 비중은 $\frac{11,810+4,055}{180,857}$×100≒8.8(%)이므로 1999년 서울시 거주 전체 외국인 중 대만과 독일 국적 외국인이 차지하는 비중이 더 작다.

[오답풀이] ㉡ 2001년 미국 국적의 외국인은 $\frac{15,814}{67,908}$×100≒23.3(%)이므로 옳지 않은 설명이다.
ⓒ 2000~2002년 사이에 서울시 거주 외국인 수가 매년 증가한 나라는 러시아, 영국, 중국, 캐나다, 프랑스, 필리핀, 호주로 7개이므로 옳지 않은 설명이다.

07 ④

Quick해설 2005년 서울시 거주 외국인 인구의 전년 대비 증가율이 가장 높은 국가는 $\frac{77,881-64,762}{64,762}$ ×100≒20.3(%)인 중국이다.

[상세해설] 네 국가에 대해서 전년 대비 증가율을 확인해 보면 다음과 같다.

• 독일: $\frac{753-681}{681}$×100≒10.6(%)

• 미국: $\frac{11,487-10,959}{10,959}$×100≒4.8(%)

• 영국: $\frac{1,001-848}{848}$×100≒18.0(%)

• 중국: $\frac{77,881-64,762}{64,762}$×100≒20.3(%)

따라서 전년 대비 증가율이 가장 높은 국가는 중국이다.

08 ③

Quick해설 줄의 개수를 x, 행사에 참여하는 인원을 y라고 하면

한 줄에 8자루씩 연필을 놔두고 단상에 12자루의 연필을 놓고 나니 전체 인원에 맞게 배치가 되었다고 했으므로

$y=8x+12$ ⋯ ㉠

각 줄에 놓는 연필의 개수를 4개 늘렸더니 단상에 따로 놓는 연필은 없었고, 18줄이 줄어들었다고 했으므로

$y=(8+4)(x-18)$ ⋯ ㉡

전체 연필의 양은 변화가 없으므로 ㉠=㉡ → $x=57$

따라서 행사에 참여한 인원은 $8×57+12=468$(명)이다.

TIP

연립방정식을 활용하지 않고, 상대적으로 더 간단한 풀이를 이용하면, 단상에 놓는 12자루의 연필을 제외하면 한 줄에 8자루씩 놔둔 연필만 남게 된다. 그러므로 12를 뺐을 때 8의 배수가 되는 인원수를 고를 수 있다. 따라서 선택지 중 이를 만족하는 것은 ③이다.

09 ③

Quick해설 ㉠ 3,479÷722≒4.82이므로 5배 미만이라 할 수 있다.

㉢ 1938년 C국가의 군사비지출은 7,415백만 달러로 이를 만 달러 단위로 환산하면 74억 1,500만 달러이다.

[오답풀이] ㉡ 조사기간 동안 A~C국가의 군사비지출은 지속적으로 증가하고 있으므로 옳은 설명이다.

TIP

문제에서 자주 등장하는 단위는 1,000배수 단위이다. 쉼표가 등장할 때마다 일-천-백만-십억-조 순으로 변화함을 기억해두도록 한다. ㉢을 보면, 기본 단위가 백만인 상황에서 7,415의 쉼표가 있는 숫자에 대해 물어보고 있으므로 십억 단위임을 빠르게 판단할 수 있다.

10 ②

Quick해설 첫 번째 조건에 따라 갑과 을은 총 순이익 1,000억에서 각각 100억과 300억을 우선 분배받는다. 이후 남은 600억은 갑과 을이 군수사업으로 얻은 수익의 비율인 500억:250억=2:1로 나누어 가지게 된다. 갑과 을이 나누어 받게 되는 금액은 각각 400억, 200억이다. 각각의 분배액을 갑과 을에게 추가로 분배하면 갑은 총 100+400=500(억 원)을 받게 된다.

TIP

출자금의 분배액이 백억 단위이고 이후 군수사업의 분배 기준에 따른 분배액도 백억 단위로 나누어지므로, 백억 단위의 수가 정답이 된다. 따라서 계산을 하지 않아도 정답을 ②로 선택할 수 있다.

11 ③

Quick해설 첫 번째 조건에 따라 갑과 을은 총 순이익 1,000억에서 100억과 300억을 우선 분배받은 상태이다. 남은 총 순이익은 600억 원인데 갑과 을의 최종 분배액이 동일하려면 갑은 400억을 받고 을은 200억을 분배받아야 하므로 400:200=2:1의 비율을 보이는 사업 분야를 선택해야 한다. 주어진 네 사업 중 군수사업 분야가 500억:250억=2:1이므로 군수사업 분야가 분배 기준이 되어야 한다.

12 ④

[Quick해설] 공사 중인 문화재 번호는 3번, 4번, 5번, 7번, 8번, 9번, 10번이고 이들의 사업비 합은 $366+330+100+25+90+230+18=1,159$(백만 원)이다. 그리고 공사가 완료된 문화재인 1번, 2번의 사업비 합은 $1,000+1,551=2,551$(백만 원)이므로 그 비율은 $\frac{1,159}{2,551}\times100≒45.4(\%)$이다.

[오답풀이] ① 번호 10번으로 미루어 2008. 11. 23일 이후로 작성되었음을 알 수 있으므로 옳지 않은 설명이다.
② A 자치구 문화재 보수공사 추진현황의 사업비 합계는 다음과 같다.

사업비	합계
국비	$700+17+45+9+44+67=882$(백만 원)
시비	$300+1,106+256+281+100+82+8+45+230+9+170+44+29=2,660$(백만 원)
구비	$445+110+49+30=634$(백만 원)
합계	$882+2,660+634=4,176$(백만 원)

따라서 국비와 구비의 합 $882+634=1,516$(백만 원)은 사업비 합계의 절반 미만이므로 옳지 않은 설명이다.
③ 사업비의 60% 이상을 시비로 충당하는 문화재는 다음과 같다.

- 문화재 2번: $\frac{1,106}{1,551}\times100≒71.3(\%)$
- 문화재 3번: $\frac{256}{366}\times100≒69.9(\%)$
- 문화재 4번: $\frac{281}{330}\times100≒85.2(\%)$
- 문화재 5번: $\frac{100}{100}\times100≒100(\%)$
- 문화재 6번: $\frac{82}{82}\times100=100(\%)$
- 문화재 9번: $\frac{230}{230}\times100=100(\%)$
- 문화재 11번: $\frac{170}{200}\times100≒85(\%)$

따라서 문화재 전체 13개 중 사업비의 60% 이상을 시비로 충당하는 문화재는 7개로 $\frac{7}{13}\times100≒53.8(\%)$이므로 옳지 않은 설명이다.

13 ①

[Quick해설] 문화재 보수공사 내용 중 전체 사업비에서 시비가 차지하는 비율은 정전 동문 보수가 $\frac{300}{1,000}\times100=30(\%)$로 가장 낮다.

[상세해설] 문화재 보수공사 내용 중 전체 사업비에서 시비가 차지하는 비율을 확인하면 다음과 같다.

- 정전 동문보수: $\frac{300}{1,000}\times100=30(\%)$
- 별당 해체보수: $\frac{256}{366}\times100≒69.9(\%)$
- 대문 및 내부 담장 공사: $\frac{8}{25}\times100=32(\%)$

• 소방·전기 공사: $\dfrac{170}{200} \times 100 = 85(\%)$

따라서 정전 동문 보수가 30%로 문화재 보수공사 내용 중 전체 사업비에서 사비가 차지하는 비율이 가장 낮다.

14 ④

Quick해설 환율의 하락률은 $\dfrac{1100-950}{950} \times 100 ≒ 15.8(\%)$이므로 하락률은 5.7%보다 크다.

[오답풀이] ① 원화의 가치가 오르고 달러의 환율이 하락하였으므로 원화는 평가절상, 달러는 평가절하되었다.
② 달러의 가치가 하락했으므로 원화의 환차익을 잃었다.
③ 달러를 높은 가격에 사고 낮은 가격에 달러를 파는 것이므로 손해이다.

> **TIP**
> 1,100원의 10%만 해도 110원이므로 950원은 이미 10%이상 하락한 것이므로 상세한 계산을 하지 않아도 10% 이상 하락한 것을 알수 있다.

15 ④

Quick해설 지원금과 사업 수는 비례 관계라고 했으므로 비례식을 이용하여 해결할 수 있다.

현재 지원금의 합은 4,200억 원이고 총 사업 수는 1,050건이므로 4:1의 비례 관계가 성립한다. 신재생 에너지 사업 수를 x라 하면, $3,600:x=4:1$이 성립한다. $4x=3,600$이므로 $x=900$이다. 따라서 신재생 에너지 사업 수는 900건이다.

16 ②

Quick해설 ㉠ 문과의 초시 합격자 수 대비 복시 합격자 수 비율은 $\dfrac{33}{240} \times 100 = 13.75(\%)$이고, 생원시의 초시 합격자 수 대비 복시 합격자 수 비율은 $\dfrac{100}{700} \times 100 ≒ 14.3(\%)$이므로 문과의 초시 합격자 수 대비 복시 합격자 수 비율이 더 낮다.

㉢ 한학의 초시 합격자 수 대비 복시 합격자 수 비율은 $\dfrac{13}{45} \times 100 ≒ 28.9(\%)$이고, 의과의 초시 합격자 수 대비 왜학의 복시 합격자 수 비율은 $\dfrac{2}{18} \times 100 ≒ 11.1(\%)$이므로 한학의 초시 합격자 수 대비 복시 합격자 수 비율이 더 높다.

[오답풀이] ㉡ 무과의 복시 합격자 수는 28명이고, 전시 합격자 수는 $3+5+20=28$(명)이므로 옳은 설명이다.

㉣ 무과의 초시 합격자 수 대비 복시 합격자 수 비율은 $\dfrac{28}{190} \times 100 ≒ 14.7(\%)$이므로 옳은 설명이다.

17 ④

Quick해설 문과의 복시 합격자 수 대비 전시 병과 합격자 수 비율은 $\dfrac{23}{33} \times 100 ≒ 69.6(\%)$이다.

18 ①

Quick해설 서류를 제출한 남자와 여자의 수를 각각 $4x$와 $3x$라 하고, 서류를 통과한 남자와 여자의 수를 각각 $3y$

와 $2y$라 하면, (서류를 제출한 인원)=(서류를 통과하지 못한 인원)+(서류를 통과한 인원)이므로 이를 바탕으로 다음과 같은 식을 세울 수 있다.

$$\begin{cases} 4x = 3y + 2 \\ 3x = 2y + 4 \end{cases}$$

위 연립방정식을 풀면, $x=8$, $y=10$이다.

따라서 서류를 제출한 남자의 수는 $4x = 4 \times 8 = 32$(명)이다.

TIP

서류를 통과하지 못한 인원 2명을 뺐을 때 3:2의 비를 만들 수 있는 3의 배수가 되는 수가 남자의 수가 된다. 이를 만족하는 선택지는 ① 32명뿐이므로 정답으로 바로 선택할 수 있다.

19 ④

Quick해설 00년대의 총 대남 도발 건수는 241건이고, 10년대는 264건으로 $264 - 241 = 23$(건) 증가하였다. 따라서 20건 이상 증가했다고 할 수 있다.

[오답풀이] ① 50년대 대비 60년대에 대남 침투 도발 건수는 증가하였으므로 옳지 않은 설명이다.

② 80년대 국지도발 건수는 60건은 50년대 국지도발 건수 20건의 3배 이상이므로 옳지 않은 설명이다.

③ 총 대남 도발 건수는 90년대에서 80년대 대비 증가하였으므로 옳지 않은 설명이다.

20 ③

Quick해설 나열된 점수들의 분산은 $\dfrac{(-10)^2 + (0)^2 + (0)^2 + (10)^2}{4} = 50$이다.

[상세해설] (분산)=(편차 제곱값의 평균), (편차)=(점수)−(평균)을 이용하여 해결할 수 있다.

우선 평균을 구하면 $\dfrac{70 + 80 + 80 + 90}{4} = 80$이다.

평균을 이용하여 편차를 구하면, 각각 $70 - 80 = -10$, $80 - 80 = 0$, $80 - 80 = 0$, $90 - 80 = 10$이다.

분산은 각각의 편차를 제곱한 값을 더한 결괏값에 전체 개수로 나눈 값이다.

따라서 분산은 $\dfrac{(-10)^2 + (0)^2 + (0)^2 + (10)^2}{4} = \dfrac{100 + 0 + 0 + 100}{4} = \dfrac{200}{4} = 50$이다.

MEMO

2022 시험변경 개정판

에듀윌 육군부사관

실전 모의고사 4회

상황판단검사
직무성격검사
인성검사

차례

상황판단검사

● 다음 상황을 읽고 질문에 답하시오.

> 당신이 부소대장으로 있는 소대의 병사들은 자유시간이 되면 늘 TV 앞에서 벗어나지를 못한다. 딱히 할 만한 것이 없는 병사들은 습관적으로 TV 앞에 앉아있다. 당신이 자유시간에 각자 스스로 하고 싶은 공부를 하거나 책을 읽으라고 수시로 권유하였지만, 소대원들 말로는 다른 걸 해보려 해도 분위기 조성이 잘 안된다고 한다.
>
> 당신은 어떻게 하겠는가?

이 상황에서 당신이 ⓐ 가장 할 것 같은 행동은?　　　　　　　(　　　　　)

　　　　　　　　　　ⓑ 가장 하지 않을 것 같은 행동은?　(　　　　　)

번호	선택지
①	시범적으로 TV를 없애고, 신문구독 및 라디오 청취를 한 달간 시행해본다.
②	소대원들과 함께 체육활동과 단결활동을 수시로 한다.
③	TV를 끄게 하고 독서나 공부를 지시하고 돌아다니면서 지키지 않는 사람은 본보기로 강하게 처벌한다.
④	자기개발에 관련된 정보에 대해 알려주고 각자의 꿈에 대해 이야기하는 시간을 가지며 스스로 공부할 수 있도록 동기를 부여한다.
⑤	소대장에게 동아리 경연대회를 열자고 건의하여 동아리 활동을 활성화한다.
⑥	새로운 운동기구나 흥미를 유발하는 책 등을 구해서 보여준다.

예시문제 해설

제시문 이해하기

'초급 간부로서 병사들의 수동적인 모습이나 귀찮음 등 여러 문제에 대하여 어떻게 대처할 것인가'에 대한 상황을 통해 중간지휘자로서 리더십과 문제 해결 능력을 판단하는 문제이다.

풀이 TIP

초급 간부로서 부대원들의 나태함과 수동적인 모습에 대하여 강제적인 행동으로 대하면 오히려 더 깊은 반감이 생길 수 있다. 따라서 병사들의 문제가 무엇인지 원인을 파악하여 스스로 흥미를 느낄 수 있는 여건을 만들어 준다면 자연스럽게 능동적인 모습으로 변화를 유도할 수 있을 것이다.

[01~15] 다음 상황을 읽고 질문에 답하시오.

01

> 당신은 부대에 근무한 지 만 4년이 넘는 중사이며 부소대장을 맡고 있다. 지금 당신은 얼마 전에 온 경험이 적은 초임 소대장과 함께 부대원들을 이끌고 수색정찰 임무를 수행하고 있다. 그런데 소대장이 힘겨운 산악 지형에서 임무 수행을 보다 효율적으로 하겠다며 나에게 부대원을 이끌고 다른 길로 내려가서 특정 지점에서 만나자고 한다. 그러나 당신은 험난한 산길에서 그것도 새벽에 팀을 나누어서 정찰한 후 따로 약속지점에서 만나기는 절대 쉬운 일이 아니며, 오히려 위험할 수 있음을 그간의 경험을 통해 알고 있다.
>
> 이러한 상황에서 당신은 어떻게 할 것인가?

이 상황에서 당신이 ⓐ 가장 할 것 같은 행동은?　　　　　(　　　　　　)

　　　　　　　　　ⓑ 가장 하지 않을 것 같은 행동은?　　　(　　　　　　)

번호	선택지
①	일단 소대장이 지시한 대로 행동하되 경험이 많고 군 생활을 오래한 병사를 소대장에게 붙인다.
②	그간의 경험에 비추어 볼 때 위험한 판단이라고 잘 설명한 후에 같이 가자고 설득한다.
③	중대장에게 보고하여 소대의 지시대로 하면 위험하다는 것을 알려 조치 받는다.
④	일단 소대장이 지시한 대로 임무를 수행하고 나서 사후 강평으로 위험한 행동이었다고 설명한다.
⑤	위험을 알리고 그동안의 경험에서 나온 효율적인 대안을 제시해본다.

01번 해설

제시문 이해하기

'중간지휘자로서 임무수행의 목표만 생각하여 위험 요소를 고려하지 않는 지시가 있을 때 어떻게 대처할 것인가'에 대한 상황을 통해 상황판단과 위기관리 능력을 묻는 문제이다.

풀이 TIP

군인으로서 주어진 임무를 완수하는 것이 기본적인 자세이다. 하지만 위험이 있을 것으로 판단이 되는 상황에서는 직속상관에게 무례를 범하지 않는 범위 내에서 문제점을 해결해야 한다. 직속상관의 의도를 최대한 지지해주면서 현재의 상황과 위험성에 대하여 조언을 구하고 문제점을 해결해 나가는 것이 바람직하다.

02

> 말도 없고 다른 전우들과 많이 어울리지도 않는 병사 하나가 최근 여자친구와 헤어져 많이 힘들어하고 있다는 것을 알게 되었다. 그러던 어느날 갑자기 주말에라도 외박을 나가 여자친구를 보고 오겠다고 분대장인 당신에게 이야기 했다. 남아 있는 외박기간이 없어 곤란하다고 이야기했더니 탈영을 해서라도 꼭 만나야 한다고 대답했다.
>
> 이러한 상황에서 당신은 어떻게 하겠는가?

이 상황에서 당신이 ⓐ 가장 할 것 같은 행동은?   (   )

                  ⓑ 가장 하지 않을 것 같은 행동은?   (   )

번호	선택지
①	사적인 일 때문에 군생활에서의 예외는 있을 수 없다. 얼차려를 통한 군기교육을 실시하고 병사의 조급함이 없어질 때까지 항상 주시한다.
②	군생활을 하면 자주 있는 일이기 때문에 중요하게 생각하지 않고 절대로 좋지 않은 생각은 하지말라고 주의를 주어 돌려보낸다.
③	주말에 함께 외출해 술을 사주며 그와 유사한 이야기를 해주며 군생활에 집중할 수 있도록 한다.
④	힘들겠지만 잘 견디라고 다독여 준 후 나머지 병사들에게 상황을 설명하고 한동안 각별히 신경써 줄 것을 부탁한다.
⑤	중대장에게 자세한 사항을 이야기해 조치를 기다린다.

02번 해설

제시문 이해하기

'중간지휘자로서 부하의 개인적인 문제에 대하여 어떻게 해결할 것인가'에 대한 상황을 통해 분대장으로서 부대의 상황과 부하의 고민을 해결하려는 노력을 묻는 문제이다.

풀이 TIP

부하는 항상 상관의 의도를 존중하고 따라야 하지만 중간지휘자로서 부하들의 고충을 이해하고 이에 따른 상황을 고려하여 상관에게 보고할 의무가 있다. 상관이 보지 못하는 부하들의 고충과 상태에 대하여 조언과 설득이 필요하며, 상급자와 부하의 고충을 잘 해결할 수 있는 간부가 진정한 리더이다.

03

> 당신은 부소대장이다. 당신의 부대원 중 후임병에게 성추행을 일삼는 병장을 발견하고 부대에 보고하였다. 그러나 부대에서는 부대 명성을 실추시킨다는 이유로 아무런 조치가 없다.
> 이러한 상황에서 당신은 어떻게 하겠는가?

이 상황에서 당신이 ⓐ 가장 할 것 같은 행동은?　　　　　　　　（　　　　　　）

　　　　　　　　ⓑ 가장 하지 않을 것 같은 행동은?　　　　（　　　　　　）

번호	선택지
①	상급부대에 보고하고 조치를 기다린다.
②	평소 친한 선임 소대장에게 조언을 구한다.
③	가해자 병장을 따로 불러서 이유를 묻고 다시는 그런 행위를 하지 않겠다는 약속을 받아낸다.
④	피해자 후임병을 다른 부대로 전출시킨다.
⑤	가해자 선임병을 다른 부대로 전출시킨다.

03번 해설

제시문 이해하기

'부당한 대처에 대하여 상관에 용기있게 말할 수 있는가'에 대한 상황을 통해 상관의 옳지 않은 판단에 대처하는 능력을 평가하는 문제이다.

풀이 TIP

옳지 못한 문제점을 발견하고 상관에게 보고하였으나 상관이 조치를 취하지 않고 넘어가는 경우, 용기있게 문제점을 건의할 수 있는 자세가 필요하다. 그러나 기본적으로 상급자의 의견을 존중하고 상대방의 입장에서 한번 더 생각하는 자세를 가져야 한다.

04

> 당신은 부소대장이다. 당신은 소대원들에게 화생방 훈련 교육을 실시하였다. 이후 소대 훈련을 실시하게 된 당신은 부하인 한 일병에게 보호의 착용 훈련을 할 것을 지시하였다. 그러나 그 일병은 이전에 그 임무를 해 본 경험이 없어서 할 줄 모른다며, 훈련 과정에 적극적으로 참여하지 않고 있다.
> 이러한 상황에서 당신은 어떻게 하겠는가?

이 상황에서 당신이 ⓐ 가장 할 것 같은 행동은?　　　　　（　　　　　）

　　　　　　　　　ⓑ 가장 하지 않을 것 같은 행동은?　　（　　　　　）

번호	선택지
①	인내심을 갖고 부하에게 업무에 대해 상세히 설명하고 가르친 뒤 다시 지시한다.
②	면담을 통해 무엇이 문제인지 파악한 후 일병의 능력에 맞는 일을 시킨다.
③	직무태만에 대해 문책하고, 계속 그럴 경우 징계를 내리겠다고 엄포를 놓는다.
④	절차에 따라 상부에 보고하여 규정대로 처리한다.
⑤	지휘관에게 불성실한 행동에 대해 보고한다.

04번 해설

제시문 이해하기

'능력이 부족한 부하에 대해 어떻게 관리할 것인가'에 대한 상황을 통해 리더로서 부하를 어떻게 대할 것인지를 묻는 문제이다.

풀이 TIP

능력이 부족한 부하라도 같은 부대에 속한 전우임을 명심하고, 다른 부대원들로부터 질책을 받지 않도록 신경써주는 것이 리더의 모습이다. 능력이 부족함을 탓하기 전에 직접 관리하여 문제점이 무엇인지 다시 한번 확인하고, 부대에 잘 적응할 수 있도록 해야 한다.

05

> 당신은 부대에서 근무한 지 4년이 된 중사이다. 어느 날 후배인 K하사가 자신의 업무를 소대원들을 불러 시키거나, 제대로 일을 하지 않고 휴식을 취하는 모습을 보게 되었다.
> 이러한 상황에서 당신은 어떻게 할 것인가?

이 상황에서 당신이 ⓐ 가장 할 것 같은 행동은?　　　　　　(　　　　　　)
　　　　　　　　ⓑ 가장 하지 않을 것 같은 행동은?　　(　　　　　　)

번호	선택지
①	상황을 좀 더 지켜보고, 다른 간부들에게 조언을 구한다.
②	소대원들에게 더는 K하사가 시키는 일을 하지 말라고 지시한다.
③	소대원들이 보는 앞에서 혼을 내어 본인의 잘못된 행동을 반성할 수 있게 한다.
④	K하사를 따로 불러내어 자신이 맡은 일은 스스로 할 것을 따끔하게 충고한다.
⑤	중대장에게 찾아가 K하사의 잘못에 대해 보고하여 조치 받는다.

05번 해설

제시문 이해하기

'후배 간부가 본인의 임무를 남에게 미루는 모습이 보인다면 어떻게 대처할 것인가'에 대한 상황을 통해 간부로서의 집단 통솔능력과 문제해결 능력을 판단하는 문제이다.

풀이 TIP

본인에 주어진 임무를 완수하기 위해 최선을 다하는 모습은 군인의 기본자세이다. 이러한 기본자세를 지키지 않고 남에게 미루는 후배 간부의 잘못된 행동에 대해서 조언을 해주고, 올바르게 부대원들을 이끌 수 있도록 방향을 제시하는 것이 리더가 갖추어야할 덕목이다.

06

당신은 분대장이다. 어느 날 소대원 중 일병이 개인적인 문제와 미숙한 업무 처리로 부대생활에 적응을 하지 못하고 괴로워한 나머지 탈영할 우려가 있음을 알게 되었다.

이러한 상황에서 당신은 어떻게 하겠는가?

이 상황에서 당신이 ⓐ 가장 할 것 같은 행동은?　　　　　（　　　　　）

　　　　　　　　　　ⓑ 가장 하지 않을 것 같은 행동은?　　（　　　　　）

번호	선택지
①	탈영 충동이나 다른 생각을 하지 못하도록 고된 훈련을 계속시킨다.
②	군대의 특성인 규율준수와 명령에 절대 복종해야 함을 주지시킨다.
③	일단 군생활 부적응의 정확한 원인이 무엇인지를 파악해 이를 해결해 주려고 노력하며, 특별히 관심을 갖고 관리를 한다.
④	종교생활을 하도록 하여 안정감을 찾도록 조언한다.
⑤	개인적인 문제로 나와는 상관이 없으므로 자신이 극복하고 해결하도록 방치한다.

06번 해설

제시문 이해하기

'능력이 부족하여 부대생활에 적응하지 못하는 부하를 어떻게 관리할 것인가'에 대한 상황을 통해 리더로서 부하를 어떻게 대할 것인지를 묻는 문제이다.

풀이 TIP

부대생활에 적응하지 못하는 부하가 다른 부대원들로부터 질책을 받지 않도록 신경써주는 것이 리더의 모습이다. 리더로서 해당 부하를 직접 관리하여 문제점이 무엇인지 다시 한번 확인하고, 부대생활에 잘 적응할 수 있도록 해야한다.

07

　　같은 소대 병장은 가끔 소대원들의 등을 손바닥으로 때리는 등의 행동을 한다. 소대원들도 처음에는 악의 없는 장난으로 생각하고 웃어넘겼으나 갈수록 횟수가 많아지고 강도가 심해지자 서서히 불만이 커지기 시작했다.
　　당신이 부소대장으로 부임한 지 얼마 안 되어 이러한 상황을 알게 되었다면 어떻게 하겠는가?

이 상황에서 당신이 ⓐ 가장 할 것 같은 행동은?　　　　　　（　　　　　）
　　　　　　　　　　ⓑ 가장 하지 않을 것 같은 행동은?　　　（　　　　　）

번호	선택지
①	아직 부임 초기이므로 어떻게 행동하는 것이 좋을지 중대장에게 조언을 구한다.
②	병장을 따로 불러내 소대원들의 불만을 말하고 그와 같은 행동을 자제하도록 다독인다.
③	갓 부임한 자신이 나선다면 소대원들의 반감을 살 수 있으므로 아무 행동도 하지 않고 상황을 지켜본다.
④	소대원들을 따로 모아 곧 제대할 사람이니 조금만 참으라고 다독인다.
⑤	병장을 따로 불러내 다시는 그런 행동을 하지 않도록 엄중히 경고한다.

07번 해설

제시문 이해하기
'초급 간부로서 병영 부조리를 식별했을 때 어떻게 할 것인가'에 대한 상황을 통해 문제 식별 시 규정에 맞게 조치를 취할 수 있는지의 판단력을 묻는 문제이다.

풀이 TIP
병영 내 내무 부조리와 악습은 항상 존재할 수 있다. 식별된 부조리의 경우 반드시 규정에 맞도록 처벌해야 하며 같은 일이 재발하지 않도록 부대원들에게 교육해야 한다. 만약 부조리에 대하여 식별하였음에도 안일하게 넘어가게 된다면 더욱 큰 문제가 발생할 수 있다.

08

당신은 A함대의 부사관이다. 당신의 상관은 업무를 애매하게 지시하는 경우가 많다. 이번에도 장마가 오기 전 배수로를 청소하는데, 당신의 상관은 "깨끗이 청소하라"는 지시만 내려서 부대원들이 청소 후 나오는 각종 쓰레기들을 어떻게 처리할지 몰라 여기저기 쌓아두었다. 나중에서야 "분리수거하라"는 명령을 내려서 작업시간이 두 배로 들었다. 이렇게 불명확한 업무지시로 불필요한 업무량이 많아지면서 부대원들이 불만을 토로하고 있다.

이러한 상황에서 당신은 어떻게 하겠는가?

이 상황에서 당신이 ⓐ 가장 할 것 같은 행동은?　　　　　　　　　(　　　　　　　)

　　　　　　　　　　ⓑ 가장 하지 않을 것 같은 행동은?　　　　　　(　　　　　　　)

번호	선택지
①	지시를 받을 때, 상관에게 어떻게 할 것인지 한번 더 꼼꼼히 물어본다.
②	모호한 지시를 받더라도, 부가적으로 필요한 사항이 없는가에 대해 스스로 생각한 후 시행한다.
③	이런 일은 구체적으로 지시받지 않아도 알아서 하는 일이라고 부대원들을 다독여서 임무를 완수한다.
④	상관에게 대원들의 불만사항을 전달하여 잘못된 점을 고칠 수 있도록 한다.
⑤	작업 시 음료수 등을 사주어 독려하고, 같이 작업에 참여하여 일한다.

08번 해설

제시문 이해하기

'직속상관의 불명확한 지시로 인한 갈등 관계를 어떻게 개선할 것인가'에 대한 상황을 통해 간부로서의 대변능력과 문제해결 능력을 판단하는 문제이다.

풀이 TIP

상관과의 마찰이나 갈등 관계는 빨리 해결해야 한다. 그렇지 않으면 부대 전체에 영향을 미쳐 어려움을 겪게 되기 때문이다. 그러한 지휘 스타일을 받아들여 본인이 좀더 구체적인 의도를 물어보고 문제점을 해결해나가는 것이 바람직하다.

09

> 당신이 이 부대에 근무한 지 4년이 되는 해에, K소위가 새로 임관하여 소대장으로 배치되었다. K소위는 아직 이 부대의 내부 사정을 모르는 것이 당연한 일임에도, 물어보는 것을 소대장으로서의 위신이 깎이는 것으로 생각하고 당신의 의견은 전혀 구하지 않은 채 혼자서 모든 의사결정을 하곤 한다. 그러다 보니 부대 업무가 계속 비효율적으로 진행되고 있다.
>
> 이러한 상황에서 당신은 어떻게 할 것인가?

이 상황에서 당신이 ⓐ 가장 할 것 같은 행동은?　　　　　　(　　　　　　)

　　　　　　　　ⓑ 가장 하지 않을 것 같은 행동은?　　(　　　　　　)

번호	선택지
①	내 조언을 듣지 않더라도 소대장에게 지속적으로 조금씩 나의 의견을 이야기한다.
②	계속 이대로 진행하면, 지휘관에게 건의하겠다고 이야기하고 생각할 수 있는 시간을 준다.
③	비록 업무가 비효율적이어도 소대장의 방식을 응원하고 이행한다.
④	다른 선배에게 어떻게 해야 할지 조언을 구한다.
⑤	내 업무만 신경 쓰고 도움을 원하지 않으면 돕지 않는다.

09번 해설

제시문 이해하기

'비효율적인 부대 운영에 대하여 상관에 용기있게 말할 수 있는가'에 대한 상황을 통해 상관의 업무수행 시 옳지 않은 판단에 대처하는 능력을 평가하는 문제이다.

풀이 TIP

부하는 항상 상관의 의도를 존중하고 지시에 따라야 한다. 하지만 잘못된 점을 발견하고 옳지 못한 방법으로 운영을 한다면, 상관에게 건의하여 바르게 문제를 해결할 수 있도록 하는 것이 리더로서의 모습이다. 단, 건의를 할 때에도 무조건 본인의 기준에서 생각한 것을 이야기하는 것이 아니라 객관적인 입장에서 다시 한번 생각하고 신중해야 한다.

10

당신은 교관 업무와 함께 교육생 관리 업무를 담당하고 있는 부사관이다. 모처럼 휴가를 내고 가족들과 쉬고 있던 어느 날, 밤늦은 시각에 부대에서 집단 식중독 의심 사고가 발생하였다. 야간 업무를 수행하던 당신의 부하인 교관들과 조교들은 당황하여, 휴가 중인 당신에게 연락을 취하였다.

이러한 상황에서 당신은 어떻게 하겠는가?

이 상황에서 당신이 ⓐ 가장 할 것 같은 행동은?   (   )

                     ⓑ 가장 하지 않을 것 같은 행동은?   (   )

번호	선택지
①	조교들에게 담당자로서의 역할을 인식시키고 알아서 처리할 것을 종용한다.
②	사고소식을 부서장 및 상황실에 유선으로 보고하여 지시에 따른다.
③	군의관에게 연락하여 현장에 가도록 지시한 후 추후상황을 보고 받는다.
④	유선으로 상부에 사전보고하고, 환자 이송을 요청한 후 쉰다.
⑤	모처럼 만의 휴가이므로 휴가를 즐긴다.
⑥	바로 부대로 복귀하여 상황을 살피고 상부에는 보고 없이 조용히 처리한다.
⑦	내가 있을 때 일어난 상황이 아니므로 당직사관에게 책임을 묻는다.

10번 해설

제시문 이해하기

'부대의 위급상황 발생 시 어떻게 대처할 것인가'에 대한 상황을 통해 간부로서의 능력과 융통성을 평가하기 위한 문제이다.

풀이 TIP

사건·사고 발생 → 문제의 원인 분석 → 능력 범위 내 해결방안 모색 → 선조치 후보고 또는 선보고 후조치 → 문제 해결

맡은 바 직책에 대하여 임무를 완수하기 위해 최선을 다하는 것은 군인의 기본적인 자세이며, 힘든 상황에 부딪쳤을 때 합리적인 해결책을 모색하여 부대를 이끄는 것이 지휘자의 임무이다. 부대 일에 대해 주도적으로 앞장서서 임무를 추진하는 자세가 필요하다.

11

당신은 대대 인사과 회계담당 부사관이다. 상급부대의 지시에 따라 내일까지 전반기 부대경비 지출결과 보고를 해야 한다. 그러나 본 업무의 책임자이며, 담당해야 할 인사과장이 다른 업무로 바쁘다며 당신에게 보고서 작성과 관련된 모든 업무를 수행하라고 지시하였다. 그러나 업무 특성상 예하부대 지시를 해야 할 담당자들이 모두 부사관 선임자라서 협조를 요청해도 무시하거나 건성으로 자료를 전달해주어 업무수행에 어려움이 많다.

이러한 상황에서 당신은 어떻게 하겠는가?

이 상황에서 당신이 ⓐ 가장 할 것 같은 행동은?　　　　　　　　(　　　　　)

　　　　　　　　　ⓑ 가장 하지 않을 것 같은 행동은?　　　(　　　　　)

번호	선택지
①	인사과장에게 업무 처리의 어려움을 이야기하고, 업무 분장을 명확하게 해달라고 정중하게 이야기한다.
②	본인이 할 수 있는 업무까지는 수행하지만, 나머지는 협조 부족으로 진행이 안된다고 인사과장에게 처리해 줄 것을 부탁한다.
③	부당한 일이므로 인사과장보다 높은 상관에게 조언을 구한다.
④	예하부대 선임보다 높은 계급의 장교들에게 부탁하여 일처리를 빠르게 한다.
⑤	예하부대 담당자들에게 늦게 보고할 것을 감안하여 보고기한을 앞당겨서 제출하도록 한다.

11번 해설

제시문 이해하기

'부당한 부서 운영에 대하여 상관에 용기있게 말할 수 있는가'에 대한 상황을 통해 상관의 업무수행 시 옳지 않은 행동에 대해 대처하는 능력을 평가하는 문제이다.

풀이 TIP

부하는 항상 상관의 의도를 존중하고 지시에 따라야 한다. 하지만 본인의 맡은 범위 외의 임무 수행과 불합리한 처우에 대하여 상관에게 의견을 건의할 수 있는 간부로서의 용기가 필요하다. 단, 본인의 입장만을 고수하는 것이 아니라 객관적인 입장에서 다시 한번 생각하고 신중해야 한다.

12

> 당신은 A함정의 부사관이다. 지금 A함정은 장기 항해 출동 중으로 이틀 후에 입항할 예정이다. 이번 항해는 여러가지 일들로 다른 항해 출동보다 많이 힘들었는데, 이제 장기 출동이 끝나가는 상황이어서 부대원들도 많이 들뜬 상태였다. 그런데 갑자기 상부에서 출동을 보름 더 연장하라는 지시가 내려왔다. 갑자기 내려진 연장 명령이기 때문에 부대원들의 사기와 집중도가 급격히 떨어져 있다.
>
> 이러한 상황에서 당신은 어떻게 하겠는가?

이 상황에서 당신이 ⓐ 가장 할 것 같은 행동은?   (   )

ⓑ 가장 하지 않을 것 같은 행동은?   (   )

번호	선택지
①	먼저 긍정적인 모습을 보이고, 적극적으로 활동한다.
②	부대원들에게 정확한 사정을 알리고 함께 고생하자고 격려한다.
③	후임들이 힘들지 않도록 당직이나 의식주 등의 불편함 해소에 주력한다.
④	부사관으로서 상부에 부대원들의 의사를 표현한다.

12번 해설

제시문 이해하기

'부하들의 어려운 상황을 고려하여 어떻게 조치할 것인가'에 대한 상황을 통해 중간 지휘자로서 맡은 임무를 다하는 것과 부하들의 불만과 어려움을 해소하는 것 사이에서 적절한 해결방안을 찾을 것인지 지휘통솔능력을 판단하는 문제이다.

풀이 TIP

지휘자의 결심과 조치는 부대의 전투력에 매우 결정적인 부분이다. 부하들을 아끼고 생각하는 것도 중요하지만, 군인으로서 맡은 바 임무를 완수하는 것이 기본자세이다. 또한 사기저하된 부하들에게 휴식과 보상을 보장하고 함께 목표를 달성하도록 방향을 제시하는 것이 바람직한 지휘자이다.

13

> 당신의 부대에는 당신을 포함해 열 명 정도의 하사가 있으며, 선후배 간의 군기강이 철저한 편이다. 어느날 후배가 당신에게 찾아와 선배인 A중사가 종종 욕설을 하고 인격적으로 무시하는 심한 말을 해서 매우 힘들다고 고민을 털어 놓았다. 그러나 당신의 경험상 선배인 A중사는 당신에게 욕설을 하거나 힘들게 했던 일이 전혀 없었다.
>
> 이러한 상황에서 당신은 어떻게 할 것인가?

이 상황에서 당신이 ⓐ 가장 할 것 같은 행동은?　　　　　(　　　　　)

　　　　　　　　　 ⓑ 가장 하지 않을 것 같은 행동은?　　(　　　　　)

번호	선택지
①	후배에게 참을 것을 이야기하고 힘내라고 격려해준다.
②	A중사에게 후배가 힘들어한다고 이야기한다.
③	후배에게 A중사가 이유 없이 그럴 사람이 아니라는 것을 인식시키고 후배가 잘못한 것이 없는지 그 이유를 같이 찾아본다.
④	A중사와 후배가 진솔한 이야기를 나눌 수 있는 자리를 마련해준다.
⑤	후배에게 A중사보다 높은 부사관에게 보고하고 자문을 받도록 충고한다.

13번 해설

제시문 이해하기

'지휘자로서 병사와 간부의 갈등뿐만 아니라 간부들 사이의 갈등 문제에 대해서 어떻게 대처할 것인가'에 대한 상황을 통해 갈등관리와 의사소통, 단결력의 능력을 평가하기 위한 문제이다.

풀이 TIP

이러한 문제점은 어느 집단 간에만 발생할 수 있는 것은 아니다. 군에서는 사회와는 달리 상하 간 계급이라는 질서가 매우 중요하기 때문에 지휘자로서의 위치를 명심하여 상급자의 권위를 존중하고 하급자의 인격을 무시하지 않도록 각별히 신경을 써야 한다.

14

당신은 부소대장으로 이번에 소대원들을 데리고 교육을 하게 되었다. 그런데 평소 고참 소대원들이 힘든 훈련을 꺼리고 요령을 피워 훈련에 어려움을 겪고 있다. 이번에도 마찬가지로 상당수의 소대원이 몸이 아프다고 호소하며, 환자로 대우해 열외시켜줄 것을 요구하고 있다.

이러한 상황에서 당신은 어떻게 할 것인가?

이 상황에서 당신이 ⓐ 가장 할 것 같은 행동은?　　　　　　（　　　　　）

ⓑ 가장 하지 않을 것 같은 행동은?　　　　　（　　　　　）

번호	선택지
①	열외 인원에 대해서는 포상 대상에서 제외하거나 얼차려를 부여한다.
②	의무병에게 진료 확인을 하게 하여 진짜 환자를 제외한 후 나머지 인원으로 훈련을 한다.
③	솔선수범하여 모범을 보여서 병사들로 하여금 자발적으로 따르게 한다.
④	거짓말임을 알기 때문에 무시하고 훈련을 강행한다.
⑤	상급자에게 문의해서 부대 훈련 주기를 느슨하게 조절하도록 요청한다.

14번 해설

제시문 이해하기

'부대 운영이 힘든 상황에서 어떻게 부대의 능력과 분위기를 향상시킬 것인가'에 대한 상황을 통해 어떤 방법으로 부대원들의 사기를 끌어올리며 부대원들을 훈련시킬 것인지를 묻는 문제이다.

풀이 TIP

훈련을 꺼리고 요령을 피운다 하여 규정된 훈련을 게을리하는 것은 있을 수 없는 일이다. 이러한 일일수록 어떤 효과적인 방법으로 부하들의 능력을 끌어올릴지 그 방법을 강구하는 것이 지휘자의 몫이다. 이때 무조건 강압적인 방법보다는 보상을 한다거나 효과적인 동기를 부여하여 능동적으로 참여를 유도하는 방법이 지휘자로서의 능력임을 명심해야 한다.

15

지금 당신의 소대장은 당신의 소대 소속인 병사 하나를 탓하고 있는 중이다. 사실 그 병사는 몸이 좋지 않아 잠시 쉬고 있었던 것인데 중대장이 그 사실을 모르고 게으름을 피운다고 생각하여 심하게 그 병사를 꾸짖고 있다. 게다가 병사가 억울한 표정으로 자초지종을 설명하려 하자 중대장은 병사의 이야기는 듣지 않고 기합까지 주려고 한다.

이러한 상황에서 당신은 어떻게 하겠는가?

이 상황에서 당신이 ⓐ 가장 할 것 같은 행동은?　　　　　(　　　　　)

　　　　　　　　　ⓑ 가장 하지 않을 것 같은 행동은?　　　　(　　　　　)

번호	선택지
①	소대장이 하는 대로 놔두고, 상황이 종료된 후 병사와 따로 면담하여 사건정황을 듣고 격려하고 달래준다.
②	소대장이 하는 대로 놔두고, 상황이 종료된 후 나중에 소대장에게 따로 찾아가서 오해였음을 말해준다.
③	소대장이 기합하기 전에 나서서 인원 앞에서 변론을 해준다.
④	소대장에게 환자를 미리 보고하지 않은 점에 대해 양해를 구하고, 같이 기합을 받겠다고 한다.
⑤	그 상황에서 나서서 자신이 따로 교육을 단단히 시키겠다고 하며 그 병사를 따로 빼온다.
⑥	오히려 내가 당장 기합을 주고, 소대장님께 잘못을 구한 후 상황을 설명한다.

15번 해설

제시문 이해하기

'상급자의 부당한 처우에 대해 어떻게 행동할 것인가'에 대한 상황을 통해 상급자에게 부당한 점을 당당히 이야기할 수 있는 대변력을 판단하는 문제이다.

풀이 TIP

사회와 달리 군대에서는 상하 간 위계질서가 중요하다. 하지만 상급자의 잘못된 상황 인식으로 부하들이 피해를 보고 있다면 당연히 시정을 요구할 수 있는 용기가 필요하다. 부사관은 장교와 부사관을 연결하는 교량 역할을 하고 있기 때문에 상관에게 예의를 갖추고 문제점을 해결할 수 있도록 노력해야 한다.

직무성격검사

[001~180] 다음 질문을 읽고 본인이 해당되는 것을 고르시오.

번호	내용	전혀 그렇지 않다	그렇지 않다	보통 이다	그렇다	매우 그렇다
001	다른 사람과 협동하여 하는 일을 잘하는 편이다.	①	②	③	④	⑤
002	손해를 보는 일이면 하지 않는다.	①	②	③	④	⑤
003	열심히 일하다가도 갑자기 그 일을 하기 싫어질 때가 있다.	①	②	③	④	⑤
004	다른 사람이 잘못된 행동을 하면 바로 지적해 준다.	①	②	③	④	⑤
005	잘못된 지시라도 우선 그 일을 이행한다.	①	②	③	④	⑤
006	한번 결정한 것은 잘 바꾸지 않는다.	①	②	③	④	⑤
007	일에 대한 아이디어가 많다.	①	②	③	④	⑤
008	일하는 것에 있어 나이는 중요하지 않다고 생각한다.	①	②	③	④	⑤
009	공과 사의 구분을 명확히 한다.	①	②	③	④	⑤
010	어떠한 것에 대해 크게 실망하지 않는다.	①	②	③	④	⑤
011	좋은 아이디어라도 여러 번 검토한 후에 시행한다.	①	②	③	④	⑤
012	남들이 꺼리는 일도 나서서 하는 편이다.	①	②	③	④	⑤
013	다수가 못 하는 일을 하고 싶다.	①	②	③	④	⑤
014	다른 사람에게 나를 소개하는 것을 좋아한다.	①	②	③	④	⑤
015	남을 위해 일하고 싶다.	①	②	③	④	⑤
016	모든 일에 만족하는 법이 없다.	①	②	③	④	⑤
017	목소리가 큰 편이다.	①	②	③	④	⑤
018	복잡한 일을 풀어 가는 것을 즐긴다.	①	②	③	④	⑤
019	권력을 손에 넣고 싶다.	①	②	③	④	⑤
020	참을성이 강하다는 말을 가끔 듣는다.	①	②	③	④	⑤
021	모임에서 '나'라는 사람이 부각되지 않았으면 한다.	①	②	③	④	⑤
022	일이 생겼을 때 정확히 판단하고 행동한다.	①	②	③	④	⑤
023	일이 생겼을 때 판단하고 행동하는 것이 힘들다.	①	②	③	④	⑤
024	모임과 같은 조직 생활이 즐겁다.	①	②	③	④	⑤
025	모임과 같은 조직 생활은 불필요한 일이라고 생각한다.	①	②	③	④	⑤
026	모임에서 다양한 일을 해 보고 싶다.	①	②	③	④	⑤

027	책임감 있는 일을 하는 것을 즐긴다.	①	②	③	④	⑤
028	책임지는 일을 하고 싶지 않다.	①	②	③	④	⑤
029	다른 사람으로부터 영향을 쉽게 받는 편이다.	①	②	③	④	⑤
030	한번 아니다 싶은 것은 죽어도 아니다.	①	②	③	④	⑤
031	혼자보다 여럿이 일하는 것이 편하다.	①	②	③	④	⑤
032	일을 할 때 기존 방식에 따라 일을 마친 후 문제점을 제기하고 대안을 찾는다.	①	②	③	④	⑤
033	일을 할 때 문제점이 보이면 나에게 맞게 바꿔서 문제를 해결하고 통보한다.	①	②	③	④	⑤
034	약속이나 해야 할 일을 가끔 까먹는다.	①	②	③	④	⑤
035	혼자보다 여럿이 일했을 때 성과가 더 좋았다.	①	②	③	④	⑤
036	나의 의견만이 맞는 답이다.	①	②	③	④	⑤
037	뜻대로 되지 않으면 쉽게 좌절한다.	①	②	③	④	⑤
038	나는 '적당히'를 모른다.	①	②	③	④	⑤
039	나의 의견을 누가 무시할까 봐 두렵다.	①	②	③	④	⑤
040	친한 사람이 있어야만 모임에 참여한다.	①	②	③	④	⑤
041	나와 친한 사람이 다른 사람과 친해지는 것이 싫다.	①	②	③	④	⑤
042	나는 감정 기복이 심하다.	①	②	③	④	⑤
043	새로운 것을 도전하기 위해 위험을 감수할 수 있다.	①	②	③	④	⑤
044	다른 사람이 나를 어떻게 보는지 항상 신경 쓴다.	①	②	③	④	⑤
045	나는 종종 자기 자랑을 한다.	①	②	③	④	⑤
046	내가 힘들게 한 일을 다른 사람이 알아줬으면 한다.	①	②	③	④	⑤
047	내가 속한 모임, 분야에서 언젠가는 최고가 되고 싶다.	①	②	③	④	⑤
048	남에게 칭찬받는 것이 당연하다고 생각한다.	①	②	③	④	⑤
049	남에게 칭찬하는 것에 인색하다.	①	②	③	④	⑤
050	착한 사람이라는 말을 자주 듣는다.	①	②	③	④	⑤
051	사적인 일로 공적인 일을 그르쳐 본 적이 없다.	①	②	③	④	⑤
052	나와 생각이 다른 사람과 어울리고 싶다.	①	②	③	④	⑤
053	어떤 일에 대해 나만의 확고한 생각이 있다.	①	②	③	④	⑤
054	명확하게 일을 처리한다.	①	②	③	④	⑤
055	나는 융통성이 없다.	①	②	③	④	⑤
056	다른 사람 험담을 하지 않는다.	①	②	③	④	⑤
057	누군가가 험담하는 것을 듣고 싶지 않다.	①	②	③	④	⑤
058	친구가 다른 사람 험담을 하면 동조해 주는 편이다.	①	②	③	④	⑤

059	모임에서 직책을 맡고 싶다.	①	②	③	④	⑤
060	다른 사람의 의견을 듣고 정리하는 것을 좋아한다.	①	②	③	④	⑤
061	내가 하지 않아도 되는 일도 나서서 한다.	①	②	③	④	⑤
062	일이 많으면 힘들지만 그것을 즐긴다.	①	②	③	④	⑤
063	어떤 일이든 즐겁게 할 수 있다.	①	②	③	④	⑤
064	사람들이 모이는 곳에 참석하는 것은 피곤한 일이다.	①	②	③	④	⑤
065	나는 다른 사람의 단점보다 장점을 찾으려고 노력한다.	①	②	③	④	⑤
066	다른 사람을 보고 내가 우월하다고 생각할 때가 있다.	①	②	③	④	⑤
067	어떤 것에 대해 아는 척할 때가 있다.	①	②	③	④	⑤
068	내가 한 것이 틀렸어도 더 당당하게 소리친다.	①	②	③	④	⑤
069	일정을 무리하게 잡다가 시킨 일을 마무리하지 못한 적이 있다.	①	②	③	④	⑤
070	무슨 일이든 메모하는 습관이 있다.	①	②	③	④	⑤
071	아는 사람과 만나는 것이 처음 보는 사람과의 만남보다 불편할 때가 있다.	①	②	③	④	⑤
072	보수를 받는 일을 했을 때 내가 손해보는 것을 참을 수 없다.	①	②	③	④	⑤
073	내가 손해를 보더라도 해야 할 일을 우선 마친다.	①	②	③	④	⑤
074	손해를 보는 일이면 애초에 하지 않는다.	①	②	③	④	⑤
075	일을 완벽히 끝내지 않으면 화가 난다.	①	②	③	④	⑤
076	일을 완벽하게 하려다가 제때 끝내지 못한 적이 있다.	①	②	③	④	⑤
077	일을 완벽히 마무리하려고 노력한다.	①	②	③	④	⑤
078	누군가로부터 일에 대해 지적을 받으면 기분이 상한다.	①	②	③	④	⑤
079	누군가 내가 하고 있는 일을 지적하면 그 일을 하기가 싫어진다.	①	②	③	④	⑤
080	일을 할 때 항상 옆에 봐주는 사람이 있어야 한다.	①	②	③	④	⑤
081	모든 일을 불편 없이 잘한다는 말을 가끔 듣는다.	①	②	③	④	⑤
082	시간이 빌 때 무엇을 해야 할지 모르겠다.	①	②	③	④	⑤
083	취미 생활이 없다.	①	②	③	④	⑤
084	주변에서 나의 능력을 과소평가한다.	①	②	③	④	⑤
085	나는 다른 사람보다 능력이 떨어지는 것 같다.	①	②	③	④	⑤
086	알고 있는 것들을 활용하지 못한다는 소리를 가끔 듣는다.	①	②	③	④	⑤
087	같은 실수를 반복한다.	①	②	③	④	⑤
088	한번 시작한 일은 끝까지 한다.	①	②	③	④	⑤

089	눈치가 빠르다.	①	②	③	④	⑤
090	말보다 행동이 중요하다고 생각한다.	①	②	③	④	⑤
091	지금까지도 생각하는 일이 있다.	①	②	③	④	⑤
092	전통이 있어도 개선할 사항은 개선해야 한다고 생각한다.	①	②	③	④	⑤
093	때로는 과정보다는 결과가 중요하다.	①	②	③	④	⑤
094	나는 주위의 모든 것들이 가끔 귀찮다고 여겨질 때가 있다.	①	②	③	④	⑤
095	일에 대한 권리는 존중되어야 한다.	①	②	③	④	⑤
096	해야 할 일이 분명하지 않으면 하기 싫다.	①	②	③	④	⑤
097	능력을 활용할 수 있는 일을 하고 싶다.	①	②	③	④	⑤
098	아무리 하고 싶은 일이라도 전망이 없으면 시작하지 않는다.	①	②	③	④	⑤
099	나는 주위에 다양한 분야에서 일하는 사람들이 많다.	①	②	③	④	⑤
100	나는 열정적인 사람이다.	①	②	③	④	⑤
101	나는 감정을 잘 숨기는 사람이다.	①	②	③	④	⑤
102	일에 대한 자부심이 강하다.	①	②	③	④	⑤
103	내 생각을 다른 사람에게 잘 전달한다.	①	②	③	④	⑤
104	규칙적인 생활을 좋아한다.	①	②	③	④	⑤
105	고독을 즐기는 편이다.	①	②	③	④	⑤
106	아침에 일어나면 하루 일과를 생각한다.	①	②	③	④	⑤
107	남에게 너무 의존한다는 말을 들어 본 적 있다.	①	②	③	④	⑤
108	지나치게 현실적이라는 말을 가끔 듣는다.	①	②	③	④	⑤
109	다른 사람의 비밀을 지켜주는 편이다.	①	②	③	④	⑤
110	계획 세우는 것을 좋아한다.	①	②	③	④	⑤
111	주변 사람들에게 가끔 냉정하다는 소리를 듣는다.	①	②	③	④	⑤
112	모임에서 문제가 생길 때 나를 찾아와 도움을 구한다.	①	②	③	④	⑤
113	조직이나 학교에서 나의 감정을 잘 드러낸다.	①	②	③	④	⑤
114	금전 문제에 대한 구체적인 계획이 있다.	①	②	③	④	⑤
115	불안감에 잠을 못 이룬다.	①	②	③	④	⑤
116	나만의 시간이 반드시 필요하다.	①	②	③	④	⑤
117	계획적인 것을 좋아한다.	①	②	③	④	⑤
118	계획대로 안 되면 화가 난다.	①	②	③	④	⑤
119	기존의 틀을 바꾸는 것을 좋아한다.	①	②	③	④	⑤

120	새로운 사랑을 빠르게 받아들인다.	①	②	③	④	⑤
121	기존에 있는 틀을 바꾸는 것을 두려워한다.	①	②	③	④	⑤
122	모임에서 주도적으로 행동하는 편이다.	①	②	③	④	⑤
123	실패가 있는 성공은 성공이라고 할 수 없다고 생각한다.	①	②	③	④	⑤
124	새로운 일에 대한 두려움이 없다.	①	②	③	④	⑤
125	사람을 끌어당기는 힘이 있다는 말을 가끔 듣는다.	①	②	③	④	⑤
126	잘나가는 사람들과 어울리고 일하고 싶다.	①	②	③	④	⑤
127	일에 감정을 대입하지 않는다.	①	②	③	④	⑤
128	논리보다 감정을 중시하는 경우가 많다.	①	②	③	④	⑤
129	일에 대해 변명하지 않는다.	①	②	③	④	⑤
130	일이 생겼을 때 판단하고 행동하는 것이 힘들다.	①	②	③	④	⑤
131	능력이 흥미보다 중요하다.	①	②	③	④	⑤
132	흥미가 있는 일이라도 상황이 되지 않으면 포기한다.	①	②	③	④	⑤
133	시켜서 하는 일이라도 마음에 들 때까지 하는 편이다.	①	②	③	④	⑤
134	할 일은 미루지 않고 그때그때 처리하는 편이다.	①	②	③	④	⑤
135	모임을 위해 나를 희생할 준비가 되어 있다.	①	②	③	④	⑤
136	자기주장만을 강요하는 사람을 보면 어떻게 해야 할지 모르겠다.	①	②		④	⑤
137	일을 하다가 다른 지시가 떨어지면 새로운 지시부터 처리한다.	①	②	③		⑤
138	일을 하기 전 준비과정이 반드시 필요하다.	①	②	③	④	⑤
139	나는 규율을 어기는 것에 쾌감을 느낀다.	①	②	③	④	⑤
140	나는 임기응변에 능하다.	①	②	③	④	⑤
141	다른 사람의 말을 잘 들어 준다.	①	②	③	④	⑤
142	다른 사람의 말을 듣고 싶지 않다.	①	②	③	④	⑤
143	나와 의견이 다른 사람과 이야기하고 싶다.	①	②	③	④	⑤
144	나와 의견이 다른 사람과는 말도 섞기 싫다.	①	②	③	④	⑤
145	주변의 의견에 잘 휘둘린다.	①	②	③	④	⑤
146	나의 의견이 소수의 의견에 속하는 경우가 많다.	①	②	③	④	⑤
147	모임에 관련된 일을 최우선으로 처리한다.	①	②	③	④	⑤
148	할 일은 미루지 않고 그때그때 처리하는 편이다.	①	②	③	④	⑤
149	예시가 없으면 일을 하기 힘들다.	①	②	③	④	⑤
150	모임에서 나의 의견을 내는 것이 두렵지 않다.	①	②	③	④	⑤

151	혼자 일하는 것이 편하다.	①	②	③	④	⑤
152	자기주장이 강하다.	①	②	③	④	⑤
153	나는 사람이 많은 곳을 좋아한다.	①	②	③	④	⑤
154	다른 사람과 어울릴 필요가 없다고 생각한다.	①	②	③	④	⑤
155	다른 사람이 잘못된 행동을 하면 기분이 나쁘다.	①	②	③	④	⑤
156	혼자 결정하는 것을 두려워한다.	①	②	③	④	⑤
157	내가 판단해서 맞은 적이 없다고 생각한다.	①	②	③	④	⑤
158	모든 일은 내가 판단하는 게 맞다고 생각한다.	①	②	③	④	⑤
159	규율을 철저히 지켜야 한다.	①	②	③	④	⑤
160	나의 주변은 항상 정돈되어 있다.	①	②	③	④	⑤
161	나도 모르게 충동구매를 하는 경우가 많다.	①	②	③	④	⑤
162	부탁을 잘 거절하지 못한다.	①	②	③	④	⑤
163	선의의 거짓말은 자기변명일 뿐이라고 생각한다.	①	②	③	④	⑤
164	일을 할 때 안정감을 중시한다.	①	②	③	④	⑤
165	다른 사람을 미워해 본 적 없다.	①	②	③	④	⑤
166	결과가 예상되지 않으면 일을 시작하지 않는다.	①	②	③	④	⑤
167	소문은 소문일 뿐이라고 생각한다.	①	②	③	④	⑤
168	산만하다는 소리를 자주 듣는다.	①	②	③	④	⑤
169	나는 위기 대처 능력이 좋은 편이다.	①	②	③	④	⑤
170	하기 싫은 일은 뒤로 미뤄두는 편이다.	①	②	③	④	⑤
171	내가 일에 대해 설명을 하면 다들 잘 알아듣는다.	①	②	③	④	⑤
172	계획해서 하는 일보다 즉흥적으로 처리하는 것이 더 많다.	①	②	③	④	⑤
173	모임에서 사람들이 나를 믿고 잘 따른다.	①	②	③	④	⑤
174	무엇을 해도 인정을 잘 받는 편이다.	①	②	③	④	⑤
175	모임에서 하는 행사에 빠지지 않고 참여한다.	①	②	③	④	⑤
176	변동성이 많은 상황에서 당황하지 않고 일을 해결할 수 있다.	①	②	③	④	⑤
177	묻는 말에 대해 생각하고 답한다.	①	②	③	④	⑤
178	모임에서 의사 결정 시 상황과 변수를 모두 고려하여 결정한다.	①	②	③	④	⑤
179	모임에서 개인의 편의를 위해 규칙, 규율을 바꾸지 않는다.	①	②	③	④	⑤
180	모임에서 동의하지 않아도 합의된 내용이면 따라야 한다.	①	②	③	④	⑤

인성검사

[001~338] 다음 질문을 읽고 본인이 해당되는 것을 고르시오.

번호	문항	전혀 그렇지 않다	그렇지 않다	그렇다	매우 그렇다
001	나는 가끔 무언가를 부수고 싶은 충동이 든다.	①	②	③	④
002	내가 아는 사람이라도 다 좋아하지 않는다.	①	②	③	④
003	내 영혼은 가끔 육신을 떠난다.	①	②	③	④
004	누군가 내 것을 빼앗으려고 한다.	①	②	③	④
005	나는 가끔 욕하고 싶을 때가 있다.	①	②	③	④
006	나의 죄는 용서받을 수 없을 것 같다.	①	②	③	④
007	메뚜기 종류를 100가지 이상 알고 있다.	①	②	③	④
008	법은 엄격히 집행되어야 한다고 생각한다.	①	②	③	④
009	나는 가끔 집을 떠나고 싶었던 적이 있다.	①	②	③	④
010	우리 아버지는 좋은 분이다.	①	②	③	④
011	내 미래는 나아질 것이다.	①	②	③	④
012	나의 생각을 사람들에게 이해시키는 게 어렵다.	①	②	③	④
013	나는 가끔 쓸모없는 사람이라고 느껴진다.	①	②	③	④
014	가끔 어린 시절로 돌아갔으면 한다.	①	②	③	④
015	나도 모르게 걱정하고 있을 때가 많다.	①	②	③	④
016	식욕이 없다.	①	②	③	④
017	가끔 두통이 심할 때가 있다.	①	②	③	④
018	나는 겁이 많다.	①	②	③	④
019	우울할 때가 많다.	①	②	③	④
020	일에 대한 능률이 오르지 않으면 스트레스를 받는다.	①	②	③	④
021	무슨 일이든 시작하기 힘들다.	①	②	③	④
022	나는 주위 사람들과 잘 어울린다.	①	②	③	④
023	내가 꼭 나쁜 짓을 할 것 같다.	①	②	③	④
024	한 가지 일에 집중하기 어렵다.	①	②	③	④
025	안절부절못하며 한자리에 오래 앉아 있지 못할 때가 있다.	①	②	③	④

026	나는 옳지 않은 일을 하는 사람과도 친하게 지낼 수 있다.	①	②	③	④
027	무슨 일을 하려고 하면 손이 떨릴 때가 많다.	①	②	③	④
028	처음 만난 사람과 이야기 하는 것이 힘들다.	①	②	③	④
029	이유 없이 화가 날 때가 많다.	①	②	③	④
030	지금 가장 힘든 것은 나 자신과의 싸움이다.	①	②	③	④
031	죽고 싶다는 생각을 많이 한다.	①	②	③	④
032	수줍음을 타지 않았으면 좋겠다.	①	②	③	④
033	때때로 집을 몹시 떠나고 싶을 때가 있다.	①	②	③	④
034	아무도 나를 이해하지 못하는 것 같다.	①	②	③	④
035	허세가 있다는 말을 가끔 듣는다.	①	②	③	④
036	성에 관한 생각에 시달리지 않았으면 좋겠다.	①	②	③	④
037	외로움을 자주 느낀다.	①	②	③	④
038	누군가 나를 향해 음모를 꾸미고 있는 것 같다.	①	②	③	④
039	실내에 있으면 불안하다.	①	②	③	④
040	분명 남들이 내 말을 하고 있을 것이다.	①	②	③	④
041	나는 불행하다.	①	②	③	④
042	건강에 대해서 걱정하는 일이 별로 없다.	①	②	③	④
043	나는 이용하기 쉬운 사람을 이용하는 것은 비난하지 않는다.	①	②	③	④
044	학교 다닐 때 나는 문제아 중 한 명이었다.	①	②	③	④
045	나는 임기응변에 능하다.	①	②	③	④
046	사람들은 종종 나를 실망시킨다.	①	②	③	④
047	비난받거나 꾸지람을 들으면 몹시 속상하다.	①	②	③	④
048	나는 이상하고 기이한 생각을 하곤 한다.	①	②	③	④
049	내가 무엇을 했는지 기억하지 못하는 경우도 있다.	①	②	③	④
050	나는 남들보다 야망이 있는 사람이다.	①	②	③	④
051	나는 생각이 많아 잠을 못 이룬다.	①	②	③	④
052	친한 친구가 실패하더라도 나와는 상관없다.	①	②	③	④
053	집안사람들과 말다툼하는 일이 거의 없다.	①	②	③	④
054	나는 모두가 규칙을 지켜야 하는 단체 생활을 견디기 힘들다.	①	②	③	④
055	나를 아는 대부분의 사람이 나를 좋아한다.	①	②	③	④
056	최근 이유 없이 지칠 때가 있다.	①	②	③	④

057	직업은 단지 먹고살기 위한 수단일 뿐이다.	①	②	③	④
058	가정이나 학교에서 혼나 본 적이 없다.	①	②	③	④
059	나는 어떤 상황이든 빨리 적응한다.	①	②	③	④
060	오늘 해야 할 일을 다음 날로 미룰 때가 있다.	①	②	③	④
061	한 가지 일에 집중을 못 한다.	①	②	③	④
062	나는 가끔 불안하다.	①	②	③	④
063	나는 가끔 해서는 안 될 생각을 한다.	①	②	③	④
064	종종 이유 없는 통증을 느낄 때가 있다.	①	②	③	④
065	나는 할 일을 미루어 해본 적이 있다.	①	②	③	④
066	죽고 싶다는 생각을 많이 한다.	①	②	③	④
067	앞으로 모든 게 잘 될 것이다.	①	②	③	④
068	주위 사람들은 나 같은 성격을 좋아하지 않는다.	①	②	③	④
069	가족과 떨어지고 싶다는 생각을 해본 적 있다.	①	②	③	④
070	나는 망설이다가 손해를 보는 경우가 많다.	①	②	③	④
071	학교 가는 것을 좋아했다.	①	②	③	④
072	나는 단체 의견이라도 타협하기가 싫다.	①	②	③	④
073	화가 나면 성질이 매우 나빠진다.	①	②	③	④
074	나는 다른 사람에게 인정받고 싶다.	①	②	③	④
075	나의 장래는 매우 밝다.	①	②	③	④
076	또래의 모임에 끼어들기 어렵다.	①	②	③	④
077	가끔 소리 지르고 싶을 때가 있다.	①	②	③	④
078	단체 생활에서는 다른 사람과 경쟁하기보다 협동이 중요하다고 생각한다.	①	②	③	④
079	나는 누군가에겐 필요한 존재이다.	①	②	③	④
080	나는 거의 모든 사람을 두려워한다.	①	②	③	④
081	나는 이유 없이 짜증을 낸다.	①	②	③	④
082	외로움을 자주 느낀다.	①	②	③	④
083	내 말의 의도를 상대방이 이해하지 못할 때가 많다.	①	②	③	④
084	벌여 놓은 일이 너무 많아 감당하기 힘들다.	①	②	③	④
085	나는 이익을 위해서라면 다른 사람을 속일 수 있다.	①	②	③	④
086	나의 머리는 항상 생각으로 가득 차 있다.	①	②	③	④
087	나는 가끔 쓸모없는 사람이라고 느낄 때가 있다.	①	②	③	④
088	모르는 사이에 몸에 상처가 나 있는 경우가 많다.	①	②	③	④

089	쉬지 않고 계속 일해야 뒤처지지 않는다고 생각한다.	①	②	③	④
090	최근 악몽에 시달린 적이 있다.	①	②	③	④
091	과거의 안 좋은 기억이 최근까지도 나를 괴롭히고 있다.	①	②	③	④
092	가끔 내 안에 다른 인물들이 사는 것 같다.	①	②	③	④
093	최근 친한 사람과 안 좋은 일이 있었다.	①	②	③	④
094	가족과 심하게 싸운 적이 있다.	①	②	③	④
095	화가 나더라도 분출하지 못한다.	①	②	③	④
096	주위 사람들로부터 스트레스를 많이 받는다.	①	②	③	④
097	마음이 여리다.	①	②	③	④
098	나는 거인이 보인다.	①	②	③	④
099	여행을 가면 충분히 즐기고 온다.	①	②	③	④
100	집안 사정이 갑자기 안 좋아졌다.	①	②	③	④
101	사무적인 일보다는 활동적인 일을 더 좋아한다.	①	②	③	④
102	주위에서 일어나는 일에 관심이 많다.	①	②	③	④
103	단체 생활의 경험이 많다.	①	②	③	④
104	멈춰야 할 때를 안다.	①	②	③	④
105	무언가를 하고 있지 않으면 불안하다.	①	②	③	④
106	너무 솔직해서 남에게 지적을 받은 적이 있다.	①	②	③	④
107	충동구매를 자주 한다.	①	②	③	④
108	자기주장이 뚜렷한 사람이 좋다.	①	②	③	④
109	실수를 했을 때 오래도록 기억에 남아 괴롭다.	①	②	③	④
110	나는 행복하다.	①	②	③	④
111	나는 의지가 약하다는 소리를 자주 듣는다.	①	②	③	④
112	나는 임기응변에 능하다.	①	②	③	④
113	주어진 일만 하는 편이다.	①	②	③	④
114	나는 자유로운 편이다.	①	②	③	④
115	계획에 없는 일은 하지 않는다.	①	②	③	④
116	나는 잠을 잘 잔다.	①	②	③	④
117	어떠한 일이 생기더라도 판단하고 해결하는 데 능하다.	①	②	③	④
118	실패하더라도 도전한다.	①	②	③	④
119	약속을 어기지 않는다.	①	②	③	④
120	나는 보수적인 편이다.	①	②	③	④

121	모임에서 주로 리더가 된다.	①	②	③	④
122	감정이 없다는 말을 자주 듣는다.	①	②	③	④
123	물건을 사려고 하면 망설이게 된다.	①	②	③	④
124	어떠한 일이 생기더라도 판단하고 해결하는 데 능하다.	①	②	③	④
125	예의가 없다는 말을 들어 본 적이 있다.	①	②	③	④
126	모든 관계는 소중하다고 생각한다.	①	②	③	④
127	사적인 일과 공적인 일을 철저히 나눌 수 있다.	①	②	③	④
128	문제가 있는 사람에게 이야기하지 못하고 다른 사람에게 말한다.	①	②	③	④
129	혼잣말을 할 때가 있다.	①	②	③	④
130	문제의 원인을 잘 파악한다.	①	②	③	④
131	사람들을 관찰하는 것을 좋아한다.	①	②	③	④
132	가끔 소리를 지르고 싶을 때가 있다.	①	②	③	④
133	나는 감정 조절이 힘들다.	①	②	③	④
134	나는 여유롭지 못하다.	①	②	③	④
135	생각이 많아 잠을 못 이룬다.	①	②	③	④
136	감정을 숨기지 못한다.	①	②	③	④
137	시간이 생기면 무언가를 하기보다 생각에 잠기는 편이다.	①	②	③	④
138	모임, 단체 활동을 남들만큼 잘할 자신이 없다.	①	②	③	④
139	사랑받지 못할까봐 언제나 불안하다.	①	②	③	④
140	작은 소리에도 민감하게 반응한다.	①	②	③	④
141	여럿이 있을 때보다 혼자 있을 때 더 즐겁다.	①	②	③	④
142	사람들과 함께 있고 싶어서 모임에 가입한다.	①	②	③	④
143	나는 욕구를 참지 못할 때가 있다.	①	②	③	④
144	내가 옳다고 생각하는 것은 지켜야 한다고 생각한다.	①	②	③	④
145	여러 사람과 있는 것보다는 한두 사람과 있을 때 즐겁다.	①	②	③	④
146	모두가 즐거운데 나만 즐겁지 않을 때가 있다.	①	②	③	④
147	나는 행동하는 게 남들보다 조금 느리다.	①	②	③	④
148	내가 무엇을 했는지 모를 때가 많다.	①	②	③	④
149	나는 돈을 빌리고 안 준 적이 있다.	①	②	③	④
150	여럿이 있으면 무슨 이야기를 해야 할지 모르겠다.	①	②	③	④
151	주위 사람들은 내가 사고를 칠까봐 걱정한다.	①	②	③	④

152	나는 무미건조한 삶을 살고 있다.	①	②	③	④
153	나는 어떠한 일이든지 모범적으로 마칠 자신이 있다.	①	②	③	④
154	혼잣말을 할 때가 많다.	①	②	③	④
155	가출해 본 적이 있다.	①	②	③	④
156	내가 선택한 것임에도 후회한 적이 많다.	①	②	③	④
157	남이 불행하면 행복하다.	①	②	③	④
158	자신감이 없다.	①	②	③	④
159	내 주위에 사람이 많으면 피곤하다.	①	②	③	④
160	최근 들어 집이 싫어질 때가 많다.	①	②	③	④
161	나는 활동적이다.	①	②	③	④
162	최근 들어 좌절감을 느낄 때가 많다.	①	②	③	④
163	친한 사람이 내게 고민을 털어놓으면 짜증 난다.	①	②	③	④
164	미래를 생각하면 답답하다.	①	②	③	④
165	나는 복이 많은 것 같다.	①	②	③	④
166	나는 의욕이 있는 사람이다.	①	②	③	④
167	나는 사회에서 내가 부각되지 않기를 원했다.	①	②	③	④
168	상황이 점차 나아질 것이다.	①	②	③	④
169	과거 일어났던 싸움의 주된 원인은 나에게 있었다.	①	②	③	④
170	과거 기억 중 대부분은 생각하기 싫다.	①	②	③	④
171	나는 상사가 되면 지도를 잘할 수 있다.	①	②	③	④
172	나는 모임같이 많은 사람과 활동하는 것이 좋다.	①	②	③	④
173	나를 사랑하는 사람이 없어도 상관없다.	①	②	③	④
174	내가 다른 사람을 도와주면 손해는 내가 본다.	①	②	③	④
175	때때로 믿을 수 없는 사람이 있다.	①	②	③	④
176	어떠한 것이든 부정적인 생각이 먼저 든다.	①	②	③	④
177	나는 주변 분위기에 잘 휩쓸린다.	①	②	③	④
178	세상 돌아가는 일에 관심이 없다.	①	②	③	④
179	부당한 일을 당하면 반드시 보복한다.	①	②	③	④
180	다들 나를 쳐다보는 것 같아서 두렵다.	①	②	③	④
181	남에게 걱정거리가 생기면 같이 걱정해주고 해결책을 찾아준다.	①	②	③	④
182	가끔 주체할 수 없을 정도로 화가 난다.	①	②	③	④
183	지하철에서 자리를 잘 양보한다.	①	②	③	④

184	나는 일탈을 꿈꾼 적이 있다.	①	②	③	④
185	자존심이 센 편이다.	①	②	③	④
186	사람을 대할 때 편견 없이 대하려고 노력한다.	①	②	③	④
187	아침에 일어나면 계획부터 세운다.	①	②	③	④
188	주로 모임에서 리더가 된다.	①	②	③	④
189	거짓말을 해본 적이 전혀 없다.	①	②	③	④
190	자주 입맛이 없다.	①	②	③	④
191	소설 속 주인공이 되어 보고 싶다.	①	②	③	④
192	내가 할 일은 마지막에 처리한다.	①	②	③	④
193	언제나 평온함을 잃지 않는다.	①	②	③	④
194	사람들을 재미있게 해주는 것을 좋아한다.	①	②	③	④
195	마음먹으면 세상에 못 할 일은 없다.	①	②	③	④
196	나는 부당한 상황을 외면한다.	①	②	③	④
197	책임감이 강한 편이다.	①	②	③	④
198	가능성이 작더라도 도전하는 편이다.	①	②	③	④
199	다른 사람들이 귓속말을 하면 나의 험담을 하는 것이 아닌가하는 생각을 한다.	①	②	③	④
200	약속 시각에 늦은 적이 한 번도 없다.	①	②	③	④
201	이성보다는 감성이 중요하다고 생각한다.	①	②	③	④
202	틀에 박힌 생활을 거부한다.	①	②	③	④
203	혼자보다는 사람들과 함께 일하는 것이 좋다.	①	②	③	④
204	세상에는 나쁜 일보다 좋은 일이 많다고 생각한다.	①	②	③	④
205	일단 하겠다고 마음먹으면, 무조건 한다.	①	②	③	④
206	누구에게나 대화를 걸 수 있다.	①	②	③	④
207	나는 행복하다.	①	②	③	④
208	매사에 공격적인 편이다.	①	②	③	④
209	논리적인 원칙을 따져가며 말하는 것을 좋아한다.	①	②	③	④
210	남보다는 내가 중요하다.	①	②	③	④
211	조용한 분위기는 견디기 힘들다.	①	②	③	④
212	나는 부정적으로 생각하는 편이다.	①	②	③	④
213	누군가에게 지적받는 것은 참기 힘들다.	①	②	③	④
214	당사자가 없는 곳에서 그를 험담한 적이 있다.	①	②	③	④
215	다양한 사람을 만나는 것을 좋아한다.	①	②	③	④

216	내가 시작한 일은 남에게 맡기기 불안하다.	①	②	③	④
217	나는 순발력이 좋은 편이다.	①	②	③	④
218	단 한 번도 죽음을 생각해 본 적이 없다.	①	②	③	④
219	분석적이라는 말을 자주 듣는다.	①	②	③	④
220	나는 낯선 곳에서도 잘 잔다.	①	②	③	④
221	언제나 최악의 상황을 생각한다.	①	②	③	④
222	기분에 따라 즉흥적으로 행동한다.	①	②	③	④
223	나는 혼자 일하는 것이 좋다.	①	②	③	④
224	규칙적으로 생활한다.	①	②	③	④
225	상대가 누구든 내 주장을 하는 편이다.	①	②	③	④
226	여행을 떠날 때는 반드시 계획을 하고 떠나야 마음이 편하다.	①	②	③	④
227	낙천적이라는 말을 자주 듣는다.	①	②	③	④
228	나는 욕심이 많다.	①	②	③	④
229	내색하지 않지만 마음이 상할 때가 종종 있다.	①	②	③	④
230	속마음을 잘 내비치지 않는 편이다.	①	②	③	④
231	자신을 다른 사람보다 뛰어나다고 생각한다.	①	②	③	④
232	신중히 생각하고 행동한다.	①	②	③	④
233	가만히 있는 것보다는 움직이는 것을 좋아한다.	①	②	③	④
234	모르는 사람과 대화하는 일은 피곤하다.	①	②	③	④
235	도박으로 돈을 잃게 되면 그것을 꼭 만회해야만 한다.	①	②	③	④
236	일을 실행하기 전 다양하게 생각해 본다.	①	②	③	④
237	인간관계가 넓은 편이다.	①	②	③	④
238	나에게 이익이 된다면 남을 이용해도 된다.	①	②	③	④
239	오래된 취미 생활이 있다.	①	②	③	④
240	나는 더러운 화장실보다 깨끗한 화장실을 선호한다.	①	②	③	④
241	모르는 사람과 대화하는 것은 어렵다.	①	②	③	④
242	내가 이유 없이 벌 받을 때가 있는 것 같다.	①	②	③	④
243	법에 위반되는 일은 한 번도 하지 않았다.	①	②	③	④
244	자해를 시도해 본 적이 있다.	①	②	③	④
245	어렵더라도 중요한 일을 맡는 것이 좋다.	①	②	③	④
246	자살을 구체적으로 생각해 본 적이 있다.	①	②	③	④
247	지나치게 계획적인 여행은 재미가 없다.	①	②	③	④

248	파티 분위기를 좋아한다.	①	②	③	④
249	일에 대한 욕심이 많다.	①	②	③	④
250	부상의 위험이 크더라도 도전하는 편이다.	①	②	③	④
251	사람들의 시선이 두려울 때가 있다.	①	②	③	④
252	감정에 치우쳐 일을 그르친 적이 있다.	①	②	③	④
253	한번 시작하면 끝을 보고야 만다.	①	②	③	④
254	작은 일이라도 계획을 세워서 진행한다.	①	②	③	④
255	가끔 몹시 나쁜 꿈을 꾼다.	①	②	③	④
256	나는 때로는 사람들에게 매우 인색하다.	①	②	③	④
257	선물을 받는 것보다 주는 것이 편하다.	①	②	③	④
258	성격이 활발하다는 말을 자주 듣는다.	①	②	③	④
259	중요한 일을 맡는 것이 즐겁다.	①	②	③	④
260	해야 할 일을 미루지 않는다.	①	②	③	④
261	다른 사람에게 내 마음을 잘 표현한다.	①	②	③	④
262	성격이 급한 편이다.	①	②	③	④
263	의견 대립이 있을 때, 조율을 잘한다.	①	②	③	④
264	세상에 믿지 못할 사람이 한 명쯤은 있다고 생각한다.	①	②	③	④
265	친화력이 좋은 편이다.	①	②	③	④
266	맡은 일에는 끝까지 책임지려고 한다.	①	②	③	④
267	항상 최고가 되기 위해 노력한다.	①	②	③	④
268	종종 어디론가 떠나고 싶다.	①	②	③	④
269	새로운 사람을 만나는 것은 정말 어려운 일이다.	①	②	③	④
270	융통성이 없다는 말을 가끔 듣는다.	①	②	③	④
271	격렬하게 운동하는 것이 좋다.	①	②	③	④
272	어려운 일은 웬만하면 피하고 싶다.	①	②	③	④
273	자신의 한계를 극복하고 싶다.	①	②	③	④
274	다른 사람이 나를 어떻게 보는지 항상 신경 쓴다.	①	②	③	④
275	항상 일찍 일어나고 일찍 잔다.	①	②	③	④
276	억울한 일은 참지 못한다.	①	②	③	④
277	내가 피해를 보더라도 주변 사람에게 양보하는 편이다.	①	②	③	④
278	생각보다 행동이 앞서는 편이다.	①	②	③	④
279	세상에는 행복한 사람보다 불행한 사람이 많다.	①	②	③	④
280	이것저것 생각하다 기회를 놓친 적이 많이 있다.	①	②	③	④

281	학교(조직)에서 항상 최고가 되려고 한다.	①	②	③	④
282	사고 관련 뉴스를 보면 나에게도 사고가 닥칠 것 같아 불안하다.	①	②	③	④
283	여러 사람 앞에서 말하는 것을 즐긴다.	①	②	③	④
284	이유 없이 짜증이 난다.	①	②	③	④
285	나는 긍정적으로 생각하는 편이다.	①	②	③	④
286	벼락치기보다는 꾸준히 하는 것이 적성에 맞다.	①	②	③	④
287	다른 사람의 말을 잘 들어준다.	①	②	③	④
288	반드시 성공하고 싶다.	①	②	③	④
289	남의 부탁을 잘 거절하지 못한다.	①	②	③	④
290	포기하지 않고 노력하고 있다는 사실이 중요하다.	①	②	③	④
291	성공적으로 살아가려면 이상을 가져야 한다.	①	②	③	④
292	자주 다른 사람이 나를 쳐다본다는 느낌이 든다.	①	②	③	④
293	모든 사람에게 인정받고 싶다.	①	②	③	④
294	가끔 내가 정말 필요한 존재인지 생각한다.	①	②	③	④
295	불쌍한 사람을 보면 도와주고 싶다.	①	②	③	④
296	업무 외의 일이 주어져도 의욕적으로 할 것이다.	①	②	③	④
297	그때그때 상황에 따른 대처가 용이하다.	①	②	③	④
298	여행의 묘미는 예상치 못한 곳에서 생긴다.	①	②	③	④
299	정이 많고 따뜻하다는 말을 많이 듣는다.	①	②	③	④
300	규칙은 지키라고 정해 놓은 것이라 생각한다.	①	②	③	④
301	남에게 지는 것은 자존심 상하는 일이다.	①	②	③	④
302	꾸준히 운동을 한다.	①	②	③	④
303	누군가 만나기 싫어 길을 돌아간 적이 있다.	①	②	③	④
304	내가 나를 생각해도 참 융통성이 없다.	①	②	③	④
305	고집이 센 편이다.	①	②	③	④
306	사람들은 대부분 자기의 이익을 위해 다른 사람을 이용한다.	①	②	③	④
307	새로운 사람과 관계를 맺고 싶지 않다.	①	②	③	④
308	아침에 일찍 일어나는 것은 너무 어려운 일이다.	①	②	③	④
309	이기고 싶어서 억지를 부린 적이 있다.	①	②	③	④
310	나는 최고가 되려고 한다.	①	②	③	④
311	시작한 일은 무리를 해서라도 끝낸다.	①	②	③	④
312	현실성보다는 가능성에 비중을 둔다.	①	②	③	④

313	주변에 특이한 사람들이 많다.	①	②	③	④
314	자율과 규율 중 자율적으로 움직이고 싶다.	①	②	③	④
315	무엇이든 한번 시작하면 끝을 본다.	①	②	③	④
316	나는 가끔 쓸모없는 사람이라고 느낄 때가 있다.	①	②	③	④
317	약간의 위법도 해서는 안 된다고 생각한다.	①	②	③	④
318	주관이 없다는 말을 가끔 듣는다.	①	②	③	④
319	나는 아무도 보지 않더라도 신호 위반을 하지 않는다.	①	②	③	④
320	주위 친구들이 가끔 나를 흉보는 것 같다.	①	②	③	④
321	가끔 이유 없이 울적할 때가 있다.	①	②	③	④
322	주변이 소란스러운 것을 싫어한다.	①	②	③	④
323	친구가 걱정을 하면 나도 걱정한다.	①	②	③	④
324	가장 힘든 것은 나 자신과의 싸움이다.	①	②	③	④
325	잠을 이기는 것은 정말 힘들다.	①	②	③	④
326	항상 솔직하기 위해 노력한다.	①	②	③	④
327	의견을 내기보다는 따르는 편이다.	①	②	③	④
328	여러 명과 함께 노는 것을 좋아한다.	①	②	③	④
329	과거에 즐거운 추억이 많다.	①	②	③	④
330	가끔 소화가 잘 되지 않는다.	①	②	③	④
331	나보다 불행한 사람을 보며 안도하곤 한다.	①	②	③	④
332	도박 때문에 돈이 없다.	①	②	③	④
333	나는 고지식한 편이다.	①	②	③	④
334	말이 느린 사람을 보면 답답하다.	①	②	③	④
335	매사가 다 귀찮을 때가 있다.	①	②	③	④
336	알려지지 않은 새로운 방법으로 일하는 편이다.	①	②	③	④
337	공동 업무의 실패는 모두 내 탓이라고 생각한다.	①	②	③	④
338	모임 단체활동을 남들만큼 잘할 자신이 없다.	①	②	③	④

에듀윌 육군부사관

실전 모의고사 4회

상황판단검사
직무성격검사
인성검사